Gustaf Fröding ● *Samlade dikter*

GUSTAF FRÖDING

Samlade dikter

UNGDOMSDIKTER ● GITARR OCH DRAGHARMONIKA
NYA DIKTER ● STÄNK OCH FLIKAR ● NYTT OCH GAMMALT
GRALSTÄNK ● ÖVERSÄTTNINGAR ● RÄGGLER OCH PASCHASER
EFTERSKÖRD ● RECONVALESCENTIA

Wahlström & Widstrand   Stockholm

Omslag av Per Åhlin

ISBN 91-46-14450-1

Tryckt i England av Cox & Wyman Ltd. 1984

INNEHÅLL

UNGDOMSDIKTER

GITARR OCH DRAGHARMONIKA.

Värmländska låtar.

Griller och grubblerier.

Stämningar och stämningsbilder.

Likt och olikt.

NYA DIKTER.

Från Värmland.

INNEHÅLL

Två glädjedikter.

Ur kung Eriks visor.

Drömvers.

NYTT OCH GAMMALT.

GRALSTÄNK.

INNEHÅLL

ÖVERSÄTTNINGAR.

RÄGGLER Å PASCHASER.

Boka numra ett:

Boka numra två:

Mattoidens sånger:

RECONVALESCENTIA.

UNGDOMSDIKTER

CLAVERHOUSE.

Säg, minns du kanske Claverhouse,
ock kallad lord Dundee,
han var av Grahames ädla blod
och stolthet sjöd däri.
Han var en man, som aldrig vek,
och faran var för honom lek
och aldrig såg du honom blek
i stridens raseri.

Nej, när rebellen stred med mod,
förtvivlans hjältemod,
när striden röt som åskans dån
och allt i flammor stod,
och när man vildast högg och slog,
den dystre kavaljeren log
— det leendet man visste nog
betydde: "mera blod".

Och ej han övade miskund
mot covenantets män
och den, som råkat i hans våld,
han vände ej igen.
Förgäves covenanten flyr
och döljer sig i skog och myr.
Dundee är här! Lägg an! Ge fyr!
och död är Argyles vän.

Och barn och kvinnor skonade
han ingalunda, "ty

15

rebellavföda växer opp
och är av samma gry
som gamla whiggar", tänkte han,
"och kvinnan eggar upp sin man".
Och tomt blev hem, dit budet hann:
"Dundee är kommen, fly!"

Så for han fram och mördade
till gagn för kung och stat
och aldrig hatades en man
med så förtvivlat hat,
som det i männens hjärtan sjöd,
som det från kvinnors läppar ljöd,
hos barnet brann i blickens glöd
mot denne järnsoldat.

Men säker rider Claverhouse,
för kulor går han fri.
Mot döden han föraktfullt ler
och är med häxeri
ställd under onda makters vård,
så säges det, och gjuten hård
och hin rår om den tappre lord,
den tappre lord Dundee.

I kungens sal bland riddarna
du ser en skepnad käck
och elegant och stolt, det är
psalmsjungarenas skräck.
Och vore ej hans ögonbryn
och vore icke Grahameshyn,
du trodde kanske, att din syn
med ditt förstånd drev gäck.

Ty han, som på sitt samvete
bär fyrahundra mord,
och han, vars dystra hårdhet är

16

kring land och rike spord,
är hovets främste kavaljer
och skönheten behagsjukt ler
och trånande på hjälten ser
vid hans galanta ord.

Den skönaste är Claverhouse
bland män på kungens fest
och för sig lika väl i dans,
som han sig för till häst
i något blodigt höglandsslag;
se dessa veka anletsdrag,
märk vilket utsökt fint behag
i varje min och gest.

Men ingen lady i sitt våld
hans tappra hjärta fått,
och loge hon och suckade,
tills hennes hår blev grått,
hon fångade ej hans person,
ty striden blott är hans passion.
Han bytte gärna bort en tron
mot whiggars hugg och skott.

Och snart är han i kamp igen
bland skotska höglandsberg
och mörka rykten ljuda snart,
som kyla ben och märg.
Från norden höres fasans skri
om mord och blodbad, men Dundee
bland morden rider kall och fri
och stänkt med blodets färg.

Men vilken död fick Claverhouse,
med undran frågen I,
och kunde aldrig hämnden rå
på hin och häxeri?

Hans liv en silverkula tog,
i Killiecrankies slag han dog,
där Stuarts fiende han slog,
den tappre lord Dundee.

Ännu ibland, när åskor gå,
vid midnatt skåda vi
i någon öde, enslig trakt,
som folk ej färdas i,
en ryttartrupp betäckt med damm
och blodbestänkt, som spränger fram.
I spetsen blek och allvarsam
bland dem syns lord Dundee.

ABBOTSFORD.

Ack, romantikens ton förklungit,
dess sista sträng på harpan sprungit,
dess störste skald, sir Walter Scott,
för längesen från oss har gått.
Men än hans sång vårt öra tjusar
och vemodsfullt en viskning susar,
en röst från minnets tempelgård
i ekarne på Abbotsford.

Det viskar om de vilda fejder,
som härjat Skottlands sköna nejder,
om trotsighet, om svek och blod,
om ädelhet och hjältemod,
om präktig fest och muntra jakter,
om mörka dåd i vilda trakter,
om fattigman, om kung och lord,
så viskar det på Abbotsford.

Och se, där skymtar ju tartanen
på mannen av den gamla klanen,
som är förglömd av världen nu,
den gamle trogne Evan Dhu.
Mac Ivor, född till höga dater,
går bland sin klan med stolta later.
Hos dem har Charlie trogen vård,
så skymtar det på Abbotsford.

Där ligger Rothsay, skön men härjad,
av hungerdödens blekhet färgad,
där sörjer herrn av Ravenswood
med skövlad lycka, krossat mod,
och där Maria ömt begråter
den trognaste av undersåter.
Den ädle Douglas' lott var hård,
begråtes än på Abbotsford.

Där syns Dalgetty vid pokalen.
Han ordar vitt och brett i salen
om hur han slogs vid Breitenfeld
och finner allting väl beställt.
Men vid hans sida syns en annan
med vemodsdraget över pannan,
som tyckes båla om förgås,
det är markisen av Montrose.

Se dit emellan trädens stammar:
ett slott i brand mot himlen flammar,
du ser en sydländskt skön gestalt,
så kungligt stolt i skick och allt,
stå på ett bröstvärn, blek om kinden,
med lockar fladdrande för vinden.
Hon nämns Judinnan rätt och slätt,
men stammar ned från Davids ätt.

Så lekes skuggors lek i lunden,
men låt [oss] också göra runden
in under götiskt välvda tak
igenom Abbotsfords gemak.
Och även här i öde salar
dct gamla trogna minnet talar
om ädelhet hos gammalt blod,
sir Walters eget hjältemod.

Ja, här han satt av sjukdom bruten,
men in i döden dock besluten,
att om han icke leva kan,
han dock skall dö som gentleman.
Sir Walter vilar bland de döde,
mig tyckes dock, som ekon ljöde
av skaldens röst, likt mollackord:
Ännu jag älskar Abbotsford.

GOTT JULAMOT.

En bredsläde svingar
med fart genom grinden,
en dombjällra klingar,
och kall biter vinden
och aftonen lider mot kvälln.
Och högt på en trappa
vid dörrn står en piga,
nu stanna, nu stiga
en son och en pappa
som bylten ur släden och fälln.

Nu hörs faster Heddas
diskant ifrån gången,
man famnas, man räddas

i schalarne fången,
ur bojor och band med besvär
— det är, som hon ville
en väl, så hon smälte:
"kors, Ferdinand lille,
kors, Gustaf, ni välte
väl inte, ske tack, ni är här!"

Och hela familjen,
från farmor, för dagen
i bästa mantiljen,
till Siri med dragen
beredda till odygd och hyss,
oss hälsar till möte
med korus av gälle
kärvänlige: "söte
och käre och snälle
och rare" och famntag och kyss.

Men vem står och nickar
och småler och skiner,
förnämst bland kusiner,
och menar och blickar
mig an med så troskyldig min?
— Jag minns dig, jag ser dig,
min kära, min snälla
kusin Floribella
och önskar det sker dig
allt lyckligt och gott, min kusin!

Gustaf Fröding.

ETT LIV EFTER DETTA.

Tröstord från en vetenskaplig akademisk ung vän.

Gamle spjuver, när du druckit
sista skvätten ur pokalen
och på vinglig fot du raglat
ut ur denna jämmerdalen,

— — — — — — —
— — — — — — — —

ej skall du som ängel svinga
dig mot himlaregioner
för att där med himlaandakt
roa dig med harpotoner,

ej skall du med horn i pannan
och på vanligt ställe svansen
sluka lågor i Gehenna
och ta del i djävulsdansen.

Icke heller skall du irra
ljudlös kring som gast och krama
bygdens tärnor eller skrämma
deras tappra fästmän lama.

Nej, en pastor med en psalmbok
läser över dig och mullen,
men vad helst han sedan spår dig,
nog fan stannar du i kullen,

tills du efter några vårar
sticker fram som gräs ur jorden,
tunnsått timotej, likt dina
hår, de glesaste i norden,

då skall klockarns ko Rölinna,
som behöver mjölk i juvern,
komma lunkande och mumsa
på f. d. gamle spjuvern.

HÖK OCH DUVA.

Ett vetenskapligt försök.

Förädla duvan till en hök,
förädla höken till en duva,
det är ett darwinistiskt tänkt försök,
på vilket tidens zoologer ruva.

Giv höken svag och mjölig mat,
den djärve jägarn skall bli lugn och lat.
Åt duvan skall du kraftig råbiff laga,
den veka kuttrerskan skall läras jaga.
Och se, och se, hur duvonäbben kröks,
den spetsas till, förlängs, det är en höks!
Och hevreka, du nye Arkimedes,
av hökens klor en turturfot beredes!

Men duvans huvud sjunker ned betryckt
och hökens vinge höjs ej mer till flykt,
de sitta tyst och se vid burens galler
med slocknad blick, hur fjäderskruden faller,
de tvina bort, en vacker dag
de ligga döda enligt livets lag.

SKALDEBREV TILL MAGGAN!

Sloreborg Edane 12 dec. 1884.

Varför håller Maggan käften?
Vad är skälet? Vad har täft'en?
Lider han av hjärnförbening?
Grubblar han på Ibsens mening,
är han sjuk av Strindbergsstriden,
är han rasen eller vriden?
Så jag frågte mig och grät.
Bättre blev det ej för det.
Fingrarne i håret riva,
tills beslutet: "jag skall skriva"
steg ur andens urgrund ut
och på jämmern blev ett slut.
"Jag skall röra Maggans hjärta,
han skall känna ångerns smärta,
han skall ömka den förskjutne,
han skall öppna på de slutne
läpparne och säga ömt:
'Icke har jag Kallsonn glömt.'
Allting tiger. Vinterdvalen
vilar över Sloredalen,
tom och ödslig, grå och kulen,
nalkas magfördärvarn Julen.
Hopp och himmel molnen stänga,
Kallsonn känner lust att hänga
sig och hela mänskligheten,
ledsen vid den myckna dreten.
Men han gör det ej: För vesen
är den ynkelige mesen.
Impotens behöver pers,
viljan ragglar härs och tvärs
och man tröstar sig med vers.

Men fastän jag själv är 'lässen',
vi skall du ock känna pressen
av en annans ljugna kval?
Därför bort, begravningstal!

Dina öron vill jag smeka
med små visor. Jag vill leka
på min luta lustelig,
gamle skötevän, för dig."

ANITA (sång till lutan).

Livets skål! O, min Anita,
uti glömskans dryck!
Jag vill känna varma, vita
jungfrulemmars tryck!

I materien vill jag röna,
riktigt ha i famn
det som andens språk "det sköna"
givit såsom namn!

Jag vill andas blott Anita,
blott Anita se,
känna endast varma, vita
lemmars rörelse!

Högt man prisar konstens njutning,
den är kall och arm
emot väsensammanslutning,
kärlek barm mot barm!

Sinnlighetens makt är kuvad
av en trång moral.
Dygden, stel och överskruvad,
håller långa tal.

Dumheten har funnit mycket,
fann till slut ett fynd,
som föll folken uti tycket:
"Sinnlighet är synd!"

Sedan dess har kungasonen,
son av kung Natur,
av den vise dygdefånen
sparkats ut som djur.

Icke mer han vågar modigt
visa sig bland folk,
men han hämnas, hämnas blodigt.
med förgiftad dolk.

Sen när halva mänskligheten
ruttnat ned i grund,
mördad av anständigheten,
kommer segerns stund.

Då skall dygdens makt, den sanna,
ärva den, som ljög.
Sinnligheten skall sin panna
bära stolt och hög.

Kropp med ande skall bli enad
och ett hjärta fritt
med en kärlek, fri och renad,
mänska, skall bli ditt!

Därför, därför, ljuva flicka,
blott till hjärtat lyss!
Låtom oss varandra dricka
i en kyssars kyss!

Rodna kind, du lockomflutna,
på ditt sköna sätt!

Blicka ömt, till hälften slutna
öga, du gör rätt!

Häv dig, vita barm, och bölja!
Du har rätt därtill!
Vet. att oskuld kan dig följa
huru långt du vill!

Älska, älska, min Anita,
med din själ och kropp,
oskuldsfulla, varma, vita,
ljuva rosenknopp!

Maggan ler ett hånfullt löje,
sen han läst med mycket nöje
ovanskrivna små tirader,
brister ut: "Du milde fader,
nej, det här är rent på tok,
månne karln är riktigt klok!"
Nej bevars, nog är jag tokig,
min pegas är bräckt och krokig
som ett gammalt dagsverksök,
gör förtvivlade försök
att från slö prosaisk vila
högt mot Karlavagnen kila.

Sätta ord i rim och takt
hjälper emot självförakt,
man om kraft och snille drömmer
och bedrövligheten glömmer.
Sårat högmod lätt man helar,
om man på sin luta spelar,
därför, Maggan, pling, pling, plang!
Lyssna till min lutas klang!
        (Sång till lutan).
Nu haver jag läst romaner
och sett på skådespel.

27

Nu haver jag rivit sönder
min själ, som förut var hel.

Med Ibsen haver jag undrat,
vad fanden som är rätt,
med Strindberg haver jag dundrat
och skällt på schåaresätt!

Nu haver jag druckit moderna
idéer, nu är jag full.
Nu hör jag till framtidsflocken,
nu är jag av samma ull.

Kamrater haver jag tusen
och alla ha samma språk
och alla gräva i skiten
i samma skithuskåk.

Att ha kamrater är trevligt
och skönt är fostbrödralag,
man menar med andras mening
och lånar sitt eget jag.

Men nu är jag led vid larmet,
nu är jag en lessen gris,
nu haver jag varit en dåre,
nu ämnar jag bliva vis.

Och jag vill söka de gamle,
de gamle med hår av snö,
de måtte väl tala sanning,
som äro nära att dö!

Jag lyss till de vördnadsvärde,
de hålla så vackra tal
och säga: "var blott beskedlig
och saken är ganska smal.

Om lögnen är mycket gammal,
så är den sann, må du tro,
och blott du lyder de dumme,
skall frid i ditt hjärta bo."

Haven tack, haven tack, i gubbar,
den gången talten I bra,
nu haver jag lärt mig visdom
och vet, vilken väg jag skall ta.

I given mig modet åter,
I skänken mig tro och hopp,
nu vet jag, var sanning finnes
— rakt mot er det är nätt opp.

Långt bättre med Ibsen undra
än tro på en ljugen rätt,
Långt bättre med Strindberg dundra
än tiga helt rätt och slätt.

Nu tror jag fast, att det sanna,
det finns i de unges lag.
Jag tror, att jag där skall finna
tillbaka mitt eget jag.

Och nog av moderna idéer
man kan sig skaffa ett rus,
men rus, som ni vet, går över
vid morgongryningens ljus.

Men ett, som aldrig går över,
är dumhetens kroniska rus,
från vilket ingen vaknar
vid morgongryningens ljus.

Hej, min broder, ack, hur skön!
Är min sång och, ack, hur grön!

Jag är rädd, kritiken klår mig,
kanske Maggan dock förstår mig,
ser av tanke liten smula
bland det dumma och det fula.

Men nu kan du allt, min själ,
vara trött, farväl, farväl!
Men, min broder, vid ditt liv,
skriv, din attan tusan, skriv
till
Agust Kallsonn.

SÅNGMÖN.

Min sångmö är en gammal nucka,
men dansar ännu metervals
och gnäller som en kaklugnslucka,
det låter icke vackert alls.
Man måste både le och sucka
vid ljuden ifrån denna hals.

Hon är en ful, gemen ragata,
en gräslig häxa, full av hin,
och tycker mycket om att gnata
och skrämma vett ur folk med grin.
Jag skulle, käring, djupt dig hata,
om ej tyvärr du vore min!

Hon ser sig kring ibland i världen
och rider ståtligt på en kvast
och ifrån den blåkullafärden
hon för till mig en riktig last
— och roande och dyrbar är den —
av goda saker hon fått fast.

Lull, lull, en docka gjord av jämmer
med glädjekarmosin på hud
och — ack så roligt — upp hon stämmer
ett verkligt nödropsaktigt ljud,
när man på bröstet henne klämmer.
Se, vilken trasgrann, brokig skrud!

"Det här är mänskan", kärngen lallar,
"lek nu med henne och var snäll
och tralla efter, som jag trallar,
så få vi nog ihop i kväll
en visa som jag präktig kallar,
så sant jag är en sångmamsell."

Sen drar hon fram ur sina gömmen
ett leksaksljus, som kallas tron,
och sedan bilderboken drömmen
med ting av otänkbar fason,
en dräkt, som spruckit upp i sömmen,
men fin, som kallas religion.

Men bäst dock äro ögonglasen,
igenom vilka allt som finns
blir mörkt och snett från topp till basen.
Var föremålet ock en prins
man såge genast rackarrasen
igenom tvivlets säkra lins.

Så leka vi, jag och min gumma,
på fantasiens leksaksbord,
och att mitt rykte ej försumma
jag klär vår lek i sköna ord,
kanhända visa, kanske dumma.
Tag mot dem, dyra fosterjord!

DÄ KVETTER.

Uti vartenda mänskobröst
det bor en trängtan efter tröst;
det finns ej bättre tröst till hands,
om du till sjöss, om du till lands
kring hela jorderunden lette,
än Agust Kallsonns "dä kan kvette".

Och är du usel, är du arm,
och möter dig blott sorg och harm,
och funne du ock aldrig frid,
och levde i en ständig strid,
och hela världen mot dig rette,
var glad ändå, ty "dä kan kvette".

Du kunde någon gång bli kär,
en djup passion ditt bröst förtär.
Men stup ej genast i din grav,
om ock du finge korgen av
din Selma eller vad hon hette,
var lugn, min son, ty "dä kan kvette".

Framför professorn står du dum,
vid alla frågor lika stum,
om näsan blek, om örat het,
om du då alldeles blir bet
och gubben ryter: drag för fanken,
"dä kvetter", svara, kvickt som tanken.

Om du för slagsmål råkat ut
och ett kok stryk du fått till slut
och blivit bultad gul och blå,
du hastigt knyte näven då
och säge: vad jag skulle gett er,
om blott jag orkat, men "dä kvetter"!

Du kanske är en ung poet,
med slika herrars dristighet,
du väntar att bli lagerhöljd,
men blir i stället översköljd
med skurar av kritikens etter,
håll dock god min och säg: "dä kvetter".

Som andra du skall dö en gång,
du väljer vägen, som är trång
och för til' salig boningsort,
du ödmjuk står vid himlens port,
om du blir bortvist av Sankt Petter
du svarar lugnt: "Sankt Per, dä kvetter".

VE!

"Tidens stämning är ond och hård!"
Släktet tröttnat på själavård,
tänker självt och med egna ord
talar högt på Guds sköna jord,

lyssnar icke på fagert snack,
sätter modigt på lögn sin klack,
lögn, som levat i tusen år
och fördenskull i ära står.

Vad blir följden, om gammalt skräp,
detta seklernas tunga släp,
som vi draga bakefter oss,
en gång ryckes från dräkten loss?

Kanske hållningen mera fri,
mer naturlig då skulle bli.

Kanske blicken blev mera klar,
mera skarpsynt, än förr han var!

Vad blir följden, om övertron,
om varendaste illusion,
som vi ärvt ifrån fäders tid,
finge frodas i lugn och frid?

Framåtskridandets svanesång
och kulturens tillbakagång,
tankens välde åsidosatt,
ostörd slummer och ständig natt.

Ve därföre och trefalt ve
över dem, som ej vilja se,
men fördölja med rosenfärg
ruttenheten och rost och ärg!

Ve därföre och trefalt ve
över dem, som oss stenar ge,
när de skulle oss giva bröd
och ge halmstrån åt oss till stöd!

Ve därföre och ve igen
över himlande dunkelmän,
som för sanning oss humbug ge!
Ve er, hycklare, trefalt ve!

SLUTBALSEPISOD.

De första tio åren
hon ej tillryggalagt,
då sjuttisju på våren
hon fick mig i sin makt,

34

en liten hoppetossa,
som brukte äta snask
och skolpojkshjärtan krossa
med fjunlätt "pas de basque".

Hon ställde till spektakel,
var vild som stäppens ryss,
blev snäst av fröken Rakel
för sina många hyss.

Vi höllo hop, vi tvenne
men långt blev det ej sträckt:
i nåder täcktes henne
att äta min konfekt.

*

Nu satt hon mellan tanter,
en sjuttonårig dam,
en vårbild, om vars kanter
man fäst en åldrig ram.

Än var hon lika yster
och ännu lika käck,
en gratiens äkta syster,
så smidigt mjuk och täck.

Men mera rak i livet
hon var och gruvligt smal,
det står nu en gång skrivet:
man snöre mö till bal!

"Och vilken hisklig båge
hon bär vid livets slut!
Vad är nu det för någe?"
Baktalare, vet hut!

En vals var nu just slutad
och pratet var i gång.
Men mot en dörrpost lutad
stod jag så smal och lång.

Jag sträckte på mig ståtligt
som hjälten i en dram.
Min blick var oavlåtligt
hos sjuttonårig dam.

Helt säkert var byroniskt
min hjässa hög och kal
och blicken sken demoniskt
av sargad andes kval.

Hon såg mig nog, hon kände
i hjärtats rot ett sting,
fast hon åt tant sig vände,
som såg hon ingenting.

Då klev han fram, den burken,
den dära fete fan,
han anses "chic", den lurken,
och flickor vilja ha'n.

Nu var ej tid att dröja.
Som en fregatt ses fram
emellan vågor plöja,
jag genom vimlet sam.

Hon sänkte ögonfransen,
ett misslynt "ja" jag fick,
när jag begärde dansen,
som nu av stapeln gick.

Jag slängde och jag svängde
i ovan, svår polkett

och på min arm hon hängde
så smärt och fjäderlätt.

Jag aktade mig varligt
att trampa hennes fot,
det var förskräckligt farligt
bland hundra knuffars hot.

Då som den skjutna kulan
på mig den fete for.
Ack, himmel, under sulan
jag kände sidenskor!!!

Hon skrek och herren vete,
att skriket minns jag än.
Hon fördes av den fete
till tanterna igen.

Jag störtade ur salen,
förtärd av raseri,
nu gav jag tusan balen,
nu var ju allt förbi.

Därute i det svala
jag lättade mitt bröst
och började att tala
med gravlik Hamletsröst:

"Nu går jag bort och slänger
mig vilt i skummig älv,
blir det för kallt, så hänger
jag hemma upp mig själv!"

Jag satte på mig hatten
med hemskt beslutsam håg,
men senare på natten
i ljuvlig sömn jag låg.

NÄR BANAN BLIR FÄRDIG.

Vår tid är bedrövlig, jag gitter ej se,
hur tingen eländigt och bakfram sig te.
Jag hellre mig svingar från nutidens grus
till framtidens härliga lockande ljus.

Hej, banan är färdig, det gick som en dans,
och tågen de komma med guld i sin svans,
med lycka och ära, med glädje och glans
och allt vad i Karlstadboönskningar fanns!

Och Karlstad får handel med främmande land,
millionerna rinna i grosshandlarhand,
de rinna i fickor, de rinna i skrin
och staden blir folkrik och väldig och fin.

Palatser sig resa så ståtligt och grant
sex våningar högt invid gatornas kant.
Mot dem våra stoltaste, finaste hus
sig skulle ta ut som en liten pris snus.

På Herrhagen ryka fabrikernas mängd.
På Galgbergets topp, där man fordom blev hängd,
där pekar ett kyrktorn beskedligt mot skyn
och runtomkring parker förnöja din syn.

Vid Salttorgets stolta statyprydda plats
stå Grosshandlarklubbens och Börsens palats
och Karlstads teater och vårt Grand Hotell,
belysta elektriskt varendaste kväll.

Och spårvagnar ila och ångslupar gå.
Hyrkuskarne svära, om näsorna blå,
från kuskbockens höjd i varendaste vrå
och stadsbuden lata i gathörnen stå.

Och allt skall sig ordna på finaste vis,
affärer och äktenskap, skuld och kurtis,
matronan behöver ej knipa en måg
med nät och med snaror, med tång och med tåg,

ty trånande flickan får göra sitt val
bland rika grossörer i hundradetal,
och icke som nu mellan andra små lamm
till låntagarns hjärta armbåga sig fram.

Och arme civile och löjtnanter små
ej skola förgäves på balerna gå,
ej strutta förgäves med flickor på tå,
ej olönt i ståtliga ställningar stå,

ty grosshandlardöttrar med pengar som gräs
de giva sig villigt i första fransäs
med gods och med guld och med kropp och med själ
— alltsamman är ditt ifrån hjässa till häl!

Och pigorna skola sig kläda i hatt
och snöra sitt fylliga liv till en tratt
och tack vare fiskbens förfinande kläm
man knappt ifrån fröknar skall åtskilja dem.

Och riddarn av disken skall krusa sin lock
och bliva ett mönster i dans och i bock.
På halsduk av "fashion" och hatt av "facon"
all världen skall känna en karlstadsk person.

Och skvallret skall sitta som förr på sin tron,
men växa till förr icke sedd dimension.
Av tandlösa munnar i tusendetal
skall tuggas *ett hundrade tusens* moral.

Ja, mammon skall giva sin älskade stad
i simmande guld nya födelsens bad

och av den föraktade vissnande stolk
skall en gång i tidens fullbordan bli folk.

DET ÄR KALLT.

Det är kallt, det gnisslar under släden,
rimfrost hänger vit i skägg och hår,
framåt vägen mellan furuträden
genom drivorna i trav det går.

Skogen glesnar och den djupa viken,
full med folk och vimlande av bloss,
lik en drömsyn ifrån sagans riken
breder ut sin öppna famn mot oss.

Röda flammor fladdra över fälten,
återskenet dansar fram på snön,
mänskoströmmarne som svarta bälten
skära rutvis av den vita sjön.

Vilda branter, mörka, underliga
skepnader från tidens morgonstund,
skogomskuggade i höjden stiga
över dalens alabastergrund.

Här och där en munter brasa lågar
bakom rutorna i bondens hus,
och från kyrkans välvda fönsterbågar
strömmar bländande en flod av ljus.

*

— Klang, som dånat från den vigda malmen
dallrar saktare och domnar av,

men därinne höjes morgonpsalmen
om den gryning Nazarenen gav.

Natthöljd värld, som blödande och fången
under kvalens pinotänger skalv,
blev befriad, därför stiger sången
triumferande mot templets valv.

Mänskobarn, som djupt i stoftet böjas
av en hopplös livskamps slaveri,
för en stund på hymnens vingar höjas
till en värld av ljus och harmoni.

Men däruppe i oändligt vida
rymder stjärnorna av evighet
gåtfullt vinkande och tysta skrida
mot ett mål, som ingen dödlig vet.

VAPENVILA.

Om gränsen de trätte och slogos,
tills gränsen av blodstänk blev röd,
och fästningar gåvos och togos
och högt över dödsskränen ljöd:

"Hugg skurkarne sönder och samman,
de strida mot sanningens sak",
och hatet, den härjande flamman,
sjöd vilt i bataljernas brak.

Men stundom de vämdes vid blodet,
som levrat på rustningen satt,
och trött blev det trotsiga modet,
den kämpande armen blev matt.

41

Och fridskölden höjdes på stången,
försoningen fläktade sval
kring skövlade byar och mången
var gäst i sin fiendes sal.

Och drag, som han mötte i striden
så mörka i hjälmskuggans natt,
se ljusare ut emot siden
och spetsar och jägarehatt.

De män, som han förr velat kalla
blott djävlar och vilddjur och troll,
de bliva förvandlade alla
till mänskor på närmare håll.

Den hatade rövarenäven
kan vara en riddarehand,
den lömske och listige räven
är trogen till döden ibland.

Att fiender icke blott strida
av ondska och låghet han fann:
de tro och förtvivla och lida
och längta och hoppas som han.

När därföre stridsluren manat
ånyo till slaktningens dans,
med känslor han förr icke anat
han fällde sin dödande lans.

Han stred för sin plikt och sin ära,
för hem och för folk och för stat,
men aldrig han mer ville nära
sitt forna förtvivlade hat.

Han led av det tvingande öde,
som styrde hans mördarefärd,

och sörjde de blodige döde,
som dignade ned för hans svärd.

ROMAS HERRADÖMEN.

Romas herradömen täckte
nattens mörker, stjärnestänkt,
imperatortidens släkte
låg i drömtyngd slummer sänkt.

Ja, det drömmer smärtans drömmar,
vakna sorgers återsken.
Dagens feberyrsel strömmar
ännu genom märg och ben.

Vilket virrvarr utav gudar,
komna östan-, västanfrån,
som i brokigt skilda skrudar
svärma omkring Kronos' son!

Vilka vilda offerfester!
Blod och blod och åter blod!
Släcka vilja templets gäster
kvalens brand i mörkröd flod.

Eller ock i orgiens glömska,
i dess njutning utan gräns.
Ack, i djupet dock den lömska
eldens frätning ännu känns!

Gå till din amfiteater,
som för mördandet är gjord.
Sluka girigt vilddjursdater,
vältra där din själ i mord!

Ack, för stunden blott det dövar,
men det sliter ur ditt bröst
mänskligheten och det rövar
därmed bort din sista tröst.

Nej, hos slav och imperator
bor ett outsläckligt kval —
icke Zevs, Astarte, Hathor,
icke offrens tusental,

icke gudatrons ruiner,
icke orgiens raseri,
ingen vällust, inga viner
kunna göra anden fri.

Sök filosofiens källa,
spegla dina trötta drag!
Kanske hon kan tillfredsställa
med sin bild ditt brutna jag?

Sök med Zeno själens styrka
och betvinga din natur!
Ideal med Platon dyrka!
Lycka sök med Epikur!

Ja, du sökte och du funnit
blott förtvivlans hjältemod,
stoikerns, vars hopp förrunnit
och som intet återstod.

Platons ätt är blott fantaster,
snärjda in i dikters nät,
lyckans dyrkare i laster
tro sig trampa mästarns fjät.

Vart du än må lyss och blicka,
Kaos brusar kring din stig,

endast Hades' skuggor nicka
ett välkommen emot dig.

Se, då vandrar genom drömmen
fram en manligt skön gestalt
och den vilda mänskoströmmen
stillas, lyssnar överallt.

Ur hans själ gå nya tankar,
nya känslor stiga opp
och de irrande få ankar,
de förtvivlade få hopp.

"Kärleken är det förnämsta
av min faders alla bud,
hyckleriet är det sämsta
av det onda inför Gud.

Ej finns sår, som ej kan helas
av min kärleksreligion,
intet liv, som kan förfelas,
om det stöds av sanningstron.

Låt din tanke aldrig bäva
för en sanning! Själv var sann!
Följ din kallelse och sträva,
lid och kämpa som en man!"

Och välsignande han sträckte
sina armar och med lov
möttes han av tidens släkte,
folk och ädlingar och hov.

*

Morgonsol, som åter målar
ljusklar Medelhavets strand,

även med sin glans bestrålar
Betlehem i Juda land.

I den lilla staden gömdes,
nyfödd, tidens störste man.
Men den nattens dröm, som drömdes,
månne drömmen blivit sann?

Nej, hans liv var blott en strimma
av ett ljus, som snart försvann,
bakom dogmers täta dimma
endast oklart skönjes han.

När han slöt sin sköna bana,
när han gett sitt unga liv,
strax hans namn som lämplig fana
höjdes i partiens kiv.

Han var med i alla tvister,
i det lumpnaste, som fanns,
var han kärnan och de brister
hopen ägde blevo hans.

Och hans bild är nu förvriden,
är en skröplig kyrkbild blott
från den råa medeltiden,
som på konst sig ej förstått.

Gudamänskan, mänskoguden,
våra synders offerlamm,
sådan är den dunkla skruden,
som den bilden visar fram.

Men en gång de skola renas,
dessa ädla, sköna drag,
om ock sanningen försenas,
skall den segra dock en dag.

BREV TILL M. HELLBERG.

Min gode Maggan!
        Du är för trög,
för flitig eller för stolt och hög,
ty åttisexan har nått sin ände,
men aldrig såg jag en enda rad
från min Pylades i Fyris' stad.
Skall det bli sant, att du ryggen vände
åt din Orestes i hans elände?

Jag hade fordom en enda tröst,
det var att höra din sorgsna röst,
den klang beständigt på melodien,
som går ur djupet av sympatien,
dit dissonanserna aldrig nå,
som annars ljuda emellan två.

Väl var vårt band kanske alltför vekt,
det är ej nyttigt att så bli smekt,
ty livet fordrar ju muskelsträngar,
som kunna tåla och giva slängar,
av strider stärkes ju kämpens arm
och ej av vänskap, om än så varm.

Men jag är trött vid det kalla flinet
hos tidens nyktra och visa släkt
vid varje varmare andefläkt,
och jag är led vid det matta vinet,
som kallas måtta och som, förlåt!,
jag ville grina och spotta åt.
Och därför söker jag upp igen
min gamla lyra och min Pylades,
om vilken förr i en saga sades:
han var den arme Atridens vän.

Jag är en fånge i andanom,
min själ förgås i den långa ledan,
som grubblet föder och huldar om;
det var så fruktansvärt längesedan
ett ljud av liv till mitt öra kom.
Jag hör väl eko av stridens dån,
som ständigt ljuder därutifrån,
men för min själ är det blott ett eko
utav en dröm, som är mera matt
än drömmen, drömd i en febernatt,
där mycket vildare röster skreko,
en kör av jämmer och hesa skratt
från jagets burar och oublietter,
dit jag besvärliga minnen sätter.

Det gamla grälet om svart och vitt,
det lumpna käbblet om mitt och ditt,
och storhet, uppsvälld av sjuka gaser,
och självviskheten i granna fraser,
och galna krumsprång på lyckans bräder
och ulven, gömd under fårakläder,
och satan i en kerubs gestalt,
jag har ett hum om det dära allt.
Och kampen mellan tyrann och träl
och ädel strävan för släktets väl,
och sanningens och förnuftets strider,
alltsammans skumt för mitt öga skrider,
men når ej in till min fångna själ.
Ifrån mig själv kan jag icke slita
min tanke. Ständigt han stirrar på
de slappa dragen, de dödslikt vita.
Han stirrar jämt, men kan ej förstå.
Säg, är han verkligen död, den döde,
har han förtjänat sitt usla öde
att vara till blott helt rätt och slätt
och vissna bort som av maskar frätt?
Och vilken var han, den bleke döde,

det tycks mig, likasom suckar ljöde
ur likets barm, fastän nu för sent,
av något ädelt och ljust och rent?
Kanhända var han ej hel och hållen
den svage stackarn, den arme stollen?
Så har det varit från år till år,
framför mig själv jag förtrollad står.
Jag vet, att det kan till intet båta,
och aldrig gissar jag ut min gåta,
men det blir vanvett till slut och då
blir det väl äntligen slut därpå.

Emellertid om ifrån Pylades
han fick ett tröstande brev till bästes,
då skulle säkert ibland de glades
gemenskap räknas
                                        din vän Orestes.

EN LIKBEGÄNGELSE.

Det blev då, stolta spannmålstull, ditt öde
att i din ålders blom ur tiden gå!
Sov, fallna storhet, roligt bland de döde
— på domedag du skall en gång uppstå!
— De sörjande stå samlade kring graven,
den ädle Boström sänker stum prestaven.

Den taburett, som hägrat kring hans länder,
den skall han aldrig, aldrig sitta på!
Vad under då, han vrider sina händer,
den store mannen ifrån Östanå!
Men vid hans sida står Burén och gråter
och utav intet sig hugsvala låter.

Och dovt sin sorg den arme Liss hörs klaga,
blott upprätthållen av sin enda röst
— dock än finns ljus uti hans levnads saga,
i Sveriges riksbank söker han en tröst.
Och vasastjärnan viskar blygt och stilla:
"ännu kan du få fler, min gubbe lilla!"

Och upp ur Jöns och upp ur jämmer-Dahlen
går sorgset smäktande Ovids latin,
om allts fåfänglighet, om sista valen,
och om den döde klingar elegin.
Och menlöst fromt på samma visa sjunger
herr doktor Lundström och herr prosten Unger.

Vårt Land ses fladdra som en sorgefana
utöver prästers djupa sorgeled.
Till strids, till strids det tycks ånyo mana,
men bleke präster blicka dystert ned
och tårar tillra ned på vita kragar
och dova suckar gå ur stora magar.

Tyst, hör, nu faller över kistan mullen,
av stoft, av mjölstoft den ju kommen är
och stoft den varder åter, spannmålstullen,
— ett skri av smärta genom rymden skär:
för litet, ack, vi våra vapen brynte,
vi voro alltför snälle och försynte!

Då hörs en röst från sorgefanans spalter:
har jag ej andans svärd tillräckligt brynt,
och sägen mig, I skröpliga gestalter,
när var Vårt Land och herr Norén försynt?
Vårt Svenska Dagblad ej I glömma måsten
och Värmlandstidningen och Smålandsposten.

Och det blev tyst, blott vemodsfulla vindar
sin dödspsalm sjunga över kullens grav

och stumma fåglar ifrån kulna lindar
se på, hur skaran långsamt troppar av.
Men sist av alla går Burén och gråter
och utav intet sig hugsvala låter.

Dock, en martyr, ett helgon var den fallna
och över graven skola under ske
och förr'n den döde ännu hunnit kallna,
dess bleka vålnad vi få återse.
Och länge för att be vid helgongraven
skall reaktionen fatta pilgrimsstaven.

I ROM OCH UPPSALA.

Bräcklig i Olympen bodde
Greklands gamle övergud,
ingen mer hans saga trodde,
ingen lydde mer hans bud.

Sliten från Apollons panna
var hans torra lagerkrans,
Dionysos tvangs att stanna
stelbent i menaders dans.

Ingen älskande gav löften
nu till Afrodite mer,
skönhetsgördeln föll från höften
som en fläckad trasa ner.

Ömkligt flyende ur striden
Ares gömt sig i en vrå,
Pallas släppte trött egiden
med gorgonens huvud på.

Aldrig mera böjda nackars
ödmjukt fromma hyllningsgärd
gladde denna gamla stackars
avsigkomna gudavärld.

Smädesång från Romas gator
höjde ynglingar och män.
Men en statsklok imperator
tänkte: jag behöver den!

Intet band och ingen prygel,
ingen lag och ingen vakt
hålla slavarne i tygel
såsom tron på gudars makt.

Och de gamla templen smyckas
med cesarisk rikedom,
vinfat öppnas, oxar styckas
för att reta folkets gom.

Purpurprydda processioner
tåga långsamt genom Rom
och i böner och i toner
klingar gudligheten from.

Sånger ljuda, talen flöda
över utav religion,
för att väcka från de döda
den begravna gamla tron.

Folket låter allt sig smaka,
äter, dricker och ser på,
men den gamla tron tillbaka
får det aldrig mer ändå.

*

Andra gudar, andra seder
sedan dess ha fötts och dött,
tiden ständigt gravar reder
för den tro som är förnött.

Även vi ha skapat gudar,
sköna, mäktiga en gång,
även vi ha vävt dem skrudar
utav tanke, dikt och sång.

Men de äro redan gamla,
alltför gamla och för grå;
låt dem då i Guds namn ramla,
när de icke orka stå.

Vartill tjänar det att bringa
dem ett sista offer, än —
inga granna tal och inga
fester ge dem liv igen.

BROTTSLINGEN.

Allt är upptäckt. Stum och bruten
förs han bort, hans dom är fälld:
han är bannlyst och förskjuten,
utom mänskligheten ställd.

Skygg och skälvande av skammen,
spanar han i allas drag,
men han ser blott ja och amen
till den dom, som fällts i dag.

Hoppets lämningar förtvina,
modets sista flämtning dör,

porten stängs och kvalen grina
emot fången innanför.

Allt är stympat och förvittrat,
allt är skövlat och förbi,
och i själens djup förbittrat
sluter han sitt raseri.

Sista strängen i det godas
strängaspel i hjärtat brast,
och det onda växer, frodas,
biter sig där inne fast. —

Men med självbehag i rösten
fariséer hålla tal,
slå sig för de fromma brösten
och ge lärdom i moral.

Och med ljus och lykta leta
de i hans förflutna liv
och de sticka och de peta
efter dåliga motiv.

Hånande sarkasmer dugga
på den fallna ärans grav,
ej en vålnad, ej en skugga
lämna de igen därav.

Du, som ädelmodigt svärtat
det, som svart tillräckligt var,
upp med barmen, fram med hjärtat
och låt se, vad själv du har!

Ser du, ser du, det finns fläckar,
många, många, fastän små,
men av många, många bäckar
bliver som bekant en å.

Och i mausolén av glitter,
vackert högmodsglitter, byggd,
ser jag nog, att liket sitter
av en liten, liten dygd.

Det var alltså — alltså detta,
som har gjort så stolt ditt mod!
Fall på knä och tvätta, tvätta
med ditt bästa hjärteblod!

Tvätta dig med ångerns vätska,
med förtvivlans frätsten bränn
och fäll sedan grymma, hätska
domar, om du kan, min vän!

Nej, när du som han har lidit
marter utan gräns och tal
och i långa nätter vridit
dig på bädd av ändlöst kval,

kanske då du glömde grandet,
när hos dig du bjälken fann,
kanske att du kände bandet
mellan dig och brottets man!

I, som häcklen, ett förgäten,
ett i högmod glömmen I:
med det mått, varmed I mäten,
skolen I ock mätte bli.

FÖR SKYTTESAKEN.

Kvava fläktar ur fjärran föras.
Över världshorisonten höras

redan den stigande stormens bud.
När han vilt bryter lös, vet ingen.
— Dånar suset av jättevingen
redan i livssorlets återljud?

Kriget vilar ännu, men vakar.
Hotfullt tändande luntan skakar
över kanonerna mordets hand.
Blott ett tecken — och åskor skalla,
härar brottas och härar falla,
högt emot skyn flammar städers brand.

Kan ej stormen en stridsvåg slunga
upp mot oss, kan ej åskan ljunga
över från främmande rymd till vår?
Och om viggarne nu ej slå oss,
skola därför de aldrig nå oss
även i kommande framtidsår?

Låt oss icke i håglös dvala
sorglöst njuta av fridens svala,
trygghetsingivande vindars smek!
Fyllt av kämpande fäders minne,
folket öve med dådfriskt sinne
prövande, stärkande vapenlek!

Varje bygd bringe fram en skara,
handfast, rådsnabb i varje fara,
skarpsynt som falken och örnen är!
Ville sedan en ovän trampa
fosterjorden, vi kunde stampa
fram ur dess sköte en mäktig här.

Skyttar, stigna ur folkets leder,
kanske vilar en gång på eder
Sveriges, det älskades, väl och ve!
Tagen därföre säkra sikten

på det framtidens mål, som plikten
bjuder modige män att se!

Folk, som ser dina söners gärning,
giv den icke åt slumpens tärning,
giv den fasthellre ditt bästa stöd,
sträck de hjälpande starka händer
emot skaran, du en gång sänder
kanske till kommande kamp och död!

HEDERSSTANDARET.

Till givarinnorna i skyttarnes namn.

Ej som blodig trofé det vanns
att med multnade veck ge glans
åt ett lik i en griftesal.
Fläcklöst vanns det. I livets mitt,
högtuppburet, det fladdre fritt
framåt, framåt från dal till dal!

Fast det höjdes i fredens tid,
fast det ej klibbar blod därvid,
segertecken det är ändå!
Dit, där idrotten övats bäst,
skall standaret som hedersgäst
följt av jublande bifall gå.

Må det länge få svaja än
över fredliga bygders män,
sammankomna till tävlan blott!
Må det samla från lycklig nejd
glada skaror till vänlig fejd,
där ej död bor i skarpa skott!

Men om kriget sitt röda bloss
svänger över vårt land och oss,
om en ovän med mord går fram,
må standaret sitt blodsdop få,
må det icke av feghet då
smutsas, sölas av usel skam!

Oupplöslig och järnhård må
värmlandsskyttarnes frikår slå
omkring fanan sin jägarlänk!
Det skall bliva vårt bästa svar,
bästa tacken för vårt standar,
värmlandskvinnornas vackra skänk.

TILL BOKTRYCKAREN
C. FORSSELL

PÅ HANS SJUTTIONDEFÖRSTA FÖDELSEDAG.

Sjuttio år av arbete och möda,
tröttsam kamp på hårda vädjobanan,
sorg och motgång kunde icke döda
ynglingen i gamle veteranen.

Gamla stålet kan ännu slå flamma,
som det slog en gång i ungdomsåren.
Klara tanken är alltjämt densamma
under mörka, under vita håren.

Djärva sinnet, som den unge lockat
ut på äventyr i vida världen,
är detsamma än, fastän det plockat
mången lärdom på den långa färden.

Därför andas än hans gamla lunga
friska vindar, varifrån de fläkta.
I det fria står han bland de unga,
när i sjukluft gubbarne försmäkta.

*

En gång stod han själv vid sättarkasten
ordnande de svarta bataljoner,
som i härnad gå mot samhällslasten
och ge friheten åt millioner.

Säkert känner han ej minnet trycka,
av den tid, han stod i våra leder.
Liksom han har skapat själv sin lycka,
äro vi vår egen lyckas smeder.

Därför veta vi, att han förstår oss,
att han oss i grund och botten känner.
Därför tro vi, att han ej försmår oss
såsom trogna, fastän ringa, vänner.

Må han taga mot ett enkelt minne
och ett tack från oss, som hjärtligt önska:
fröjde många lyckoår ditt sinne,
lyckoår med sol och sommargrönska!

Tryckeripersonalen.

ÄRKEBISKOP JÖNS.

Herr Jöns han sitter på Almarstäk
och gäspar nästan ur led sin käk
— kaniker läsa legender.
Men bispen sakta i skägget svär:

"jag vånne fanen må få de här
i sina glödheta händer.

Nog är det bra med den rätta tron,
men denna eviga snörvelton
är led i längden att höra.
Då är det bättre att mucka gräl
och rida spärritt och slå ihjäl
och bulta fiender möra!"

*

Det slår på porten till Almarstäk,
med krökta knän och med slappad käk
upp springa skrämda kaniker.
Det var ett ilbud — det hade brått
— och tidender ifrån Stockholms slott,
i dörren redan det skriker:

"Herr Jöns, där nere går allt på tok,
i Stockholm finns ej en enda klok
bland edra fränder och vänner!
De flyga kring liksom yra höns,
kom ned och hjälp dem, o fader Jöns
med edra knapar och svenner!

De ha ej vett och de ha ej sans,
de ha ej huvud men bara svans,
och vilja dock styra riket!
Och allt de göra är bara fusk,
och minns, o fader, att utan kusk
kan resan sluta i diket!"

Herr Jöns han reste sig upp och svor:
"så sant som jag på sankt Erik tror,
så sant jag tror på Hin Håle,
skall jag av packet snart göra folk

— tag hit mitt harnesk och svärd och dolk
och sadla genast en fåle!"

Och biskop Jöns drar sin kåpa av
och ställer bort sin förgyllda stav
och sätter på sig sitt pansar.
Med pomp och ståt drager han åstad
och främst i prästerlig kavalkad
hans fåle ostyrigt dansar.

Hej, här skall valsas i Sveriges land,
med fältherrstaven i helig hand
skall ärkebispen slå takten.
Sjung egna psalmlåtar den som törs,
när bispen mässar så att det hörs
från Lund till Torneåtrakten.

Och konung Karl skall få veta av,
vem Herren makten i handen gav,
vem av de två är den störste.
"I täppen munnen i nåder till,
— här är det en blott, som skall och vill,
blott 'Sveriges primas och förste'!"

*

Herr Jöns, han sitter på Stockholms slott,
väl svär han ännu, men hjärtegott
går eden över hans tänder.
Han slipper gäspa ur led sin käk,
som på det självsvedda Almarstäk,
och slipper höra legender.

Ja, lycka till, ers högvördighet,
men lyckan vänder sig, som man vet,
och glöm ej Engelbrekts bönder!
Ett kungarike var Svea land

och prästadömet på lösan sand
är byggt och kunde gå sönder.

NYÅRSDRÖM.

Över dalen där nere föll måndagern kall
och i drivor låg nejden och sov.
Men från skogsdunklet hördes förvirrade skall
av en marsch, en beslöjad och dov.

Och som hovslag och fottramp det ljöd därifrån,
som millioner soldater i fält,
och allt närmare dundrade trummornas dån
och trumpeternas smatter blev gällt.

Se, där komma de — fram tågar kår efter kår
med baner och med tross och musik
— vem var mannen i spetsen med snövita hår,
som satt böjd och var blek som ett lik?

I hans hand hänger maktlös hans fältherrestav
och med möda han tyglarne för
— se, han vacklar i sadeln — nu faller han av
— under hästskorna hövdingen dör!

Men en lättfotad yngling ur lederna sprang
och i sadeln han var med ett hopp
och sin stegrande hingst med ett ryck han betvang
— det bär av i galopp, i galopp.

Och de tallösa skarorna följa hans spår
och det dånar i skälvande mark
och ett jublande rop genom lederna går:
    "Leve länge vår unge monark!"

Endast trotsiga ögon jag såg överallt
och där lästes blott "framåt, framåt!"
Men den stupade fältherrens stela gestalt
ej en blinkning de ägnade åt.

*

Invid synranden eftersta truppen försvann
— blott ett enstaka darrande ljud,
som sin irrande väg mellan klipporna fann,
kom tillbaka från fjärran med bud.

Jag gick ned för att se, vem den stupade var,
som låg ensam bland drivorna nu,
blott ett otydligt årtal på skölden han bar,
men jag tror, att det stod —87.

SPEKTAKLET BÖRJAS.

Ridån går upp och på scenens bräder
med viktig min stiga rikets fäder
att ge sin omtyckta pjäs igen.

Och uvertyren är nyss förklungen,
den första arian är redan sjungen:
"I gode herrar och svenske män."

Men stycket lär, som man länge vetat,
ha blivit grundligen omarbetat
av Ångköks-Olle — en stor talang.

Pikanta scener ej skola felas
och huvudrollerna skola spelas
av komiker utav första rang.

Från tiljorna skall Themptander schappa
och i hans ställe skall ärkepappa
sin vighet visa i menuett.

Och tullarne skola släppas lösa,
Vårt Land och Väktarn bli officiösa
och Långe Liss får en taburett.

På tryckfriheten skall girigt prutas.
Socialisterna skola stutas
och statueras exempel på.

Och gammal visdom skall åter tuggas
och obarmhärtigt logiken luggas
och farbror Hedlund på pälsen få.

Ja, käre fäder, som dansen tråden,
att stark och dundrande blir applåden,
det hör jag redan i andanom!

Att ni gör fjasko, är ej otroligt,
men varen tröst — det är lika roligt
att skratta åt och att skriva om.

TULLSKYDDSRIDDARNES MARSCH.

Mel.: Vikingasäten, åldriga lundar —

Godsägarsäten, stadiga, runda
säckar, det inhemska rågmjölets värn,
sitta i riksdagen. Tullstrider stunda.
Måtte ej pannkaka bli av affärn!
Mjölnarne kvida — mäldtullen tryter!
Mjölnare, trösten er! — lejonet ryter,

lejonet Boström i utskottet skryter,
fram tågar tullmännens frälsningshär!

Och Marcellus höjer fanan
i den press, där han uppträtt som "skyddande" gäst,
och hans öga lyser banan
för varenda patron och vareviga präst.
I spetsen trippar Bildt,
hans sätt är sött och milt,
mera likt en mamsell än en dundrande gud
— när hans skrala stämma talar,
är det mer likt en lergök än tordönets ljud.

Heliga tull! dig hylla och följa
tjocka patroner med mjölgrötigt mod.
Bränning på bränning, bölja på bölja
hävas i tullarnes syndaflod.
Träaktigt slamra Timmerholmssvärden,
mjöldamm och dumhet omvälva världen,
skyddade äro patronernas gärden
— tullskyddsriddarne sänka gevär.

Och Marcellus fäller lansen
och hans blick glimmar stolt på de mättbliyne män
— i den feta anletsglansen
känner väldige kämpen sitt storverk igen.
Men riksmarskalken gnor
till slottet, där han bor,
likt rekryten som sluppit sitt vaktarekall.
Icke roligt, det är troligt,
fann baronen att länge med hjorden gå vall!

Präst och patron nu slå sig tillsamman,
nu skall på frihetens brodd göras kål.
Mjölet åt mjölnarn, åt kättaren flamman,
sunda förnuftet skall brännas på bål,
tullarnes guldskörd fröjdeligt skära,

skrävlande skryta om fädernas ära,
det är de svenska svenskarnes lära,
tullskyddsriddarnes kämpabegär.

Och med häpnad tidens släkten
blicka upp på de gruvliga bärsärkaled.
I den svensk-svenskt "ljusblå" dräkten
gamla Svea förlägen slår ögonen ned.
Ty för en stackars mor
är icke glädjen stor
att av söner bli klädd, som det anstår en tok.
Men av vana kan hon ana,
att den yrande ätten skall åter bli klok.

Godsägarsäten, stadiga, runda
säckar, det inhemska rågmjölets värn,
tullskyddets ålder på eder vi grunda,
sitten bastanta som säten av järn!
Landet, där östgöten tolvpundig gungar
över sitt fält, så att jordgrunden rungar,
göde med bröd för norrländska ungar
tullskyddsriddarnes frälsningshär.

VULKANISK GRUND.

Från kronorna gasen glimmar,
salongen är överfull:
Britanniens fullblod stimmar
kring lord och kring lady Bull.

Det vimlar av baronetter,
en peer dyker fram ibland;
det blixtrar av epåletter
och skimrar av ordensband.

Förtrollande ladyarmar,
nobless i varenda tum,
och pudrade, vita barmar
sig höja ur spetsars skum.

Juvelernas kalla lågor
i lockarnas svall sig mängt
och skiftande sidenvågor
ha pärlorna glitterstänkt.

Och kallprat, höjt av finesser,
ger chic åt vart minsta grand.
Om blodsvallets små excesser
blott skvallrar kindernas brand.

Lukulliska rätter bida —
ren bordet dignande står;
och blommorna dofter sprida,
som mitt i naturens vår.

Och medan orkestern spelar,
man leder till bords sin dam,
kring taffeln sig hopen delar,
en böljande, brokig ram.

Till takten av gaffelslammer,
som gnisslar och rasslar jämt,
det sprakar av epigrammer
och gnistrar av tanklöst skämt.

Från vinernas glädjekälla
det forsar en skummig flod,
och trotsiga drifter svälla
i hetsigt, bedårat blod.

Förträffliga ljuda talen
i stämningens känslosvall —

då skakas helt plötsligt salen
av dånande, åsklik knall.

Ett sprängskott i källarn lossats —
ett kaos av kvinnoskrik
och skrammel av kärl, som krossats,
var nästa sekunds musik.

Den präktiga, stolta festen
var splittrad, och inom kort
den siste förskräckte gästen
sig skyndsamt förfogat bort.

*

Man läste i morgonbladen
om "misslyckat attentat"
och ordade vilt i staden
om faran för land och stat...

Men snart såg man mera praktiskt
på saken, som spökat styggt:
i London var lugnet faktiskt,
man kunde nog sova tryggt.

"Vi äga ju, vi, kulturen,
som vuxit från hedenhös!...
Den hotande hagelskuren,
den bryter nog aldrig lös!..."

*

Ack, arv efter femti sekel
förspilles på livets drägg!
men tidernas mene tekel
står skrivet på salens vägg...

Sig trälarnas massor hopa —
och bryta de en gång loss,

då gäller det ock Europa
och odlingens makt bland oss...

Kanhända vår värld skall väckas
ur bildningens långa dröm,
och vetandets härdar släckas
av vilda barbarers ström!?

MIDVINTERSFEST.

När julen nalkas och när livet fryser
och allt är stelnat under vita fällar
och mänskohjärtat ängslar sig och ryser
i kulna, dödslikt tysta vinterkvällar;

när kalla stjärnor över snöfält blänka
och månen sorgblek över isar skrider
jag vet ej varför, men jag måste tänka
på flydda sekler, på förgångna tider.

För hatets vingar vintertid är förlig,
jag ser dem åter flaxa, iskallt vita.
Jag ser det gamla bistra hedna örlig
med glupska käftar i sitt byte slita.

Vid gränsen brottas folken emot folken
de mjälla drivorna av blodregn stänkas,
mot svärdet gnisslar svärd och dolk mot dolken
och byar brinna, unga kvinnor kränkas.

I bygden rasar ätten emot ätten
och blodshämnd tassar kring på lömska sulor
och eldsken flammar över vita slätten:
— de bränna ned varandras usla kulor.

I tiomila skog gå tysta fejder
och skumma bakhåll mellan snåren tassla
och stigmän smyga genom öde nejder
och dämpat klingorna i skidan rassla.

*

Då känns det gott att ha ett säkert ide
med stängda gluggar, fasta ekebommar,
där trofast vänskap smitt sitt säkra smide
och hjärtligt hemliv omkring härden blommar.

Med glättig min i väderbitna dragen
och muntert glam på tungorna sig samla
av utbredd släkt de spridda hjonelagen —
midvintersfest skall firas hos de gamla.

Och torrvedsblossen skina ifrån väggen
på bordets fyllda remmare och bunkar.
I kärnfrisk matlust röras långa skäggen,
av ölskum stänkta efter djupa klunkar.

Och skiagången går och fläsket smakar
och ingen sviker i det ädla dryckjom
och som en kullblåst skog skrattsalvan brakar
åt vittra grötrim och åt androm styckjom.

Och nu skall dansas. Axelbrede svennen
om fylligt jungfruliv slår starka armen
och kärestan sig lutar mot kärvännen
och hjärtat klappar underligt i barmen.

Och kinden skiner röd och ögat flammar
och gula flätor slå kring gula nackar
och svetten lackar, hela stugan dammar
och golvet dånar under hårda klackar.

Men gamlefar, som burit livets tunga
och genomlevat många hårda öden,
ifrån sin vrå betraktar milt de unga
och småler gott och väntar lugnt på döden.

Än flaxa över världen hatets vingar
och för dess flykt är vinden ännu förlig
och varje bud, som iltågsposten bringar,
förkunnar människornas bittra örlig.

Men kärleken har inte släckts av striden —
ännu en gnista under askan glimmar
och än har icke glöden släckts av tiden —
han lever upp ibland för några timmar.

JULTANKAR.

Träldomsandens mörker täckte
Israels förfallna släkte,
slumrarne i Davids stad.
Sömnens ro av intet stördes
— intet frihetseko hördes
från Barseba upp till Gad.

Jakobs friska träd förtvinat,
när dess ljuskrafts källsprång sinat,
och dess frukt var torra blad.
Siartanken fällde vingen
— stum var Zions harpa — ingen
balsam skänkte Gilead.

Plötsligt gälla stämmor bjuda:
res dig, res dig, fallna Juda
— Israel, två av din skam!

Vakna upp! — du skall befrias
— hjälten, konungen Messias
i sitt rike drager fram.

Han är sanningen och livet
och om honom är det skrivet:
han skall föda dig på nytt!
Vakna! — Sommaren är nära,
rika frukter skall du bära,
när det tunga mörkret flytt.

Israel ur sömnen väcktes
av den unga dag, som bräcktes,
men dess morgonhymn var hot
och dess hyllning var allena:
grip och dräp och slå och stena!
— och dess frihetssång var knot.

Han, som skulle pånyttföda,
han, som skulle i de döda
väcka anden, som förgått,
fick med blodig törnekrona
hängd på korsets träd försona
sanningens och livets brott.

Men hans boning är ej graven
— över länderna och haven
ljuder än hans: Varde ljus!
Ännu viner tungt hans gissel
— hyckleriets tandagnissel
skär igenom tidens brus.

*

Varje sanning världen föder,
varje ädel kraft, som glöder
att få slunga fram sitt: bliv!,
må dess vänner trofast vakta,

72

ty herodianer trakta
ständigt efter barnets liv.

Må den lilla trogna skaran
följa sin profet i faran,
när till mognad han har nått,
ty de fariséer mena
alltid lika: grip och stena!
— korsfäst, korsfäst honom blott!

Och om han, som borde hyllas
likt en konung, skulle myllas
livlös ned i neslig grav,
må ej de, som sågo såren,
må ej de, som följde båren
låta skrämma sig därav!

Är han ock för sekler somnad,
är till fullo ej fullkomnad
hans konungsliga bedrift,
skall åt framtiden bevarad,
han dock stiga fram förklarad
ur sin hundraåra grift.

SOL OCH PANNKAKA.

Den sköna byggnaden jag byggt har krossats,
i årens lopp ha alla fogar lossats
och alla krampor, alla spik och skruvar.
och i ruinerna bo möss och uvar

Det stolta tornet, högt som Gaurisankar,
jag byggt så djärvt av unga käcka tankar,

har böjt sin panna djupt och vittrat sönder,
till grustag kan det nyttjas nu av bönder.

Och mossan grönt på gistna murar sömmar
kring fresker målade med framtidsdrömmar
och med panelen stormen hårt förfarit,
och ingen ser var stuckaturen varit.

Och nischerna, där mina gamla gudar
i naken skönhet eller marmorskrudar
sett ner med nåd på mig och andra fromma,
de äro sönderfallna eller tomma.

Bland golvens längesedan ruttna bräder,
där fantasierna i silkekläder
som unga fröknar svängde sina fötter,
där trängas enarnes och ljungens rötter.

Men ser jag noga, varsnas ännu spåren
bland fallna väggar efter korridoren,
som mattlagd ledde till de där gemaken
med amoriner målade i taken.

Allt det som tyngst i mina tankar vägde,
allt det jag skönast ibland skatter ägde
i smakfull ordning hade där jag hopat
— nu är det stulet eller undansopat.

Dit skulle jag ha fört den högttillbedda,
den efterlängtade, den aldrig sedda,
där skulle vi vid skymningstiden sitta
och på varandra och i brasan titta.

Jag skulle lagt min stolta furstehjässa
i sammetsklädda knän hos min prinsessa
och sett det färgspel hennes ögon speglat
och huru drömmar över djupen seglat.

74

Och lugn och glad och kär jag skulle skrutit
om storverk, som jag utfört och beslutit.
Hon skulle kysst min panna varmt och stilla
och viskat: "utmärkt bra, min gosse lilla!"

Ett snöpligt slut tog hela kärleksdramen
— jag fick ej reda på den sköna damen.
De vackra taken ligga nu på backen
och amorinerna ha brutit nacken.

Det är omöjligt att bo kvar i huset,
nu vill jag skaffa bort det myckna gruset
och stommen vill jag ge den sista sparken
och jämna allt, som ännu står, med marken.

Och pietetens tårar vill jag svälja,
med sorg i hjärtat vill jag gå och sälja
åt samlarvurmar eller taveljudar
vad som är kvar av mina spruckna gudar.

Men sedan vill jag bygga mig en stuga,
en enkel fyrkant med en dörr får duga,
och där på gröt och välling vill jag leva
och flitigt prosans tunga svarvstol veva.

Och jag vill skaffa mig en duktig kvinna
till mina dagars följeslagarinna,
ej någon svärmande förfinad toka,
men en som stoppar strumpor och kan koka.

Kom sedan vem som vill med nya planer
att bygga slott och leva som romaner
— jag vänder vresigt ryggen åt förslagen,
ty slikt är dyrt och fyller icke magen.

EINE ALTE GESCHICHTE.

„Ich weiss nicht, was soll es bedeuten,
dass ich so traurig bin;
ein Mährchen aus alten Zeiten,
das kommt mir nicht aus dem Sinn."

Wo eisige Felsen hingen
hoch über der wallenden See,
ich hörte ein Liedchen klingen
von Liebe und Liebesweh.

Da steht am Meeresstrande
ein niedliches Mädelein,
da steht im Rennthiergewande
die Herzallerliebste mein.

Da steht sie und singt und stricket
am Strickstrumpf im Mondenlicht
und aus dem Pelze blicket
ihr rosiges Gesicht.

Die wunderzarten Glieder
beschatten den ewigen Schnee,
sie singt lapponische Lieder
von Liebe und Liebesweh.

— Da steigt vom Gesang gelocket
ein Eisbär aus Wellenschaum
— er sieht mein Liebchen — er stocket
und steht wie im süssen Traum.

Verliebt mit der zottigen Tatze
er wieget hin und her
— dann stürzt er mit meinem Schatze
hinab ins tiefe Meer.

Ich soll es nie vergessen,
wie meines Liebchens Gebein
ich sah vom Bären gefressen
im hellen Mondenschein.

*

Ich sass bei meiner Hütte
in Trauer und Trauerwahn.
Es schmeckte mir nicht der Stockfisch,
es schmeckte mir nicht der Thran.

Ich sass und dachte an Rache,
an Rache mit wilder Wuth:
ich will doch einmal sehen
der Eisbären Herzensblut!

Ich ging zum Meeresstrande
und schob den Kahn ins Meer
— in meinen Fäusten blitzte
mein alter Walfischspeer.

Und ist ein Eisbär gerathen
mir in das listige Netz,
da hab' ich gerufen: sterbe,
vermaledeiter Petz!

Sie mussten alle sterben,
sie mussten alle vergehn
— ein Eisbär ist in Schweden,
in Schweden nicht mehr zu sehn.

*

Ich war so nervöse geworden
von Trauer und Bärenjagd,
und langweilig auch im Norden
es ist, unter uns gesagt.

Mein Herz war zum Tod beklommen,
ich konnte nicht leben dort
und so bin ich hergekommen
in diesen traurigen Ort.

Ich sitze jetzt und weine
in trauriger Heilanstalt
und lese den weinenden Heine
mit grimmiger Gewalt.

Ich dichte Liebesgedichte
mit Phantasie von Blei
— es ist eine alte Geschichte,
doch bleibt sie immer neu.

LIEDER DER LANGEWEILE.

Ett minne från Tyskland.

I närheten av Riesengebirge ligger en ståtlig palatslik bygg-
nad, omgiven av flyglar och parkanläggningar. Den ser nästan
ut som ett gammalt herresäte. Men kommer man inom por-
tarna, är det mer likt en kasern, fastän en förnäm kasern för
överklass. Det är långa korridorer med numrerade dörrar,
bakom vilka man överallt finner samma inredning — jämför-
elsevis smakfull och solid, men alltid en smula kasernmässig.
Det är i själva verket också något av en kasern — en kasern
för sällskapslivets invalider, det stora kontinentala överklass-
livets sårade och slagna. Hit söka utdansade skönheter från
Wien, preussiska officerare från Berlin, vilkas strama hållning
brutits av världsstadens nöjen, bankirer och jurister, som slä-
pat sig halvt till döds i guldvinstens tjänst, författare och
konstnärer, som undergrävt sin hälsa med nervöst arbete och
allehanda stimulerings- och dövningsmedel. Alla yrken, alla

rangklasser utom de lägre och lägsta, äro här representerade, alla åldrar och kön. Det finnes t. o. m. nervösa sjuklingar, som icke hunnit över tioårsåldern, men som fått ärva sina föräldrars syndastraff i förening med deras förnäma namn eller rikliga räntor. En särskild byggnad med skola och leksalar är inrymd åt dessa hypokondrer och hysteriker i miniatyr.

Livet på en sådan plats har icke mycken likhet med det halvt blaserade och dåsiga, halvt levnadsglada vimlet vid en vanlig kurort. Vid brunnarna och baden är den stora majoriteten endast måttligt berörd av krämpor. Många komma blott dit för att vila eller roa sig. Det sjuka behärskar icke stämningen, utan förefinnes som en mer eller mindre stark skiftning åt mörkt i den allmänna färglösa flanörstillvaron. Här är det icke så. Här är sjukdomen den allsvåldige härskaren — den råder i var cell och fiber, blickar ur alla ögon, talar med alla tungor, suckar i plågans ångestfulla andetag under sömnlösa nätter.

Bland de andra bedrövade invånarna i denna kasern för nervsjuka vistades för åtskilliga år sedan författaren till "Lieder der Langeweile". En av de sista ljusglimtarna i hypokondrernas helvete är humorn, än fördystrad till glåmigt småleende galghumor, än förödmjukad till en utlevad pajazzos ansträngda försök att vara tokrolig för att narra åskådare att skratta. Det var väl i dylik stämning, som "die Lieder der Langeweile" kommo till. Jag läste vid den tiden Heinrich Heine såsom en sorts psalmbok till tröst och uppbyggelse i bedrövelsen, blev gripen av samma parodistiskt sorglustiga och självsvåldiga anda, som en gång besjälat den tårögt leende skalden själv, kände mig manad att efterbilda och lyckades verkligen med mina "Lieder" framlocka ett och annat mulet löje ur mina tyska olyckskamrater.

1.

Im wunderschönen Monat Mai,
als alle Knospen sprangen,
da hat die Langeweile
am ärgsten angefangen.

Im wunderschönen Monat Mai,
als alle Vögel sangen,
die Lieder der Langeweile
in meinem Herzen klagen.

2.

Es ist ein ewiges Klagen,
ein ewiges „Ach Herr Je",
dem einen thut's weh im Magen,
dem andern im Kopf thut's weh.

Es klagt der Herr Amtesrichter,
es klagt der Herr Shultze laut,
es klagt der Schwede, der Dichter,
der düster zum Boden schaut.

Da bläst der gute Herr Strange
so heiter im lustigen Horn,
in traurigen Ohren vom Klange
es geht ein scharfer Dorn.

3.

Morgens steh' ich auf und frage:
wird etwas heute gescheh'n?
Abends schlaf ich ein und sage:
auch heut' ist nichts gescheh'n.

So es geht von Tag zu Tage,
ew'ges, trübes Einerlei
— ach du bist mir eine Plage,
wunderschöner Monat Mai!

4.

Ich werde sie niemals vergessen,
die Würste von Fett und Blut,
ein seltsames deutsches Essen,
— doch schmeckt's dem Herrn Strange gut.

Ich wollte, ich wollte indessen
ich hätte den Heldenmut
die seltsamen Würste zu essen,
die Würste von Fett und Blut.

5.

Die Wolken ziehen nach Norden,
mir scheint, dass die Wolken reden,
mir scheint, dass sie reden und sagen:
folg mit, folg mit nach Schweden!

Ich wollte ich wäre im Norden
und kaute die Roggenkrusten
und ässe gekochte Kartoffeln
und stürbe von Schnupfen und Husten!

6.

Und wäre ich nicht der Schwede,
ich wünschte, ich wäre der Hauptmann,[1]
er singt und er lacht und er jauchzet,
er ist ein Glücklicher, glaubt man.

Nicht ihm mit Seufzen und Klagen
die selige Ruhe beraubt man
— er ist die Oase der Wüste,
ich wollte, ich wäre der Hauptmann.

7.

Ich wollte, ich wäre gescheiter
als ich von Natur es bin,
dann könnte ich Antwort geben
der klugen Frau aus Berlin.

Sie hat mir gesprochen von „Edda"
— ich habe gesagt: „ach so!"
Sie sagte: „do you speak English?"
und ich ein verworrenes „no"!

[1] Ein gemütlicher Sachse, der den französischen Feldzug mit-
gemacht hatte.

8.

„Herr Schultze, wollen Sie schmeissen!"[1]
Herr Schultze er sagt: „ja wohl!"
Wir schmeissen in Tagen und Wochen,
wir schmeissen den Ring wie toll.

Und Tage und Wochen vergehen,
wir schmeissen Tagein Tagaus
— die furchtbare Langeweile,
die schmeissen wir nicht hinaus.

9.

Trübe und finster trauert der Himmel,
gewitterweissagend zieht der Wind heran.
Leise, leise weht der Wind in den Bäumen
— spricht er von nahenden Schicksalsschlägen,
saust er von herzenzerschmetterndem Unglück
oder spricht er die dumpfe
Sprache der Langeweile?

Ziehen vorbei mit gesenkten Köpfen
die lieblichen Frauen und Fräulein,
dicht auf den Fersen gefolgt von
trauriger, düsterblickender Männerschar,
trübselig schnurrbartkräuselnd,
halblautfluchend,
seufzend aus langweiligen Herzen tief.

[1] Ich habe mit dem Herrn Schultze tagtäglich das Ringspiel
gespielt.

Dunkler wird es im Garten,
die Vögelein schweigen.
Es donnert ein Donnergepolter
— nicht aus den Wolken,
sondern
aus der unheimlichen, spukenden Kegelbahn,
wo der junge Graf Wlapsky
zornig gegen die Kegel losgeht,
um den in Wolken nahenden Zeus
herauszufordern zum Kampf.

Höret Ihr nicht, Ihr Männer,
nicht das Sausen der Flügel der Schwermuth,
fühlet Ihr nicht die Schwüle der Langeweile,
die aus dem Reiche der Schatten steigt?
Reisset die Fesseln entzwei,
die Fesseln der Langeweile,
lassen uns mutig gewaltigen Schrittes
nach dem „Blockhaus" stürmen
und da ertränken
das Elend des Daseins
in schäumendem tiefbraunfarbenem Bier!

10.

Vorüber ging das Ungewitter,
der Abend kommt, der Mond ist da,
aus dem Gemach des Himmels tritt er
und ist so hold und bleich, ach ja![1]

---

[1] Die Lieblingsinterjection des Verfassers, der auch selbst „Ach
Ja "genannt worden ist, weil er sie so oft ausgesprochen hat.

Die kühlen Abendwinde wehen,
die Rosen duften wundervoll,
es klingt ein Lied durch die Alléen,
ein sanftes Wehmuthslied in Moll.

Ist dies die süsse Philomele,
es stirbt so fein melodisch hin?
Ach nein, das Lied kommt aus der Kehle
der holden Frau Professorin.

Sie singt und blicket an die Sterne,
sie seufzet „Ach!" sie seufzet „Au!"
— Nach dem Professor in der Ferne
wohl sehnt sich des Professors Frau!

11.

Mühsam wird dem Müssiggänger
doch zuletzt der Müssiggang
und er wird ein Minnesänger
und er geht zum Wettgesang.

Treten vor zwei edle Streiter,
schwingen hoch den Hut: hurrah!
und der Eine heisst Herr Reuther[1]
und der Andre heisst „Ach Ja".

Stürzen dann mit scharfen Reimen
tapfer auf einander los,
die Pegasen wild sich bäumen
und das Schauspiel ist famos.

[1] Ein junger Mann, der auch Verse gemacht und mit dem Verfasser um die Wette gesungen hat.

Nervenheil'ge Frauen schauen
gnädighold die Kämpfer an,
und sie blinzen mit den blauen
Augen dem, der Sieg gewann.

Zweimal bin ich schon geschlagen
vom Reutherischen Talent
— doch noch einmal will ich's wagen,
Himmel — Herrgott — Sacrament!

12.

Von dem Feste will ich singen,
von dem Fest im grossen Saale,
von den traurigmuntern Spielen
bei der Punschkristallnen Schale.

Von der Punschkristallnen Schale
und ambrosischsüssen Eise,
von den Heilanstaltenfreuden
an dem Strand der schönen Neisse.

13.

Es hüpfen die Liebesgötter
vergnügt am gemalten Dach,
es leuchten die Lampen und Lichter
im schimmernden Festgemach.

Es lachen die weissen Kaiser
herunter gar gnädiglich,

Herr Wilhelm, der Alte, der Junge,
der gute Herr Friederich.

Sie können sich gar nicht halten
vor Lachen und Heiterkeit
als sie die Gesellschaft schauen,
das sich auf die Stüle reiht.

Die bunte Gesellschaft kichert
und spielt das „Mager und Fett",
es scheinet den weissen Kaisern
gar niedlich und hübsch und nett.

14.

Wie die alten Senatoren
sassen einst im alten Rom,
als hinein die Galler stürmten
wild in den geweihten Dom,

so Herr Strange, so Herr Schultze
sassen in dem Sopha still,
ruhig blickend, ruhig horchend
an das wilde Vaudeville.

Schreiet, tobet, Ihr Barbaren,
toll und greinenden Gesichts,
dem Herrn Strange, dem Herrn Schultze
thut es weniger als Nichts.

15.

Und das Fest ist schon vorüber
und ich denk' an meine Heimat,
an der Jugend Liebesgrübel
in dem Halblicht der Polarnacht.

PARKEN.

Min slottsfasad står ljus i aftonsolen,
det plaskar sakta i fontänens vatten
och hyacinten, rosen och violen
till mötes dofta mig ifrån rabatten.

Tulpanen flammar och magnolian blommar
bland hundra tropiskt ättestolta fränder
och vilken färgprakt! vilka rikedomar!
och vilken symfoni av doft från alla länder!

Det dårar sinnet, liksom livet dårar,
och skiftar tjusande, som livet skiftar,
och törne finns tillreds att väcka tårar
och doftrikt kärl med saften, som förgiftar.

Det är för brokigt rikt för mina sinnen,
jag vill se trofast enkelt grönt på marken,
jag trives bäst med mina gamla minnen
ibland de skumma skuggorna i parken.

*

Det är dock härligt, är dock mäktigt skönt
— de tusen stammarna, som bära taket,

och dessa massorna av lummigt grönt,
som täckt och höljt det väldiga gemaket!

Det är ett mörkgrönt sakta vindrört hav,
som i sin svala famn ett tempel fångar
och lagt sig lent om fris och arkitrav
och översvämmat vida pelargångar.

Och blicken vilar sig och finner ro,
när han på mjuka gröna böljor föres,
och lugna drömmar under valven bo
och i det tysta minnets stämma höres.

Till sorgsen smärta mildras ångerns tagg
och sorgerna till stilla vemod domna,
på vissnat livsmod faller hoppets dagg
och hatet dör och lidelserna somna.

*

Likt någon gammal halvt förvirrad sägen,
likt någon sällsam dröm, som jag har drömt,
i labyrinters slingor vindas vägen,
dess rätta lopp för längesen jag glömt.

Min väg har gått i andra labyrinter,
på livets falska stigar har jag gått,
där blicken vilseförs och foten slinter
och ingen än det sökta målet nått.

Av mången vacker villa har jag bländats
och ödslig tomhet har jag vunnit blott.
Nu har min långa vilsna irrfärd ändats,
nu vill jag leva i mitt lugna slott.

Nu vill jag glömma, hur mig själv jag rånat
på allt det bästa, som en gång var mitt.

I våldsam dårskap har mitt huvud grånat,
i enslig vila skall det bliva vitt!

*

Igenom löven spridda strålar bryta
och kasta glimtar på den tysta dammen
och över vattnets näckrosprydda yta
akacior och askar luta stammen.

Och över dunklet simma vita svanor,
från varje linje strömmar den förtrollning,
som är ett arv ifrån förnäma anor,
som levt sitt liv av makt och ädel hållning.

De glida plastiskt över vattenspegeln,
som höga tankars stolta långskepp glida,
när mod och framtidshopp fört vind i segeln
och sinnet ännu aldrig lärt att lida.

Men se, den ene söker sig till stranden,
han rör sig ovigt på den hårda jorden,
som bland det låga den förnäme anden,
och till en oskön vrångbild är han vorden.

*

I blom står än den väldiga kastanjen,
liksom den stod, jag minns, en annan gång.
På bordet där stod skummande champagnen
och runt omkring ljöd hurrarop och sång.

Ett stackars rådjurs hjärtblod hade flutit,
sen mina hundar sprungit bytet fatt,
mitt första mästerskott jag hade skjutit,
min själ var lustig och mitt hjärta glatt.

Det sjöd i blodet och den ädla saften
jag kände spritta i varenda nerv,

inom mig kände jag den hårda kraften,
som för till bragder — eller till fördärv.

I jorden växa snart kastanjens grenar
— hon stänger långsamt sitt smaragdpalats
och döljer så, jag vet att så hon menar,
min första usla glädjes skådeplats.

*

Där står en gudabild till hälften gömd,
ty parken flätar grönt omkring de vite,
det är en övergiven och förglömd,
förvittrad, sönderslagen Afrodite.

Du ensliga, du övergivna bild,
jag bär en motbild med desamma dragen
i hjärtats park, som länge vuxit vild,
och även den är glömd och sönderslagen!

Dock var den fordom stolt och skön som du,
tills jag en dag slog sönder den förbittrat.
Dess härliga gestalt är härjad nu,
dess rena anlete är nu förvittrat.

Låt snåren breda sig, låt rankor slå
om vita lemmarna den gröna kjolen,
det gör mig ont, men det är bättre så,
än om du lytt och naken mötte solen!

*

Det är en öppen plats, där blommor växa
och kanten skuggas mörk av gamla ekar.
Jag minns, hur glad jag sprang från bok och läxa
att pröva här min unga kraft i lekar.

Och det var här en kväll, när maj stod grönast,
som dansen gick och skrattet ljöd i snåret

och hon som folkets stämma dömde skönast
bar blygt och stolt sin eklövskrans i håret.

Det var en ström av lena silkeböljor,
som över halsens tunna spetsar föllo
och över mörkrött liv, som silversöljor
omkring det smala livet sammanhöllo.

Hon var så frisk som daggen över knoppen,
så spänstigt lätt, så fylligt smärt och smidig
— men det föll dammstoft i den klara droppen
och din förvissning, arma knopp, blev tidig!

*

Bersån år ödslig, häcken är förvildad,
ett marmorbords fragment ha fallit ner
och soffan själv, av torv och mossa bildad,
för vissna löv och kvistar syns ej mer.

Ja, det var här, liksom i dag det hände,
jag allting minns och allting återser,
jag känner än, hur mina läppar brände
mot hennes läppar, hon, som ej är mer.

Hon var en ärlig själ, som föga visste,
hur det bland människor går till och sker,
hon trodde mig om gott och trodde miste;
det kom en tid — då trodde hon ej mer.

Det kom en tid, den tunga sorgetiden,
hon övergavs — och sjönk — och är ej mer;
och själv jag övergavs av sinnesfriden,
den vacklade — och sjönk — och är ej mer.

*

Det växer gammalt gräs i slingergången
och buskarna stå vilt tillhopasnodda

och murgrön klänger över paviljongen,
den lutande, den länge obebodda.

I spillror fallen ligger förstusvalen
och genom dörrens springor tränger dagen,
tapeten gulnar i den lilla salen
och i ruiner hänga överdragen.

Och spindlar vävt sin väv i budoaren,
på toaletten fallit damm i flockar,
där hon beskäftigt snabb och konstförfaren
med nätta fingrar prydde sina lockar.

Ett lyckligt barn jag krossat utan skoning,
en fattig ödmjuk glädje har jag rövat
- det är en ting, som kräver lång försoning,
min själ är vek, mitt hjärta är bedrövat!

*

Det kvällas redan, mörkare det skymmer
och dunkel faller över lind och björk.
Så faller skuggan av ett gömt bekymmer
på själens drömmerier tung och mörk.

Den tysta skogen stirrar över muren
— han är den vida ödslighetens son.
Den gåtfullt skumma hotande konturen
för bud om vad? — till vem? — och varifrån?

Ifrån det obekanta öde vida,
som ej görs ljust av någon tankes bloss,
oändlighetens bud i mörkret skrida
och skräck och ångest viska de till oss.

Det är för mörkt i detta dystra hörnet,
för ödsligt skymmande, för ensligt tyst,
min själ är skum, i hjärtat sitter törnet,
en mjältsjuk ande har min panna kysst.

*

Här bildar ån en våldsam katarakt,
där över hällar vilda vågor forsa
och häftigt brottande med hatets makt
de vreda virvlarna varandra korsa.

De kämpa avundsjukt om varje tum,
om varje linjebredd de girigt trängas,
de brusa vredgat upp och kasta skum,
när deras horder av en klippa sprängas.

Det är ett stormande, ett stoj, ett stamp,
som när en pöbel är försatt i svallning,
det är som lidelsernas vilda kamp,
som trotsar hot och viljestark befallning.

Och dock — om en sekund, om en minut
är strid och allt i fredlig våg begravet,
och raserit har redan rasat ut,
och stilla vandrar älven emot havet.

*

Det går en kvällvinds susning genom parken,
det är ett bud som förebådar natten.
Han drager fram, den mäktige monarken,
och manteln släpar över land och vatten.

Han kommer mild med sömnen, som hugsvalar
de trötta sinnen, vilka smärtan stungit.
Det viskar underligt — mig tycks, det talar,
som var det röster, vilka här förklungit.

Är det en hälsning, sänd av mina fäder,
fastän de multna under sammetsvecken
och bliva stoft emellan fyra bräder
— ha de ett väsen, kunna de ge tecken?

Hur underbara äro livets öden!
— dock mera djup är dödens underbarhet!
En hemlighets hieroglyf är döden,
jag vill ha ljus, jag måste söka klarhet!

INTET KRUT!

(Norskätare och svenskätare tillägnat.)

Klar är himlen. Strid på vågen.
Vapendån kring land och vatten.
Kulor vissla genom tågen.
Skott och skrik och hi! och hej!
Med den svenska flaggfregatten
stångas "Løvendahls galei".

Armar, knotiga som trossar,
göra tjänst vid babords låring
— det är Bergens bästa gossar,
djärva satar, fan i våld.
Chefen är en tjuguåring,
Peder Wessel Tordenskiold.

Fri som örnen, djärv som stormen
glad som solsken över haven,
smärt och stolt i uniformen,
fri och djärv och glad och käck,
i en röksky halvt begraven,
dundrar han från akterdäck.

Ojämn strid mot övermakten,
aldrig låta skallet fånga
sig som villebråd på jakten,
aldrig fira flaggan ned,

en mans seger över många,
så är Peder Wessels sed.

Och allt starkare går åskan
från de elduppglödda gapen,
och allt vildare går bråskan
vid kanon och skot och rår;
döden eller fångenskapen
eller stolt triumf är vår!

Men vad nu! Hör, dånet brytes
tvärt av tystnad. Luften klaras
och på bägge däcken rytes:
eld! Giv eld! För satan, skjut!
Och på bägge däcken svaras:
blankt omöjligt! Intet krut!
Och med halvt förlägna miner
Norges väderbitna gastar,
Sveriges bistra karoliner
tysta se varandra an,
medan segelmassan kastar
dem allt närmare varann.

Långsamt tobaksbussen valkas,
ögonen alltmer förbluffas
och ju närmre skeppen nalkas,
minerna på bredden dras
— björngrinsbrett, som när det luffas
över Kölen på kalas.

Plötsligt dundrar från fregatten
sjufalt ett hurra! och hundra
svenskar svänga högt med hatten:
"leve Wessels land, hurra!"
Från det norska däcket dundra
hundra stämmors svar: hurra!

Blott en enda svallvåg välte
nu emellan bägge däcken.
Havets gunstling, Norges hjälte
stod med bägaren i hand:
"Hit med vin och det på fläcken!
Leve Karl den tolftes land!

Det är slut för denna gången.
Käbbel höves pack och ungar.
Alltför litet bas i sången
har en kamp förutan krut!
Intet men ha våra kungar,
om vi vila en minut!

Än finns krut i bägge landen.
Även det tar slut omsider.
Då, god' vänner, räck oss handen
ärligt till försoningsfest!
Tack! Farväl till andra tider!
Men välkomna till härnäst!"

Seglen fladdra. Rodret vändes
och mot vågorna förklingar
hälsning, som till avsked sändes
ifrån svenskarnes fregatt.
Peder Wessel står och svingar
över relingen sin hatt.

Många år sen dess ha flytt och
folk mot folk stå vapenlösa.
Det har ropats: skjut! på nytt och
det har svarats: intet krut!
Det är dumt att krafter slösa
på en kamp, som kämpat ut!

DEN GAMLE PROFESSORN.

I vårglitter klädde sig staden,
i pigor, studenter och barn,
i snöslasket strök promenaden
från Kap till Sankt Eriks kvarn.

— Ett vimmel av glunt och magister,
"tunguser" och "herrar med hund"
och stora och små verdandister,
som skakat vårt samhälles grund.

Och gamla beskedliga brackor,
som aldrig gjort någon för när,
och gamla mamseller med rackor
och unga med läppar som bär.

Men liksom den stolta fregatten
bland skutor av sämre fason,
i folkvimlets böljande vatten
sköt fram en professorsgallion.

Där vandrade Petrus Lombardus,
de stockortodoxes profet,
i gräl med adjunkt Abelardus,
den heterodoxe, ni vet.

Och görande "hornslut" med benen
professor Protagoras gick
och såg på livsfenomenen
med "sinnligt förnuftig" blick.

Och Mammuth bland våra jurister,
professor Pandektenstrand,
kom efter och skakade bister
en käpp i sin "taka hand".

Men vem är väl han i tulubben
och stora galoschers trask,
den grinande lustige gubben,
rätt lik en antikspelsmask?

Åt solen han småler förtroligt
ett "mjukis, min ärade vän",
och småpratar högt och har roligt
och tittar på solen igen.

Och kör han tillsammans med knuten
på irrande villsam stråt,
far hattskrållan av på minuten
och mumlas: "ursäkta, förlåt!"

Men kör han mot gamla prostinnor,
görs icke det ringaste krus,
ty hörnhusen tar han för kvinnor,
och kvinnorna tar han för hus.

— Så kryssades det genom staden
bland pigor, studenter och barn,
mer leende log promenaden
från Kap till Sankt Eriks kvarn.

Men djupt i den gamla tulubben
det bodde en hederlig själ,
den gamle förträfflige gubben,
han ville all världen väl.

Han tänkte och kände så ärligt,
— en sanningens redlige tolk.
Vad mer, om han fann det besvärligt
att vara som annat folk!

Och nu är den gamle förlossad
från människors gycklande dom.

Den komiska masken är krossad,
den gamla tulubben är tom.

Och åter vid Fyris vi vandra,
när staden sin vårdräkt fått;
nu gå vi och skratta åt andra,
men skratta ej mera så gott.

SPELMAN I HOPPMANSBOL.

Jag är väl ej så fattig,
så fattiglapp ändå,
fast hästen min är spattig
och stugan si och så,
ty det blir rikt i Hoppmansbol,
när jag drar på med min fiol
en polska eller två.

Det är, som guld och grannlåt
kring tak och väggar kom,
och kittellåt och pannlåt
i spisen slamrar om.
På bordet ligger duken slät
med fat och mat, som vore det
hos kungen själv liksom.

Och hela sockenståten
med nämndeman och präst,
de lockas hit av låten
till polskedans och fest.
Och prästen skiner som en sol
och säger: Jon i Hoppmansbol,
du spelar som en häst!

Och pojkarne från trakten
och flickorna från byn,
de stampa polsketakten,
så dammet står i skyn.
Och häradsdomarns Anna står
i vrån med gult och fagert hår,
det är en vacker syn.

Då är det liksom solen
sken in till Spelmans-Jon,
då stämmer jag fiolen,
då får han bättre ton.
Då spelar jag så bord och stol
sno kring och hela Hoppmansbol
gör polskehopp i mon.

Men när det hunnit stanna
och allt är still med nöd,
då kommer vackra Anna
och blir i synen röd
och säger: Jon i Hoppmansbol,
jag älskar dig och din fiol
och gör det till min död!
Då blir det liv och lycka
och bröllop och kalas,
med rosor vill jag smycka
fiolens kvint och bas,
ty finns det sol i Hoppmansbol,
den ledes in av min fiol,
men ej av fönsterglas.

Men lägger jag fiolen
tillbaks på spisens karm,
då är det liksom solen
blev mindre ljus och varm,
och mörkt är allt på Hoppmansbol

och böjd jag sitter på min stol
och gråter mot min arm.

Då är jag åter fattig,
en fattig fattiglapp,
för hästen, som är spattig,
finns knappt en havretapp.
Och Anna, hon blev gift i fjol
och ej med Jon i Hoppmansbol,
men med — sergeanten Rapp.

TILL EN KUSIN I EN
FASTERS NAMN.

Minns du än från gångna dagar
dunkla skogar, gröna hagar
vid det gamla Gunnerud,
ekarna och hasselhäcken,
parkens gransus över bäcken,
fågelsång och ekoljud?

Minns du vännerna de fordna,
— ack, de äro gamla vordna,
de som ännu leva kvar!
På de kända tomter andra,
främmande gestalter vandra
— slocknad är den tid som var.

En av dina gamla fränder
blott ett litet blad dig sänder,
men en mening bor däri:
minnesbud från hembygdsskogen
och en hälsning från en trogen
vän, från Moster Emelie.

ULLA LA BELLA.

När jag ser ditt anlete, o, Ulla,
födas tankar, väna, underfulla,
om Italiens smekande behag
minner det mig livligt drag för drag.

Överst ses Savojen och Tyrolen,
skogbeväxta, bilda huvudskålen.
Mitt i detta vilda sceneri
stolt sig reser hattens Mont Cenis.

Alpens gletscher på din panna glänser
ända ned mot ögonbrynens gränser.
Där ta vid Milanos dalar, som
dina ögons sjöar famna om.

Ljuva ögon (Lago Maggiore
och d'Iseo), ack, förlåt en dåre,
om han badar sig i eder våg,
där Italiens himmelsfärg han såg.

Men framför mig åter gletschern skiner.
det är näsans höga Apenniner,
som sin rygg mot himlen skjuta opp
med Gransassos pik som högsta topp.

När jag klättrar på dess vilda branter,
skymta landskap fram från alla kanter.
En Campagna är din rosenkind,
smekt av paradisisk sunnanvind.

Eldig rodnad ifrån druvobergen
och orangelunders guld ge färgen,
ständigt växlande och ständigt ny,
åt din sommarvarma sammetshy.

Dina läppar le vid synkretsranden
som Neapel på Sorrentostranden,
ömma ords och heta kyssars stad,
formskönt lockande och soligt glad.

Än en blick åt sundet vid Messina,
där din haka sträcker ut sin fina
rundning hän mot fjärran Sikelö,
och till Napoli jag går att dö.

VIT VILAR SNÖN.

Vit vilar snön på
vågiga ängder,
vinande vräker
vinden sig fram,
grälande gastar
gallra i skogen,
tjoh! höres tjutet
från kulornas djup.
Frysande furor,
höljda i fällar,
dolda i dräkt av
skinande snö,
trotsiga tallar,
täljande sekel,
täcka vårt land i
vilt majestät.
Uven och ulven
dväljas i urskog,
ruva på mord och
ropa på rov,
brummande björnen
bäddar i idet,

räv irrar illslug
kring efter byte.
Berg hänger brant sitt
bågiga utsprång
hän över friska
forsarnes fall.
Dvärgar i dagen
guldskatten draga,
skatten, som gömts i
hällarnes djup,
hamra den sedan till
buktiga hornen,
ristande skickligt
runor på dem.
Skogsfrun den sköna
skymtar bland träden,
trollen, de tumla bland
buskarne om.
Väldiga näcken
vilar i forsen,
harpklangen dånar
tungsint och dov.
Hugstor i härnad
härjar den tappre,
dödar och blöder,
förblöder till döds;
fri var han född och
fri vill han leva,
fri går han in i
gudarnes gård.
Präktig är pannan,
pockar på välde,
blicken är blå och
blixtrar av mod,
klangfullt är språket,
klingande kraftigt,
sjunget i stridens

stormande lek.
Hemma den höga
husfröjan väver
tyst åt den trotsige
trevnadens tyg,
blek blev hon ej, när
blodig han fördes
hem för att domna
vid hennes barm,
stark i den hårda
härnadens öden
gråter hon icke vid
gapande grav.
Kär var den fallne,
fader för fagra
söner, men stark är
kärlekens makt.
Fri går hon snart till
Freja den fagra,
möter sin makes
mäktiga famn.
Kärlekens ked dem
kedjar tillsamman
evigt till ett i
älskande bröst.

VARTHÄN GÅR VIKING

UR HÖG?

Multnade i högen
vid en strand i en nordisk invik
med hjälteliket
hjältejaget
i likkött till mull och dunst;

blev till gräs,
blev till träd och mossa,
krypande larver,
fagert vingade flygfän?
Ingen anar
hjälten i markens gräs,
i lundens kronor,
i strandens gröna pilar.

Eller steg ur högen
under torvor gröna
ur hjälteliket
en ljusgestalt, osynlig
för ögon, som ej se
vad ej är utkött likt,
höjde sig så över högen
genom torvor gröna
dimlikt uppspirande,
såg över månljusa viken
silverlikt månljus i hjälm,
silverlikt månljus i sköld och brynja,
vandrade ut på nattlig stråt
— vart?

Drog han ut på töckenstigar
i havets dimmor
över gamla vägar
till Katanäs, Orkeney, Man?
Var i hallen hos fränder,
osedd.
Lyssnande hörde han
sitt namn med speord nämnas
eller med ära,
vredgades,
log,
ville säga sitt eget ord,
ingen hörde rösten.
Ensligt vandrande

såg han fälten från gamla fejder,
gröna högar i Erin,
sörjande fallna vapenbröder,
sörjande ock
fallna fiender,
svårmodssönerna,
Erins tappre.
Sörjande, vittkringresande,
fann han ej bygd där han vistas ville,
längtade hädan,
kände sig styra ett drakskepp
högt över havets skyar,
vart? — till månen att vila?
eller till solens Himminborg?
eller en fjärran stjärna,
dit hans sörjande ögon
längtat i forna nätter?

GITARR OCH
DRAGHARMONIKA

GITARR OCH DRAG-
HARMONIKA.

Två grannar jag har i min boning
— den ene är sentimental
— jag hör honom högt deklamera
om sorg och livets kval.

Ibland är han dyster och bitter
och melankoliskt bisarr,
ibland litet svärmiskt elegisk
och sjunger ibland till gitarr.

— Den andre är munter och lustig
och bondsk och grovt burlesk.
För honom är sorg och bekymmer
blott skrymt och skrock och fjäsk.

Han grubblar ej alls, han skrattar
åt livet helt sonika
och visslar och sjunger och spelar
på dragharmonika.

— Man tröttnar att lyssna på sådant!
— och dock har jag vant mig därvid;
den ene han liknar min nutid,
den andre min gångna tid.

Och stundom, när ledsnad mig trycker
och dagen mig tycks för lång,
jag präntar och sätter i noter
små stumpar av bägges sång.

Och sägs det ibland, att musiken
är mindre melodiskt fin,
och är icke allt som det borde
ibland med harmonin,

så kommer det av, att gitarrsång
och dragharmonikesång
stämts upp från höger och vänster
ibland på samma gång.

Värmländska låtar

EN HÖG VISA.

Min kära är såsom en smärt gran,
såsom en sjungande vattubäck
och såsom en ung ros,
när daggen faller vid morgontid.
Och hennes däjelighets makt är såsom en stor krigshär,
den där nederslår sina fiender
med starkt dån och vagnar och resenärer
och högt ropar: ho kan motstå mig?

Sägen mig, I Värmelands döttrar,
I, som vallen i bergen
eller sitten utefter vägakanten
glammandes,
haven I sett min kära,
haven I sett, om min unga ros
gått denna vägen framföreåt?

Si, hennes gång är som en dans över ängarne
och såsom en stor konungs dotters dans,
och hennes röst är såsom ett vackert läte
och såsom en lustig musik i bergen,
och hennes anletes glädje
är såsom en sol över sjöar,
de däjeliga sjöar i dalarne.

Jag kom till min käras boning,
när aftonen svalkades och skuggan förlängdes,
och min käras faders björkar stodo gröna,
och doften av de björkar var ljuvligare än myrrha
och nardus och alla de apotekares pulver.

Si, min kära lustvandrar i örtagården
och hon döljer sig för mina ögons åsyn
under buskar av stickelbär och vinbär.
Såsom ett ungt lejon lurar hon i sitt förstäck
och såsom en modig rövarskara i sitt bakhåll,
läggandes råd i sin själs ondsko,
huruledes hon må gripa den hon kär haver,
på det hon må uppfräta honom
med sin mun, som icke mycket stor är,
och med sina läppar, röda som gott vin.

Såsom ett oväder kom hon fram av buskan,
såsom ett starkt oväder med storm och regn och hagel,
där hagelkornen äro såsom fall av liljor
och regnet är såsom rosors regn
och stormen såsom ett högt leende
och klang av många cymbaler.

Och hon föll över mig och tog mig till fånga
till att vara henne en krigsfånge och en träl
och for fram över mitt ansikte med sina läppars vrede
och gjorde en dom över mig och sade:

du är välkommen till min faders boning,
si, du är mycket kär hållen och ganska välkommen.

Och hon tog fram av fatåburen
saft av hallon från örtagården
och kosteligt bakverk och många kakor,
och vi åto och glammades allt intill solnedgången.

Men si, många dagar äro farna,
sedan jag såg min käras ögon,
och mina tankar gå vill på gamla villstigar,
ty min kära är framföre alla andra
i detta landet,
ty hon är såsom en ung gran
och såsom en sjungande vattubäck
och såsom solskenet över sjöarne,
de däjeliga sjöar i dalarne.

Sägen mig, I Värmelands döttrar,
I, som vallen får och nötboskap i bergen
eller glammen utefter vägakanten,
haven I sett den min själ kär haver,
haven I sett, om min kära
gått denna vägen framföreåt?

VACKERT VÄDER.

Klar låg himlen över viken,
solen stekte hett,
och vid Haga ringde Hagas
gälla vällingklocka ett.
Brunnskogs kyrka stod och lyste
som en bondbrud, grann och ny.
Över björkarne vid Berga

114

som ett hattflor på en herrgårdsfröken
svävade en sky.

Och som jättelika nämndmän,
samlade till häradsting,
stodo skuldra emot skuldra
mörka höjder runt omkring,
och som högtidsklädda långskepp
summo Värmelns holmar fram,
över stäven susa granar,
alar susa över toften,
tallar över akterstam.

Gamle Hurra stod på branten
vid sin stugudörr,
kanske i hans gamla hjärta
lyste solen, lyste livet
litet varmare än förr.
Gamle Hurra, gamle Hurra,
kanske tänkte han som jag:
det är ändå skönt att leva
— vilken strålande, orimligt
obeskrivligt vacker dag!

Men vad är det, hör, det fnissar
bortom holmarne vid näset,
vad är det för sällsam låt?
Är det flickor som i viken bada
eller är det
flickor i en båt?
Tio vita frökenhattar
stucko plötsligt fram ur vassen,
just där sundet vidgar sig,
tio skadeglada halsar
skrattade åt mig.

Jag blev verkligen förargad
över denna skrattsurpris,
men jag rodde ändå ditåt,
mitt i skocken satt ju själva,
själva självaste Alice.
Och jag reste mig i båten
och jag tog ett tag åt mössan,
ett förläget tag,
och jag rodnade och sade:
det är utmärkt vackert väder,
vacker väderlek i dag!

"Mycket sant och mycket snillrikt,
bravo, bravo, bravo, bra,
högst poetiskt, sant och snillrikt,
högst poetiskt, hahaha",
skreko alla flickorna,
och de öste vatten på mig
och Alice var obarmhärtig,
hennes hjärta var som is,
och jag snubblade i båten
och jag föll på knä och sade
smärtefullt på Caesars vis:
även du min, även du min,
även du, Alice!

INDIANER.

Låt den flicktyckmyckna minen fara,
eller göm den till din nästa bal!
Här är vilt och här är gott att vara,
här är mossan mjuk och skuggan sval.

Låt mig lägga i ditt knä min nacke
och var hygglig för en stund — se så!
Det är brant och tungt i livets backe,
vi få gräla övernog ändå.

Det är sant, jag ämnar bli en hedning,
en förskräcklig, glupande tyrann,
du skall ledas av min viljas ledning,
jag skall bli en ryslig äkta man.

Jag skall murra åt dig över maten,
jag skall grina åt varenda rätt:
"fy för katten, vidbränd är spenaten!
— kvinna, säg, är detta kalvkotlett?"

Då blir tid att tala, cara mia,
kvinnans rätt och annat tanteri.
Fri är skogen, låt oss vara fria
än från livets strids pedanteri!

Låt oss låtsa, att vi bo i skogen,
vilda indianer, du förstår,
och vår wigwam är den dära logen
och jag själv, förståss, är Sagamor.

Jag är grym i strid och lat i freden
och jag heter Miantonimah.
Du skall följa mig på krigarleden,
bleka, vita Tith-oh-Wah-ta-Wah!

Men när tomahawken lagts i jorden,
skall jag ligga liksom nu på rygg,
trött på vandringen och trött på morden,
ligga trygg på rygg och fånga mygg.

Tith-oh-Wah-ta-Wah får gå och leta
efter möss och mask, som jag skall ha,

117

hon får slita, släpa, hon får streta,
stackars, stackars Tith-oh-Wah-ta-Wah!

Hon får bulla upp med mask och rötter,
och ett ormbunksblad får vara duk,
och till tack vid Sagamorens fötter
får hon sitta som en katt på huk.

Och när jag fått nog av matens gåva
från den store anden Manitu,
skall jag lägga mig till ro och sova,
lugn och lycklig mot ditt knä som nu.

— Nej, låt bli, skall du dra av mig håren?
Skall jag skäms, min vilde indian?
Det är verkligt sant med Sagamoren
och hans fru — det stod i en roman.

VALLARELÅT.

Hör du ej bjällrorna, hör du, hur sången
vallar och går och går vilse i vall?
Korna de råma och påskynda gången,
följa i lunk efter jäntans trall.

Hör, hur det ljuder kring myr och mo:
Lilja — mi Lilja — mi Lilja — mi ko!
Eko vaknar i bergigt bo,
svarar ur hällarne
långt norr i fjällarne:
Lilja — mi Lilja — mi ko!

Bjällklangen dallrar och faller och stiger,
suset är stilla och vilar i ro,

skogen är kvälltung och sömnig och tiger.
Endast den vallande
låten går kallande
fram genom nejden kring myr och mo.

Natten är nära och solskenet rymmer,
ser du på tjärnet, hur töcknet står!
Skuggan förlänges, förtätas och skymmer,
snart över skogarne mörkret rår.

Mörk sover tallen, mörk sover granen,
dovare sorlar en bergbäcks fall.
Fjärmare klingar den höga sopranen,
vallar och går och går vilse i vall.

SKOGSRÅN.

Åt Gösthultskanten i Gunnerudsskogen,
bortom Västanmossen vid Bråttorpslogen,
just där håller skogsrån till,
gå dit och se, om ni vill!

Hon är älskogsaktig och manfolksgalen,
för Vickbomspojken från Niklasdalen,
han såg henne själv en kväll
på vägen till Anna i Fjäll.

Hon var grannlåtsklädd som en påskdagspräst,
hade ormbunkskrans och kattguldsväst
och till knäna en granriskjol
och doft som av nattviol.

Hon var ungtallsmidig och enstamvig,
och hon skepade, snodde och vrängde sig

119

som en orm på en lie trädd,
så Kalle i Dalen blev rädd.

Och hon råbocksprang, gjorde lokattbukter
och trollpackskonster och sattygsfukter
och stod bak en furustam
och glyste och gluttade fram.

Och Vickbomspojken från Niklasdalen
blev vettskrämd, veckvill och månadsgalen
och går ännu som en fant,
så nog kan en se det är sant.

VÅRAN PROST.

Våran prost
är rund som en ost
och lärd som själva den onde,
men gemen likväl
och en vänlig själ
och skäms ej, att far hans var bonde.
Han lever som vi
och dricker sitt kaffe med halva i
som vi
och ratar icke buteljen,
älskar mat
som vi
och är lat
som vi
— men annat är det vid helgen.

Så fort han fått prästrocken på,
vi andra känna oss ynkligt små,
men prosten likasom växer,

för då är han prost från topp till tå
och det en hejdundrande prost ändå
i stort pastorat med annexer.
Jag glömmer väl aldrig i all min dar,
hur vördig han var
här om sistens i kappan och kragen,
hur världens barn
han malde i kvarn
och läste för köttet lagen!
Och prosten grät
— tacka för det,
han talte om yttersta dagen!

Och alla gräto vi ymnigt med,
ty köttet sved
och själen var allt satt i klämma.
Och kyrkrådet smög sig med ryggen i kut
vid tjänstens slut
efter prosten ut,
ty rådet var kallat till stämma.
Men det förstås,
vi repade oss,
när prosten klarade strupen
till sist och sade: "välkomna
till smörgåsbordet och supen!"

JONTE OCH BRUNTE.

De kommo från ängen,
och Brunte var hästen
och Jonte var drängen,
som tjänte hos prästen,
och gammal var Jonte

och gammal var Brunte
och stocklat förresten.

"Hå ja, gamle Brunte,
för jämnan det tölas
att vi två", sa Jonte,
"bli sist med vårt hölass,
— när vägen är krokig,
vem raggen kan hjälpa,
att litet det sölas?"

Och Jonte han runkade
sävligt på nacken
och Brunte han lunkade
sävligt i backen
"Och jämt få vi ovett
för mödan", sa Jonte,
"skall det vara tacken?"

Men Brunte han vände
den åldriga mulen
tillbaka och sände
försiktigt förstulen
en blick under lasset
att se, om det ännu
gick runt om med hjulen.

Och lugnad han svängde
med svansen åt Jonten.
Men Jonten han blängde
blott sömnigt åt Brunten.
Han hör ej, han ser ej,
han glömmer snart allting,
den utgamle strunten.

"Ja nu är han utgammal
bliven hos prästen,

och jag är väl skjutgammal
själv", tänkte hästen,
"men gott är att sova
och få sig till kvällen
en hötapp i västen!"

Och Jonte han fumlade
druligt med tömmen,
och Brunte han drumlade
framåt i drömmen,
han stötte, han stracklade
— hölasset vacklade
fram utmed strömmen.

ÄKTENSKAPSFRÅGAN.

En plog ska vi ha, en harv ska vi ha,
en häst ska vi ha, som kan streta och dra!
"En täppa med bönor och kål och spenat!"
Erk du!
Maja du!
Så ska vi ha't!

En gris ska vi ha att ge skulorna till!
Och ankor och höns kan vi ha, om vi vill!
"Och kaffe och socker och sovel till mat!"
Erk du!
Maja du!
Så ska vi ha't!

En ko ska vi driva i bet på vår äng!
"Och bolster av dun ska vi ha i vår säng
och fint postelin och glaserade fat!"
Erk du!

Maja du!
Så ska vi ha't!

Men, Maja du, Maja du, var ska vi ta't?
Jag är för fattig och du är för lat!
Du går på roten och jag går på stat!
Erk du!
Maja du!
Var ska vi ta't?

JAN ERSA OCH PER PERSA.

Jan Ersa ägde Nackabyn,
Per Persa ägde Backabyn
i By i Västra Ed.
Jan Ersa,
Per Persa,
de höllo aldrig fred.

Var havren god i Nackabyn,
så slog den fel i Backabyn.
Då blev Per Persa vred,
då svor i mjugg Per Persa,
då gren och flen Jan Ersa,
så mun gick halvt ur led.

Var klövern grann i Backabyn,
så var den klen i Nackabyn,
där växte blomst och bär.
Då gren och flen Per Persa,
då hyttade Jan Ersa
med näven bortåt Per.

Gick det på tok i Nackabyn,
var det kalas i Backabyn
och glädjen stod i tak.
Var mörk i håg Per Persa,
som solen sken Jan Ersa
och gjorde brygd och bak.

De trätte och processade.
Om friden prosten mässade
— det var som vått på gäss.
Ty vann en gång Jan Ersa,
så började Per Persa
en splitter ny process.

Ju mera de bedagades,
dess mer det stämdes, klagades
och tappades och vanns.
Var domen för Per Persa,
så vädjade Jan Ersa
till närmaste instans.

Så stredo de, så trätte de,
så levde de, så mätte de
varandra skäppan full.
Processen bröt Jan Ersa
och brännvinet Per Persa,
för bägge gick det kull.

Och ingen av dem mjuknade,
när de på slutet sjuknade
och stoppades i jord.
"Ve' nästa ting, Jan Ersa!",
"vi möts, vi möts, Per Persa!",
var deras sista ord.

Men "trilsk som Jan i Nackabyn"
och "ilsk som Per i Backabyn"

är stäv i Västra Ed.
Jan Ersa,
Per Persa,
de höllo aldrig fred.

DET VAR DANS BORT I VÄGEN.

Det var dans bort i vägen på lördagsnatten,
över nejden gick låten av spelet och skratten,
det var tjoh! det var hopp! det var hej!
Nils Utterman, token och spelmansfanten,
han satt med sitt bälgspel vid landsvägskanten,
för dudeli! dudeli! dej!

Där var Bolla, den präktiga Takeneflickan,
hon är fager och fin, men har intet i fickan,
hon är gäcksam och skojsam och käck.
Där var Kersti, den trotsiga, vandrande, vilda,
där var Finnbacka-Britta och Kajsa och Tilda
och den snudiga Marja i Bäck.

Där var Petter i Toppsta och Gusten i Backen,
det är pojkar, som orka att kasta på klacken
och att vischa en flicka i skyn.
Där var Flaxman på Torpet och Niklas i Svängen
och rekryten Pistol och Högvaltadrängen
och Kall-Johan i Skräddarebyn.

Och de hade som brinnande blånor i kroppen,
och som gräshoppor hoppade Rejlandshoppen,
och mot stenar av klackar det small.
Och rockskörten flaxade, förkläden slängde,
och flätorna flögo och kjolarne svängde,
och musiken den gnällde och gnall.

In i snåret av björkar och alar och hassel
var det viskande snack, det var tissel och tassel
bland de skymmande skuggorna där,
det var ras, det var lek över stockar och stenar,
det var kutter och smek under lummiga grenar
— vill du ha mig, så har du mig här!

Över bygden låg tindrande stjärnfager natten,
det låg glimtande sken över skvalpande vatten
i den lövskogsbekransade sjön,
det kom doft ifrån klövern på blommande vallar
och från kådiga kottar på granar och tallar,
som beskuggade kullarnes krön.

Och en räv stämde in i den lustiga låten,
och en uv skrek uhu! ifrån Brynbärsbråten,
och de märkte, de hörde det ej.
Men uhu! hördes ekot i Getberget skria,
och till svar på Nils Uttermans dudelidia!
kom det dudeli! dudeli! dej!

STINA STURSK.

"Och fy skäm ut dig, och fy skäm ut dig
för allt ditt spring efter vännen din!"

Och håll du truten! och håll du truten!
för du är uttäck och du är kutig
och håvar själv efter vännen min!

Och var jag skapt som ett tocket skrälle,
jag höll mig undan för vännen min.
Men jag är svarvad och fin om snuten

och vackert växt på vartenda ställe
och värd att vara när vännen min!

Gör dig ej grön, det gör ingen nytta,
— när det blir kväll, kommer vännen min,
och vill du då stå lur vid knuten,
så håll till godo, din skvallerbytta,
och ränn kring socknen med truten din!

FARVÄLL.

En sorgens ton från Amerka.

Farväll, du grymma vänd i Sveden,
du grymma vänd, som glömde eden,
du svärjade en lordaskväll,
ja faderväll, ja faderväll!

Ja faderväll, ja fadervädel,
jag var en skrädaregesädel
i Svedens land här långt ifrån,
nu är jag mister Johansson.

Tre dollars haver jag om dagen
och är en herrkar efter lagen,
du kunde varit misstriss nu,
men den som slapp te bli't, va du.

Du kunde gått i hatt och handsker
ibland tjangtila amerkansker
och lefft på gås och rebbenspjäll,
men faderväll, men faderväll!

Ja faderväll, ja fadervädel,
jag hopas Erk är såppas snädel,
att han ej slår min grymma vänd,
fast han är sinnt och illa känd!

Jag hopas, att det nötet Erker
med sett lell arrbett såppas lerker
att han kan gi dig brö för dan
och littet kaffi ifrån stan.

Jag hopas, att du är belåten,
att du tog Erk och gav på båten
en fattig skrädaregesäll,
som nu är rik, men itnåt säll.

I ensamhetens dystra tankar
går mister Johansson och vankar,
och tåren far på kinden kall
som Niagadras vilda fall.

Han tänker på sin falska flicka,
som gav sin ungdomsvänd att dricka
av sorgens suraste butäll,
farväll, farvädel, faderväll!

BEVÄRINGA.

Se beväringa där i sin krigsmansprakt,
hon är grann, hon är gul, hon är blå!
Hon har supit sig full och hon dansar i takt,
hon kan hoppa, men kan inte gå.

Se, hon girar och far och slår klack emot klack,
se, hur kaskarne hänga på sned!

När den ene går fram, gör den andre en back,
för se så är beväringas sed.

Och en långskankspojke i kortbensbyx
hoppar före med flaskan i hand
och ger attene fan, vad det tänks eller tycks,
när han tar sig en tår uppå tand.

Se beväringa där, se beväringa där!
Hon kan hoppa, men kan inte gå.
Se beväringa där, hur lycksalig hon är,
där hon skuttar på klack och på tå!

SKOJARE.

I Kattebohult bor det tattarepack,
i Kattebohult bort i Bo,
och där är det rackel och snatter och snack
och skojareliv, må ni tro.

Där hålla de svarte Boneckerna till,
de värsta i vårt fögderi
— vad prästen och lagen och länsman vill
det strunta Boneckerna i.

Den gamle vallackarn gick ännu och slog
på vägarne sistlidne vår
— till vildskytt och hästtjuv dugde han nog,
fast nära på åttio år.

Och käringen hans, som är sjuklig och skral
och hisklig att titta uppå,
gick ännu i höstas och tiggde och stal,
fast knappast hon orkade gå.

Nu sitta de hemma i Kattebohult
och sköta sitt lönnkrögeri,
och alltid är huset av rackare fullt,
det hörs, när en går där förbi.

Och pojkarne spela och skäras med kniv
och ruckla vareviga dag,
och kvinnfolken föra ett liderligt liv
med utskum av alla de slag.

Och nog har väl länsman gjort vad han kan
att göra på levernet slut
— men var gång ett följe ur trakten försvann
ett nytt kom ur buskarne ut.

Och för Alsterin, en missionspredikant,
som vågat sig dit, var det lett
— den tjärbrådde de över ryggen grant,
de äga ej tecken till vett.

Vrid rätt den granen, som skapades skack,
gör lamm av ulv eller lo
och folk av Boneckernas rackarepack
i Kattebohult bort i Bo!

ELIN I HAGEN.

Den dära stugan vid ån är Hagen,
där gamle Anders i Hagen bor
— jag minns, hur Elin, den enda dottern,
gick förr och trallade hela dagen
i mon därborta med Hagens kor.

Hon var den gladaste bland de glada,
i lek och dans var hon alltid bäst,
och flink i spisen och flink på logen
— men ofta ser en, att det tar skada,
som växer vackrast och lovar mest.

Det kom en främmande man till dalen,
han mötte Elin i skogen titt,
och det gick rykten omkring i bygden,
och stackars Elin blev vild och galen
— i våras dränkte hon barnet sitt.

Jag minns den stunden, då hon blev tagen,
hon skrek ej, grät ej, blev bara vit
— till fyra år blev hon dömd av lagen
— en kan förstå, det är sorg i Hagen,
och det är ingen, som nänns gå dit.

Och gamle Anders han står vid skjulet
betryckt och krokig och hugger ved.
Han var en gubbe, som log beständigt,
— nu är hans ansikte skyggt och mulet,
hans läppar skälva, han tittar ned.

Han viker undan för folkets blickar,
han talar icke med någon mer,
han går och grämer sig djupt i själen,
han ser åt sidan, när någon nickar,
och gråter bittert, när ingen ser.

LARS I KUJA.

Vid Bymon på vägen till Byn,
där bor Lars i Kuja i skogens bryn.

I hemmanet Byn, om jag ej tar fel,
de äga, han och hans käring,
en hundradetrettiotredjedel
med äng och med åker och äring.

Men ängen är skäligen klen
och åkern mager och äringen sen,
ty allt som växer åt Lars är sten,
och sten är dålig förtäring.
Men Lars har armar och Lars har ben,
och gnidig och seg är hans käring.

Han plockar och gräver och sliter och drar,
och käringen spar,
den som spar han har,
av nävgröt ha de sin näring.

Och länsman kommer och länsman tar,
och Lars han sliter och Stina spar,
och fast han knappt äger skjortan kvar,
så tror Lars i Kuja på bättre dar,
så ock Lars i Kujas käring.

LANDSVÄGSMAJA.

En afton, när dagern föll mulen och grå
på ljunghedens våta, förtvinade strå,
då såg jag de trasiga kjolarna vaja
på Landsvägsmaja,
den tokiga flickan från Sunnanå.

Hon svängde sig runtom med kantiga språng,
hon sjöng på en gammal förunderlig sång:
"kom, sola mi,

nu skola vi
i jorden, för där få vi fred en gång!"

Hon låddes hon hade ett barn på sin arm,
hon tryckte det tätt till sin vissnade barm:
"kom, sola mi,
nu skola vi
i jorden, för jorden är god och varm!"

Hon svepte det in i sin trasiga schal:
"nu vandra de döde i Mörkolands dal!"
Hon satte sig ned på en tuva i ljungen
och vyssade ungen
till vila med visor och fagert tal.

BJÄLLERKLANG.

Han svängde trotsigt den fina nacken,
vår svarte Pluto, och föll i trav,
och släden slängde och utför backen
i fläng och flygande bar det av.
Och rimfrost hängde i ögonbrynen,
och snöstoft piskade oss i synen,
och middagshimlen var klar och skön,
och solen glittrade skarpt mot snön.

Bakom oss ringlade hela raden
av unga utsluppna par från staden
och femton bjällror och vår därtill
i korus pinglade som besatta
— jag hörde någon i skogen skratta
en riktig flickaktigt lustig drill.
Det var väl Ekos befängda stämma,
hon tyckte väl att det lät så bra,

när någon gäckande hjärteklämma
slog upp ett klingande hahaha.

Men vid min sida det ljöd en annan
och mera spotsk melodi av skratt.
Vad hon var putslustig, där hon satt,
med sin förvildade lugg i pannan
och sin parisiska bäverhatt!
Det låg en guldglans ifrån Golkonda
i detta lockiga vilda blonda,
som flöt med solskenet hop till ett,
och röd och rosig och väderbiten
om runda kinder var stackars liten
av vintervindarnes arga bett.

Men stackars liten gav frosten katten
och log åt allt, som i sikte kom.
Med ögon klarblå som insjövatten
hon såg sig muntert i livet om.
Hon klippte knipslugt med ögonlocken,
gestikulerande med sin muff,
och då och då genom överrocken
jag kände varmt en förlupen puff.

Och hennes läppar det var som vin i,
fast isvind kylde den drycken sval,
och munnen gick som av Paganini
en stollig strof ur hans karneval.
Det regnade som konfekt och nötter,
det snattrade som på maskerad,
det traskade som små nätta fötter
på piazettan i Marcos stad.

Det var som flickornas dans på Lido,
det var som polka, galopp och vals,
men vad hon sade, det vet Kupido,
ty jag för min del begrep ej alls.

135

Jag tyckte fröken var tokig bara,
och halvt ironiskt jag hörde på,
jag var så vis som en man kan vara,
när han har fyllt sina tjugutvå.

Men vill man ock hålla sig för god,
och är man kall som en marmorstod,
det är ändå något varmt som snuddar
vid den, som sitter på samma kuddar
med slikt ett knyte av kött och blod
och muff och boa och bävermuddar
och muntert gäckande övermod.
Ack, flickan var som en Leydnerflaska,
en Voltas stapel, ett batteri
med starkt elektriska krafter i,
min vishet brändes till stoft och aska
av gnistkaskaden, som föll däri,

Ja det var då — nu ha vintrar snöat
och höstar regnat och vårar töat
och somrar bränt med sitt heta sken
— ja det var då, det är längesen!
Men varje gång jag hör bjällror sjunga
och ser, hur hästarnes manar gunga
och traven stolt genom staden går,
då känner jag som ett sting i barmen,
och nedstämd lämnar jag fönsterkarmen
och tar ett tag om mitt tunna hår.
Det spökar prat i mitt vänstra öra
och karnevalen jag tror mig höra,
som käckt från vinröda läppar sprang,
när skogen genljöd av bjällerklang.

Griller och grubblerier

EN GHASEL.

Jag står och ser på världen genom gallret;
jag kan, jag vill ej slita mig från gallret,
det är så skönt att se, hur livet sjuder
och kastar höga böljor upp mot gallret,
så smärtsamt glatt och lockande det ljuder,
när skratt och sånger komma genom gallret.

Det skiftar ljust av asp och al och björk,
där ovanför står branten furumörk,
den friska doften tränger genom gallret.
Och över viken vilket präktigt sken,
i varje droppe är en ädelsten,
se, hur det skimrar härligt genom gallret!

Det vimlar båtar där och ångare
med hornmusik och muntra sångare
och glada människor i tusental,
som draga ut till fest i berg och dal;
jag vill, jag vill, jag skall, jag måste ut
och dricka liv, om blott för en minut,
jag vill ej långsamt kvävas bakom gallret!

Förgäves skall jag böja, skall jag rista
det gamla obevekligt hårda gallret
— det vill ej tänja sig, det vill ej brista,
ty i mig själv är smitt och nitat gallret,
och först när själv jag krossas, krossas gallret.

DÖDEN.

Jag har skymtat hans skumma, jordgrå drag,
redan jag trodde min vandring slutad,
över min säng stod han redan lutad,
lyssnande efter mitt sista andetag.

Ingen älskande blick såg sorgset ned,
ned i min egen en avskedshälsning,
ingen tröstande tro på frälsning
lindrade våndan, som flämtande anden led.

Stillsamt lade den skumme sin våta hand
över min brännande feberpanna,
plötsligt kände jag hjärtat stanna,
blott konvulsiviskt och matt det slog ibland.

Allt, som fordom mig bränt och grämt och tärt,
kylande, svalkande glömska släckte,
tomhetens slöjande mörker täckte
allting, som förr var mig gott och skönt och kärt.

Svaga ljud som av skvalpande böljeslag
nådde i susande rytm mitt öra,
smekande doft, som försommarvindar föra,
smekande doft av ängsblommor kände jag.

Var detta ett sista vänligt och milt farväl
livets skönhet till sällskap i döden sände,
eller var det en räddande okänd strand jag kände
nalkas med vågslag och doft min drunknande själ?

— Åter min hjärna i vansinnig feber brann,
åter kände jag strupen av törst försmäkta,
pulsarne bulta och yrande tankar jäkta,
medan tyst min stillsamme gäst försvann.

EN FRÄMMANDE MAN.

Han var ej ung, ty håret hade grånat,
hans rygg var krökt av något tungt, han burit,
och livets färger hade livet rånat,
och djupa fåror hade tiden skurit.
Hans läppar voro fast tillsammanslutna
som kring en sorg, ett brott i det förflutna.

Förgäves log han stundom för att skyla
den grämelse, som ruvade och tärde;
om kall förtvivlan talte ögats kyla:
för mig har livet ej en gnista värde,
mitt skepp är bränt och mina vapen brutna,
jag lever än, men blott i det förflutna.

Han var så skygg, så tyst, så ödsligt ensam,
min själ blev vek, jag kände lust att gråta,
som var hans gömda sorg för oss gemensam,
jag ville in i denna tysta gåta,
jag ville öppna detta tunga slutna
och leva med som vän i hans förflutna.

Jag ville närma mig, jag ville bära
den tunga tyngd, som gjort hans liv eländigt,
men han vek undan, när jag nådde nära,
och mellan oss låg svalget vitt som ständigt.
Hans läppar voro fast tillsammanslutna
omkring det bittra tärande förflutna.

HYDRA.

Det var i feberns tid — jag drömde det
— jag låg på marken med det ena knät,
hon höll mig pressad hårt i sina slingor.
Som kautschukfjättrar låg det om mitt bröst,
till skrik och rossling blev min röst,
min blick var skymd av etterskummets flingor.

Och dödskall kyla kom i varje lem,
jag var betäckt av slipprigt slem
och för mig själv jag måste vämjas.
En dunkel tanke i min hjärna brann:
det är det lågas makt i människan
— det kan, det skall, det måste tämjas!

Jag tog mig kraft, blev fri, fick luft,
och styrka kom i vilja och förnuft
— det kom som ett beslut: jag skall ej ge mig!
Om också aldrig tryckets pressning hävs,
och till den stund, då andedräkten kvävs,
så skall jag hoppas, skall jag aldrig ge mig!

I samma stund jag sjönk ihop
— jag hörde sorl och bravorop,
och tusen händer klappade applåder.
Jag visste det, i prakt och rikedom
kring brottarbanan satt ju Neros Rom,
betraktande min svaga strid i nåder!

Nog är den tung, en kamp i ensamhet,
som intet väsen ser och ingen vet,
men mera tung, när tusen ögon se mig
— att ligga utsträckt med förlamad makt,
ett mål för tusendens förakt,
men ensam än — dock skall jag aldrig ge mig!

Jag gav mig ej, jag reste mig på nytt,
i varje muskel kom den kraft, som flytt
— vad rör det mig, om tusenden bele mig!
Dock sjönk jag åter, hjärtat låg i press,
och "bravo, bravo, nye Hercules",
ljöd folkets hån — dock skall jag aldrig ge mig!

LIVSGLÄDJEN.

Säg, har du gästat längre än en timma
i forna dagar någon gunstomsluten
— i vår tid är du gästvän för minuten!
Du visar dig som meteorens strimma,
raketens båge, sprakande och bruten,
men just som vi din härlighet förnimma,
vi svepas åter in i kvalm och dimma,
och du är död i samma stund som njuten.

Du är citronen blott, som sparsamt delas
bland öknens karavan, när den försmäktar,
att rädda livet efter törstens pina.
Men mången gång du i förrådet felas,
då skämda vätskor vore himmelsk nektar,
och tungan bränns och blodets källsprång sina.

VÄNNER VID SJUKBÄDDEN.

I talen ordspråk, talen som från ovan,
och köksmoralens senapsdeg I bringen!
Jag hör det nog, I han predikogåvan
— en tröst för er, men tröst för annars ingen!

141

Men läggen nådigst band på tungorna,
de smidigsmorda visdomsslungorna,
och bort med salvelsen, som höves ingen!
Låt mig ha fred och sparen lungorna
— min själ är sjuk, men fraser hela ingen!

Tag edra visors buller bort
och bort med maningar av gammal välkänd sort,
som ropa flyg! åt den, som brutit vingen!
och bort med fingrarne från sår, som svida,
jag vill ha rätt att ensam genomlida
mitt eget kval — jag vill ha tröst av ingen!

VAD ÄR SANNING.

"Då frågade Pilatus: Vad är sanning?"
och eko svarade — profeten teg.
Med gåtans lösning bakom slutna läppar
till underjorden Nazarenen steg.

Men gudskelov, att professorer finnas,
för vilka sanningen är ganska klar!
De äro legio, ty de äro månge,
som skänkt den tvivelsamme romarn svar.

Dock syns mig sällsamt, att det enda sanna
så underbart kan byta form och färg.
Det, som är sanning i Berlin och Jena,
är bara dåligt skämt i Heidelberg.

Det är, som hörde jag prins Hamlet gäcka
Polonius med molnens gyckelspel:
"Mig tycks det likna si så där en vessla
— det ser mig ut att vara en kamel!"

DEN RYSKE ANAKORETEN.

Jag möter honom då och då — vi vandra
tillsammans framåt vägen långa stunder.
Visst är han sträng och dyster mer än andra
och tungsint hård, men det är godhet under.

Jag håller av den gamles vita lockar,
hans läppars kvalfullt bittert sorgsna skälvning
och harmen själv, som i hans röst sig stockar,
och pannans höga, tanketunga välvning.

Så vandra vi igenom sommarlandskap,
där livet lyser varmt om berg och dalar
men döden känner jag i hjärtats grannskap,
när han, den gamle, vid min sida talar:

"Se, sommarn är en synd, se, vår är villa,
se, det är gift i vårens svala skurar,
hör, det är lögn, som alla fåglar drilla,
och livets skönhet är ett svek, som lurar!

De glada färgerna, som livet sminka
och kläda varandet i hoppets dager,
de täcka dunster, som förruttnat stinka,
de täcka brand, som tär, och matk, som gnager!

— Vänd dina ögon bort från konstens riken,
i lömska färger doppas konstens pensel!
Förbanna tonerna, fördriv musiken,
som droppar vällustgift i blod och känsel!

— Du tycker skönhet är i man och kvinna,
när mänskodottern famnar mänskosonen
— men gömd i brudgum, dold i älskarinna,
bor synd, bor död, skelettet och dämonen!

Den ljusa locken flickan bär om pannan,
den är en eld, av den skall mannen bränna!
Den varma blick, som söker upp en annan,
är blott en glimt av Tofeth och Gehenna!

Du blickar vänligt på det unga paret,
du tror, att lyckan tänds i bröllopsnätter?
— I Dantes helvete du finner svaret,
där hatet kysser hat i lustans fjätter!"

— Men säg mig, gamle man från öknens håla,
är det ej livet självt du så förbannar
och hör du ej, hur död på filtad såla
bakom dig tassar tyst och lyss och stannar?

Är ej den kraft, som sammanslingrar kroppar,
densamma kraft, som knyter cell till celler,
från nerv till muskel som en gnista hoppar,
i röda vågor ur vårt hjärta väller?

Är ej den kraft, som midjor sammantvingar,
densamma kraft, som gror och öppnar knoppar,
som över molnen lyfter örnens vingar
och svanens vingar i kristallen doppar?

Är ej den kraft, som avlar och som njuter
i mänskoformer, dock den evigt samma,
som sammanför atomerna och gjuter
i rymdens kvedar livets varma flamma?

Är andens död en följd av alstringsgåvan,
en bröllopsbädd, en avgrund blott, som gapar,
— hur går det anden, som är vigd därovan
vid alltets modersköt och evigt skapar?

— Han sänker huvudet. Mot marken ser han.
Han suckar djupt. Han gitter icke svara.

Men tungt och tyst och svårmodsbittert ler han,
som om han hatar själva alltets vara.

BOKEN.

En helig skrift mig tyckes firmamentet
med fornebraiskt språk och urtidsstämpel.
Emellan skyar skymtar silverpräntet
som ur en förlåt i ett Zions tempel.

Där står att läsa om vårt släktes vårtid.
Vårt upphovs gåta finnes där förklarad.
Där finnes balsam för vår sorg- och sårtid.
Vår fråga: vi? varthän? står där besvarad.

Där står om väg ur öknen, där vi irra.
Där står om landet, som av honung flyter.
Men språket är oss okänt. Blint vi stirra
på dunkla tal, vi portens proselyter.

Vi öva oss, vi möda oss, vi stamma,
vår tunga mäktar ej, o Elohim!
— och stava meningslöst och tungsamt: Lamma
— rageschu — gojim!

VÄRLDENS GÅNG.

Havet välte, stormen ven,
vågorna rullade asklikt grå.
"En man är vräkt över bord, kapten!"
Jaså.

145

"Ännu kan ni rädda hans liv, kapten!"
Havet välte, stormen ven.
Ännu kan en lina den arme nå!"
    Jaså.

Vågorna rullade asklikt grå.
"Nu sjönk han, nu syns han ej mer, kapten!"
    Jaså.
Havet välte, stormen ven.

MEFISTO.

Han gör sig till och låtsar vara vän.
Jag ville, att jag vore kvitt den skurken.
Nå, drag åt Häcklefjäll och ryk och ränn!
— Han lystrar ej, han flinar blott, den lurken.

Hans bockfot såg jag redan såsom barn,
den skrämde mig från dans och glam och lekar.
Nu har han snärjt mig i sitt lömska garn,
den bittra anden, han, som alltid nekar.

Han följer mig som skuggan, var jag är,
och visar mig, hur allt är dumt och dåligt,
och allting lytt och fult och allt, som skär,
han pekar ut och skrattar hånfullt håligt.

Han visar mig, hur storhet är ett skal
och alla ljus, som prisats, äro dankar,
och glädje är en lögn och kärlek fal,
och vishet är en bakfram lek med tankar.

Och när jag hjärtetrött och led vid allt
åtminstone min sorg vill ärligt bikta

och ge den klang och färger och gestalt
och tar ett ark och tror mig kunna dikta,

då lägger han sitt ansikte i veck,
i visa veck som Senecas och Platos,
gör tragisk gest åt alla väderstreck
och deklamerar med gudsnådlig patos.

Och kommer han till ord som "ack förbi",
"ack längesedan" eller "ack förgäves",
då suckar han med nedrig ironi
och snyter sig och låtsar, att han kväves.

Än som av gråt hans röst är grötigt tjock,
och än den piper ljuvligt i falsetten.
Till slut han gör en grann teaterbock.
Försmädligt nickar fjädern i baretten.

Och blir jag då nervös och vild och vred
och skriver smädedikt, som slår och gisslar,
då grinar han, så käken går ur led,
och skrattar, så det vriner, så det gnisslar.

Han blinkar kitsliglistigt under lugg
— jag vet hans mening — alltför väl jag fattar,
det är åt mina vänsterhänta hugg,
ej åt de slagne, som den boven skrattar.

Den falska stämman gnäggar, tunn och vass,
han ropar: "Bravo, bra, gudomligt skrivet!"
Håll mun, ditt djur, vik hädan, Satanas!
— han stannar kvar, han är min vän för livet.

Stämningar och stämningsbilder

I SKOGEN.

I skogarnes djup bor skuggan,
och tystnaden slumrar där,
och viskande bud från bygden
den suckande vinden bär.

Och molnen komma med vinden,
och solen skymmes därav,
och fåglarnes röster tystna
och luften är tung och kvav.

Men vad som av vinden viskas,
är ingen av oss, som vet,
ty susande språkets mening
är skogarnes hemlighet.

Kanhända om nya illdåd
han viskar i klyft och mo,
om mänskornas hätska strider,
om brott och om bruten tro.

Jag vet blott, att vemodsslöjan
sig sänker kring furans skrud
och källan och bäcken mörkna,
när vinden går fram med bud.

Det är liksom onda ögon
jag såge bland snårens nät
och hörde ibland bakom mig
som tassande lömska fjät.

*

Jag kände en trast, som sjöng för
sin käresta dagen lång,
och ljungen och lingonriset
beundrade djupt hans sång.

Och blåklockan ringde sakta
i takt med hans kärleksglöd,
och skogsstjärnans öga lyste
och smultronets kind blev röd.

Då hördes en vinge flaxa,
och klorna en glada slog
i sångarens bröst, och sången
om kärlek för alltid dog.

*

Det vackraste tjärnet i skogen
låg ensamt och tyst och klart
och växlade blickar med solen
och drömde så underbart.

Det speglade härliga skatter
av skiftande ljus och färg,
det famnade alltets riken
i ramen av skog och berg.

Det drömde om eviga rymder
av evigt skimrande glans,
om stjärnor och soliga världars
oändliga rytmiska dans.

Men nu ligger skogens öga
av starren för alltid släckt,
en stirrande glanslös yta,
av smutsiga mossor täckt.

*

En ekorre satt i toppen
och tittade ned och teg,
ty älgen gick fram i skogen
med spänstiga, stolta steg.

Det var just i parningstiden
och trotsig och djärv han var,
ty driftens mäktiga sjögång
i svallande blod han bar.

Han förde med kunglig hållning
sitt greniga vackra horn.
Det rasslade svagt bakom snåret,
en krypskytt tog säkert korn.

I stoftet släpades kronan
på stönande, fallen kung,
det trotsiga, vilda blodet
förrann mellan fredlig ljung.

*

Du trotsiga tall, som sträcker
mot himlen din smärta topp,
jag känner din stolta strävan,
ditt anande starka hopp.

Du tror att den vackra stjärnan
på himlen du en gång når,
om också din trogna längtan
skall räcka i hundra år.

Hur trygg skall ej stjärnan gunga
på knotig och kraftig gren
och sprida från barrig krona
sitt blinkande milda sken.

Du skjuter med makt i höjden
ditt åtrådda mål emot,
du banar dig fram, du växer,
du höjer dig fot för fot.

Ack, känner du icke döden,
som fräter i stam och rot,
och ser du då ej, hur stjärnan
flyr undan dig fot för fot?

*

Jag gitter ej längre vandra
omkring i min gamla skog,
vi äro ej längre vänner,
jag känner, jag vet det nog.

Ty skogen är god som fordom
och vänlig och innerlig,
det finnes ej längre samklang
emellan honom och mig.

Min anfrätta mänskotanke
förstör vad naturen byggt,
i färgspel och barrdoft och gransus
det blandar sig in något styggt.

Tillbaka jag vill till bygden,
där striden är hatfullt hård
— där smälta förbittrade tankar
med livet till ett ackord.

I SOLNEDGÅNGEN.

Satte jag mig på bergets kam,
spejade ut över fjärden,
såg, huru solen i väster sam,
långt, långt i väster gick färden.
Tiden förgår,
nyss var det vår,
snart ligger höst över världen.

Dagar ha kommit och dagar ha gått,
en gång väl kommer den sista,
flyktig är lyckan och knappt dess mått,
tung är den ändå att mista.
Luftbyggda slott
skimra ju blott,
skimra och locka och brista.

Dårar de tänka och dårar tro,
dårar de mena och hoppas,
hoppas, att frön, som i jorden gro,
växa till skördar och knoppas.
Brodden den dör,
frosten förstör
det som i markerna stoppas.

VIKEN.

Jag tror det är fjorton dagar,
sen solen var framme sist.
Bland lönnarne stormen jagar
och skövlar varenda kvist.

Ibland vill han andan hämta,
försprungen och genomvåt.
Jag hör, hur hans lungor flämta,
hans rosslande vilda gråt.

Jag hör, hur han slår och rister
i fönster och tak och knut,
jag hör, hur hans vanvett brister
i tjutande klagan ut.

Men långt bortom park och gärden,
där ligger min kära vik,
den vackraste vik i världen,
när förr hon sig själv var lik.

När ängarne vällukt strödde
med vårliga vindars tåg
och strålarnes kyssar glödde
på vilande vänlig våg.

När mörklagda höjder sågo
däri sina egna drag,
och grönskande stränder lågo
och hörde på böljans slag.

Men nu är min spegel bruten,
förstörd är min vågs musik
av skummet, som rörs, och tjuten,
som vina kring piskad vik.

Min utsikt, av färger smyckad,
är ödsligt gul och sjuk,
min tavla en förolyckad,
av fläckar besudlad duk.

Må hellre förvildad bölja
i fjättrande isar slås

och drivornas svepning hölja
mitt landskap, som nu förgås.

VID MYREN.

Över myren mörknade kvällens skugga,
tyst och töcknigt och tomt var allt.
Blygrå molnvarv upphörde ej att dugga
silregn, ljudlöst och isigt kallt.

Ingen enslig en eller grönklädd tuva,
ingen kulle, av ljungris klädd,
störde dödens färg, som sig lagt att ruva
på den sumpiga mossans bädd.

Kretsande kring på regntunga vingar irrar
— ensam — svulten — en hök omkring.
Skogen, mörk och stum, ifrån dunklet stirrar
över tomrummets ingenting.

Blott i väster skymtar ännu den matta
sista resten av dagern fram
över klippans kala, av regnet glatta,
aldrig mossöverväxta kam.

Här är stilla vila för trötta tankar,
här kan grämelsen andas fritt,
icke störd av hoppet, som utan ankar
styr, där livsvimlets skum går vitt.

Här kan nedbränd lidelse smärtsamt kyla
heta askan i nattkall vind,
här kan ångern sorgset i skymning skyla
skammens rodnad på avtärd kind.

Här kan sinnet slita det sista bandet,
som vid sorgen och livet band,
här går vägen fram till det skumma landet,
till det eviga intets land.

VINTERNATT.

Låt oss åka sakta,
låt oss dock betrakta
skogens vita slott,
golvens marmorstenar,
vita valv av grenar,
som till himlen nått.

Ej ett snöstoft röres,
under valven höres
ingen vinds musik,
snön har rett alkover,
och därinne sover
sommarns frusna lik.

Iskristaller stöda
lägret, där den döda
sig till vila lagt,
vita sängomhängen
sväva över sängen,
enar hålla vakt.

Och metalliskt kalla
månestrålar falla
ned i öde sal,
och från alla kanter
gnistra diamanter
i oändligt tal.

Stjärnorna med sorgens
silver smycka borgens
genombrutna tak,
dunkla skuggor glida
sakta genom vida
skymtande gemak.

SORGEBUDET.

Tungt gick ett sorl ifrån Asgårdsvallen:
Balder är fallen,
glansen är släckt i Den Höges sal!
Balder är fallen! Balder är fallen!
klagade vinden till regnen, som snyftande gingo i
berg och dal.

Bäcken i bergen tog ljudet,
talte för forsen sitt sorgtunga tal.
Forsen högt gråtande budet
bar till en älv mellan vide och al.
Djupt i dess bölja begravet,
budet blev buret i havet:
Balder är fallen! Balder är fallen!
— havsvågor slunga sig jämrande högt mot Den
Höges sal.

JAG VILLE, JAG VORE.

Jag ville, jag vore i Indialand
och India vore sig själv
med pärlor till grus och rubiner till sand

och siott, som på vinken av Akbars hand
drömts fram vid en helig älv.

Jag ville mitt hus var av bambuns rör,
där västvinden svalkades sval
av palmer, som skuggade utanför,
och dschunglen sjönge sin vilda kör
om jakter och strider och parningsval.

En flicka med hy som mahognyträ
och silke om höfter och bröst
satt lutad i skuggan av palmernas lä
— jag lade mitt huvud mot finvuxet knä
och lyddes till viskerskans röst.

Hon talade tyst som ett skymningens sus
om själarnes tusenårsfärd,
om Karmas kamp och Akasas ljus
och slocknandets ro i Nirvanas hus
vid gränsen av varandets värld.

Jag ville min själ kunde lossas ifrån
det vaknas förhärjade strand,
från kalla, förtorkade ögons hån,
jag ville, jag vore ett drömlands son
en infödd av Indialand.

TITANIA.

En klang som av små violiner
går svag som susning i hassel och björk,
och månen på ängarne skiner,
men skogen är midnattsmörk.
Det skymtar, det svävar som böljande hår,

det dansar på yra eteriska tår.
Ti ta! Ti ta! Ti ta!

Det skymtar som barmar och halsar,
det lyfter på släp som av silke och flor,
det vajar, det viftar och valsar
i nätta, bevingade skor.
Vem är det, som håller sin vindlätta bal
vid midnattens timme i månsilversal?
Ti ta! Ti ta! Titania!

SJÖFARAREN VID MILAN.

Vid milan har jag vaktat i vinter och vår
och längtat till havet i många långa år,
långt bort från min gammalmansmöda.
Från havet är den vind, som i tallarne går
och leker med stoftet från milan, som står
med mull över kolen som glöda.

Och seglen de glänsa på havets vida rum
och vågorna de kasta sig med dån och med skum
mot stränderna av främmande länder.
Till havet, till havet det vida jag vill
— vid milan är jag bunden, jag kastar av och till
med mull över glimtande bränder.

Och skuggorna de tätna och dagen den är all
och mörkret faller tyngre och natten kommer kall,
det glimtar och glimtar i glöden.
Och skogen av sångerna om havet är full,
min själ är bedrövad för vindsångens skull,
mitt sinne är sorgset till döden.

I UNGDOMEN.

Det glittrar så gnistrande vackert i ån,
det kvittrar så lustigt i furen.
Här ligger jag lat som en bortskämd son
i knät på min moder naturen.
Det sjunger och doftar och lyser och ler
från jorden och himlen och allt jag ser.

Det är, som om vinden ett budskap mig bär
om lyckliga dagar, som randas,
mitt blod är i oro, jag tror jag är kär
— i vem? — ack i allt, som andas.
Jag ville, att himlens och jordens allt
låg tätt vid mitt hjärta i flickgestalt.

EN VINTERVISA.

Jag sörja, jag sörja, jag sörja väl må,
ty stjärnorna så kalla på himmelen gå
och frusen och kall är hela världen.
Och mänskorna de kämpa i drivor och snö
och vandra och gå och förfrysa och dö,
vart vandren I, vart leder denna färden?

De tycka sig se ljus långt på villande stig,
de skynda, de tänka att snart få värma sig
och finna goda vänner i gårde.
Och kommer en i vägen, så slå de honom ner
och domna sedan själva och vakna aldrig mer,
I mänskor, varen intet så hårde!

DE GAMLE OCH DE UNGE.

Vi hurrade, medan vi skuttade ut.
De gamle de sutto och gluttade ut.
Farväl!
Se om er väl, när det blåser kallt,
välkomna igen, när ni sett på allt!
Farväl! Lev väl! Farväl!

De gamle de sutto och viftade ut.
Och flickorna parvis vi skiftade ut.
Lev väl!
Och var tog sin, och jag tog min.
Vi svängde med hatten och nickade in.
Farväl! Lev väl! Farväl!

De gamle de sutto och spanade ut,
ty våren och ungdomen manade ut.
Farväl!
Och hade de sluppit från åldern loss,
de skuttade väl i galopp till oss.
Farväl! Lev väl! Farväl!

Och speljakten sköto vi sjungande ut.
I livet vi färdades gungande ut.
Lev väl!
En gång är det vi, både jag och du,
som ropa åt sjön som de gamle nu:
Farväl! Lev väl! Farväl!

Likt och olikt

SALOMOS INSEGEL.

Ni sade mig, jag saknar karaktär
och skolad tankegång och ordnade principer
och stadighet i tron och sådant där,
som håller mänskor uppe, när det kniper.

Det finns en gammal magisk hemlighet
om andarne och Salomos signet.
Det sägs, han tog en legion av dem
en vacker afton i Jerusalem,
kanhända var det också i Damasco,
och var och en han stack i ena flasko.
I halsen lät han fasta proppar slå
och satte sedan sitt signet därpå.
Det var ett fängelse, som höll mot slå och dra,
av bästa kvalitet, solitt och bra.

Nu vill jag säga eder i förtroende:
I ären andarne, i flaskor boende,
och eder stänger en förseglad propp,
var gång I längten ut och viljen opp!

Men jag vill hellre brännas ned till aska
än låta korka in mig i en flaska.
Och om kung Salomo på tronen satt
och bjöd att lägga sju provinsers skatt
åt höger till som lön åt varje träl,
som lydigt läte korka in sin själ
— den frie tiggarns stav åt vänster till
och sade välj! och ske dig som du vill!

— jag grepe staven utan lång förbidan
och sade tack och gick åt tiggarsidan.

TERSITES.

Jag kan ej annat än din lott beklaga,
du arme skorpion, som alla jaga.
Där sparkar vankas och där spö det slites,
där är du med, min stackars vän, Tersites!

Visst är du fulare att se än alla,
när darrande av hat du sprutar galla,
när du med naglar spärrade att rivas
och ettrigt spottande ur lägret hivas.

Och dock, du uslaste ibland elända,
i all din uselhet du är kanhända
ändå på sätt och vis ett stycke heros,
vad än förmälas månde av Homeros.

När Agamemnon alltför högljutt skrävlar
och när Odyssevs eller Nestor tävlar
i dunkla råd med delfiska oraklet,
du ensam vågar skratta åt spektaklet.

När Oïliden sina puts bedriver
för ädle skönbenskenade achiver,
som ropa: "Bravo, bravo, konung Ajas!",
du är den ende, som törs ropa: "Pajas!"

Det är dock sanningen du ilsket slungar
i ansiktet på dessa stolte kungar,
på hela denna ädelborna liga,
som annars piskar varje knyst att tiga.

Och därför är du dock ett stycke heros,
vad än förmälas månde av Homeros
— en heros är du, en, som rivs och bites
och sliter spö, min stackars vän, Tersites!

APELLES I ABDERA.

I stammarnes och staternas historia
har mången vunnit namn och glans och gloria.
Av kloka, lärda folk jag känner flera,
men intet folk som folket i Abdera.

Det fanns en konstnär i den goda staden,
han fyllde templen och han fyllde baden
— ty stadens råd han kröp för som en fjäsker —
med sköna abderitiska alfresker.

Det sades också utav konnässören
Kalopedilon, skodonsfabrikören:
"Han målar bra: precis som andra målat,
det är som just på samma läst de sålat!"

Det var förträffligt talat av skomakarn,
som var det sagt av själva jordomskakarn,
och sedan dess begynte man värdera
skomakarsmakens domslut i Abdera.

Nu var det så, att alla målarskråna
om stilens renhet voro mycket måna,
och thy de gjorde karl med kropp och kläder
precis som han blev gjord av deras fäder.

Men deras fäder målade i livet
uti en stil, som svor mot perspektivet,

och därifrån så kan man derivera,
att allt blev snett, som målats i Abdera.

Då kom Apelles från Atén till staden
och gick och drev i templen och i baden
och såg på alla dessa mästerstycken,
Abderakonstens vittberömda smycken.

Han kom att stanna vid en led megera,
som skulle föreställa just Abdera.
Då svor han till på attiskt vis: "Nä kyna,
den dära gumman är ju sned i syna!"

Men det var dumt att svära si så dära,
ty många abderiter voro nära,
och genast höjde sig ett hotfullt mummel:
"Skall du Abdera chikanera, drummel!"

Kalopedilon, han ni vet, skomakarn,
tog också skarpt itu med vedersakarn
och sade: "Håll din mun, den arga leda,
vem målar nånsin mänskor icke sneda?"

Apelles tar ett kol och med en näsa,
som pekar rätt, ger svar på denna snäsa.
Abderas bild blev ganska presentabel,
när hon befriats från sin sneda snabel.

Men då blev vreden het i konstskomakarn:
"Vid Hermes och Kronion, dunderbrakarn",
han sade, "du kan bruka kol och krita,
det ser jag nog, men inte kan du rita.

Ett kvinnfolk kan du skapa folklikt nog i syna,
men inte kan du måla alls, nä kyna!
Och kom ihåg det ordspråk, som för resten
befallt skomakarn hålla sig vid lästen!"

Det var Apelles' egna ord, som sades,
de hade icke sjunkit ned till Hades,
men spritts som ordspråk, välbekant i klangen
— det kom tillbaka liksom bumerangen.

Och folket tog upp stenar ifrån backen
och slängde dem Apelles uti nacken,
och han drevs ut av barn och unga stojare,
som skreko: "Drag åt Tartaros, din skojare!"

Apelles gick till lunden i Dodona
att fråga fåglarne i ekens krona:
"Finns det ett medel att hellenisera
och göra folk av folket i Abdera?"

Oraklet svarade med gåtfullt allvar:
"Gör guld av trä, gör hästar utav kalvar,
försök med bräckjärn och med tång, som biter,
att vrida rätt förvridna Abderiter!"

BELYSNINGSFRÅGAN.

De tändes, de nya elektriska tankarne,
det lyste, det sken i varenda vrå
— då skreko de gamla eländiga dankarne:
          "Det tar eld i var knut!
          Släck ut! Släck ut!
Låt pusten blåsa och saxen gå!"
Men skulle man sett något fräckare,
den heliga talgens gäckare,
elektriska lågor, stora och små,
sig läto ej släckas av talgljussläckare
          men brunno ändå!
               Tablå!

VÄNTAN.

Vår framtid tycks mig lik en dunkel vall
av tunga moln med kopparglans i färgen,
som mörkgrön brons stå skogarne på bergen,
som bläck är sjön och ån som smält metall.
Av ångest pressas livets hjärtekammar,
du starka makt, du makt, som slår och flammar
giv ljus, bräck sönder kvalmet med en knall,
slå tungt, slå hårt med dånets dova hammar.

TAKT.

Lakejerna gåvo mig skrapa
och skänkte mig stolt sitt förakt,
emedan jag ej kunde skapa
mig om till en svansande apa,
dresserad av dem, som ha makt,
till konsten att bocka med takt.

Ty sälja sin frihet för slantar
och gula galoners prakt
och tacka sig mjuka som vantar
för guldet, som rockarne kantar,
och oket på nackarne lagt,
det kalla lakejer för takt.

"BRISTANDE PIETET."

Att samojederna ha ben till gudar
och medicinmän gå omkring i hudar
och skrämma negerbarn vid Tanganjika
— det kvittar mig lika.
Men komma svarta trollmän och predika
fetischpredikningar från Tanganjika
för vite män i Europas mitt
— då vill jag begabba dem fritt.

TILL PUBLIUS PULCHER.

När på ditt bord det skummande grekiska vinet,
druvor från Kios och Lesbos i guld och kristaller
lyste mot stuvade tungor av tusen fasaner,
när från svängande brons gick ett sken, som beglänste
marmor från Paros,

när under punisk purpur det memfiska dunet
lockade gästen till mjuk sybaritisk vila,
vaggad till drömmar av klangen från attiska flöjter,
dårad av Lalages dans över mattor från Indus,
dårad av vinet,

då var det smickrande sorl av patriciska stämmor,
då satt senatorn med leende läppar vid bordet,
då steg beröm från hjärtat av hundrade vänner:
du är den förste i Rom och den främste i Latien,
Publius Pulcher!

Nu är din boning ödslig och tom, och på bordet
sörjer falernen vid sidan av måltidens armod,

fattigmans bröd och fattigmans torftiga rätter.
Skum är din boning och naken och kulen och kal som
Capreas klippor.

Skuggan sitter som gäst och som gammal förtrogen
mörk vid din sida och stirrar och nickar och tiger.
Tystnaden väntar och lyss efter vännernas röster
— öde och stum är din boning, en stämma ej höres
— icke en viskning.

Dock det kommer en tid, då du längtar tillbaka
hit till den torftiga koja, som nu är dig ödslig.
Hemlös — utan ett stöd för ditt värkande huvud
— ödmjukt böjd skall du gå ibland forna klienter,
tiggande brödet.

När som en stavman du sitter i låga tavernen,
målet för druckna hetärers och brottares löje,
kanske vid minnet av slösade hundra talenter
Lalages åldriga rusiga händer dig räcka
vin och oliver.

Sörj dock icke, att tiden har ändrat ditt öde,
skymt dina vänners ögon, att icke de se dig,
tömt dina skatter och gjort dig till trälarnes like
— livet har kastat sin mask, och med lättare sinne
går du till Hades!

UR ANABASIS.

— När så barbarerna fördrivits eller dödats,
lät Xenofon hellenerna slå läger
och taga fram av de förråd, som ännu ej förödats,
och bjuda in till gästabud hellenernas strateger.

168

Och runt omkring han lät soldaterna
få samla sig i jämna lag om sina matransoner
allt efter städerna och staterna,
arkader hos arkader och lakoner hos lakoner.

Och Xenofon, som jämt gav akt, när något samtal
                                        fördes,
att få besked om tankarne hos männen,
förvånades och i sitt hjärta rördes
av tal, som gick från man till man, från vännen och
                                        till vännen,
med tänkespråk från filosoferna
och trösterika stycken från Homeros
i växling med de glättigt sjungna stroferna
till Foibos och Athena och till Eros.

Och segervinnare i knytnävskamp bedömdes och be-
                                        römdes,
Euripides med Sofokles han hörde sammanställas,
och allt som glädjen steg och krus och skålar tömdes,
blev männens sinne mer och mer liksom försatt till
                                        Hellas.
De togo ris och löv och skönt bekransade
de gjorde lek och dans i trädens svalka,
och ganska väl och vackert dansade
stymfaliern Sofainetos citalka.

Men Xenofon, som kom ihåg den hårda vedermöda
hellenerna fått genomgå och ännu måste bida,
och hungersnöd och frost och efterblivna döda,
var stolt och glad att se hellener kunna lida
och ändå kunna glädja sig och höja sig
till mera ädla ting än sorgen över nöden
och icke som barbarer böja sig
i skräck och vanvett under hårda öden. —

SIGURD JORSALAFAR.

Och yret piskar och stormen snor.
Kung Sigurd sitter i tempelkor
och stirrar tungsint och folket tror,
att Sigurd lyssnar på psalmer.
"Vår store hövding, vår gode kung,
hans hår har grånat, hans själ är tung!"
— Kung Sigurd drömmer, att han är ung,
kung Sigurd drömmer om palmer!

Det vandrar vågor i Sudersjö,
det ståndar palmer på Sikelö,
där mogna druvor, där mognar mö
för hårde härmän på haven!
— Kung Sigurds panna är hög och bred,
hon sjunker tungt emot handen ned
— det går en viskning i folkets led:
"kung Sigurd lutar mot graven!"

Vid Akersborg ståndar striden hård
och yxa klingar mot hillebård.
Där rider hövding i bräm av mård,
hans häst är blodig i manen!
— Kung Sigurds blick vandrar skum och vild
från Helge Olavs till Jungfruns bild?
— "O helge Olav, var Sigurd mild.
kung Sigurd brottas med fanen!"

Och snöstorm viner om tempelknut,
och aftonsången är sjungen slut.
"Följ med, o kung, förrän snön fyllt ut
de sista stigade spåren!"
Han svarar icke, hans tanke flyr
från frost och vinter och storm och yr

— som segerherre kung Sigurd styr
med gyllne stam i Bosporen.

EN UPPLÄNDSK RUNSKRIFT.

Svein, Dagtrottes son,
drap drömmare
söder i
särkernas sund.
Blåste blåmän
bleka
med stridens stormvinge[1]
Sticktryne, fadersarvet.

Bet han blodiga
välskernas borgar
med slagfältet svärms[2]
spetsiga gaddar.
Bröt han murar,
brände han byar,
skar skräckrunor
bland sydskrälingarne.

Dvärgsmidet[3] dröp
i Dagtrottes sons korgar.
Mycket menfagert[4]
bar han till Miklagård.
Grenc grekerna
girigt åt härbytet,
slickade sulorna
på Svein Borgbrytaren.

---

[1] Svärdet. — [2] Spjutregnet. — [3] Guldet. — [4] Många sköna
smycken.

Gripar[1] gav han
åt grinarne.
Log Svein
i lekares lag.
Hemsot honom
i hugen låg.
Vin vart honom
bot för värken.

Knäsatte i Miklagård
mör många,
lent lockiga
lögnviskerskor.
Trädde rödbrokiga tröjor
på trolösa,
gav guld åt snutfagra
sveksmiderskor.

Drap Svein Doksa[2],
Nikkfares dotter,
slog Härklack[3],
hirdens hövding.
Glad gav han
lönngiljaren giljarlönen.
Sörjde dådet,
att han Doksa drap.

Rävar rådslogo
att riva Svein.
Slog han trältrutarne
trasiga.
Gav griparne
för intet åt grekerna,

---

[1] Dyrbarheter. — [2] Eudoxia, Nikoforos' dotter? — [3] Möjligen
Heraklios?

färdades vida
med väringavargar.

Följde Ingvar,
fränden fracke,
härjade hårt
med Holmgårdingarne.
Såg Bjarmernas
båtbryggor,
Skridfinnarnes snöhögar,
nådde Svithiod.

Tänkte gästa Torgrima
i Tiundaland,
fäst med ed fordom
hos fosterfadern.
Följde mön, den falska,
Stenkettil till Falkholmen,
mötte med spott
Sveins sorgtystnad.

Hat högg i Dagtrottes
sons hug.
Brände han bräderna
bruna på Falkholmen.
Sot stänkte
av Stenkettil.
Torrbränd låg Torgrima
bland tallbränderna.

Skumsinnad i skogen
drog Svein.
Svårmodet sargade
svekdråparen.
Ristar han nu
rimsatta runor

i Storby stenar
vid Stormröjningen.

Liv skall Svein lösa
i Lögarviken.
Gå som niding
Nagrindar nedan.
Bredda äro hans bragder
vitt i bygderna,
storsvek har han övat,
straff skall han lida ständigt.

ETT HELICONS BLOMSTER.

Och skulle jag sörja, så vore jag tokot,
ty ingen gör rakt, vad Vår Herre gör krokot,
och ingen sorg på livsens stråt
kan tvättas bort av gråt.

Min glädje var ringa, min motgång var mycken,
min strängalek gjord till att falla i stycken,
och gjord att förlisa min levnads båt
— ro hit med vin för en plåt!

Så vill jag förhärda mitt hjärta och dricka
dag ut och dag in och i kruset blicka,
mitt öde i dräggen se
och ändå le.

Så vill jag ej fåvitskt med Herranom tvista,
men dricka och le, tills mitt hjärta vill brista
och själen får vila i dödens hus
— ro hit med än ett krus!

EN LITEN COMEDIA

om kärlekshandelen mellan
den saligen i Gudi afsomnade Her-
ren Herr Erik Stenbock, som var en arg
skalk, och den likaledes saligen hädanfarna ädela
jungfrun Fröken Malin Svantesdotter
af den högvälborna och höggrefliga
Stureslägten,
korteligen och i enfaldiga rim ihopskrefven
till förnöjelses och löjelighets uppväckande
sampt
dygdesamma, välälskeliga Brita Lisa Elfvedahlia
på dess sjuttonde årsdag kärligen och ödmjukligen
tillägnad
af
Hon Vet Väl Hvem.

Teatrum skall vara föreställd att vara i mjölkekammaren på
Hörningsholms gård och der skall vara fillebunkar och smörbuttor
och andra sådana persedlor, som till en mjölkekammare rätteligen
höra.

Fröken Malin skall något smör af buttone och knåda och vända
det såsom skickeliga kvinnor det pläga, och hon skall sjunga visan
om lindormen och hans fästemö.

Då skall Herr Erik insticka sitt hufvud af dörren och kväda det
följande:

> Min ädela fränka, god dag, god dag,
> var intet rädd, det är baresta jag!
> Att längta sent och tida,
> det kunde jag intet lida,
> kär Malin ville jag skåda,
> jag kunde ej derför råda!

Svarar Fröken Malin:
Ack, hjertans frände, hvad gören I här?
I veten fuller, hvart detta bär,
I veten väl, att moder
på Eder intet är goder!
Hon hafver sagt, att hon Eder skall slå
och banka på ryggen brun och blå,
det slutar med stort elände,
min hjertans aldera käraste frände!

Säger Herr Erik:
Den gambla Fru Märtha är hård som sten
emot sitt eget kött och ben,
skall hennes hårda vilja
två kärliga vänner skilja,
som vuxit tillsamman likt rot och mark,
likt rot och stam och stam och bark,
det skolen I intet tänka,
min hjertans aldera käraste fränka!

Svarar Fröken Malin:
I veten det alltför mycket väl,
I talen ut af min egen själ,
jag ville all verlden gifva
att få hos Eder blifva,
men Herren Gud i himlen är vred
på kärlighet i förbjudna led,
vi måste sörja bara
och låta lyckan fara!

Säger Herr Erik:
Det är ej sant, det vill ej Gud,
det är blott ett dårligt menskobud
och det spanns upp till skam och sorg
av leda munkar i Romaborg
och aktas slätt af både
Kung Jan och Hans Förstliga Nåde,

I skolen ej derpå tänka,
min hjertans aldera käraste fränka.
Men viljen I följa i löndom mig,
då vill jag sträfva redelig
att vara Eder till måtter,
som voren I kejsarens dotter.
Jag hafver alltren åt Eder köpt
en gyldenring, i Välskland stöpt,
och andra ädela smiden
och samvet och atlask och siden.
Men viljen I intet följa mig,
då varder mig tungsam lifvets stig
— när jag hafver sörjt mig afdaga,
då skolen I sucka och klaga!

Svarar Fröken Malin:
Min själ är af gråtandes tårar full
alltför Eder myckna kärlighets skull,
och vore det intet för moderkär.
som hafvit för mig så stort besvär,
jag följde till verldens ände
min hjertans aldera käraste frände!

Säger Herr Erik:
I sen det sjelfver, I ären mig huld,
I ären i hjertat god som guld
— så låter oss komma tillsamman
i kärlighets frögd och gamman!
Kär Malin hafver bekymrat sig blek
allt utaf mycken sorg och kärlek
— kär fränkan skall intet sörja,
rättnu skall bröllopet börja;
det varder en lyster och lustiger dans
och fränkan skall hafva både krona och krans,
och röd skall fränkan skina
som tulipanerna fina!

Svarar Fröken Malin:
Kär fränden lägger så väl sitt tal,
hans kärlighet gifver mig intet val,
han kunde en sten beveka,
jag kan honom intet neka,
han är så bålder en riddersman,
Gud hjelpe mig, att jag intet kan,
ty verlden tager min heder
och moder blifver så vreder!

Säger Herr Erik:
Den gambla Fru Märetha
skall intet få till att veta,
förrän vi hafva tillsammans gått
och prästens läsning öfver oss fått
— hon får allt sin arghet svälja
och bjuda oss komma och helja!
Jag hafver befallit Pehr Stalledräng
i morgon tida gå upp ur sin säng
och hålla redo en åka
och så skall jag Malin råka
uppå det gambla stället
i morgon vid hanegället
— der stiga vi upp i slädan
och fara hastelig dädan!

In träder Fru Märtha och skriar:
Hvad sysslar du här, ditt leda skarn,
och vore du intet min systers barn,
så tage mig själfva Håken
jag ställde dig visst vid kåken.
Jag hafver ju redan sagt dig förr
att hålla dig dädan från våran dörr
alltsom ett skadeligt villedjur
— vad gör du här i min mjölkebur?

Svarar Herr Erik:
Min ädla Fru moders syster,
I varen intet så dyster,
jag ville blott smaka, innan jag dör,
på kära Fru fränkans färska smör
och öfver bunkarne gapa
och något fillemjölk lapa!

Skriar Fru Märtha:
Du tröstar att bjebba med munden mot,
jag vånne jag gåfve din trilska bot,
att dambet af dig ryker,
din dugenicks och stryker,
men packa dig genast hädan!

Då skall Herr Erik hasteligen gå fram till Fröken Malin och
taga midt omkring henne frammanfrån och givfa henne ett *osculum*
eller kyss på munden och säga lågt:

Förglömmer intet slädan!

Derefter skall han fortfärdigt gå ut af dörren och Fru Märtha
skall banka honom i bakhufvudet med en vispekvast och Fröken
Malin skall gråta bitterligen, vid det äckelset faller.

*

Nota Bene för Auctor. Här kan Nils Daniel, ty han är allt känder,
få sin *Comediam* tillbaka. Han kan hädanefter låta vara att beskänka
Brita Lisa med sine fransöske rimkonster och lättfärdighetsblomster.
Hon är intet för honom, så mycket han vet det, och tör han hädan-
efter intet sticka sin näsa till prestegården, så frände han ock är.

Tör ock vara bättre för Nils Daniel att mera beflita sig om *Theolo-
gia* och *Grammaticis* än om *Comedia,* som är ett bländverk af lögna-
ren från begynnelsen och alls intet tacknämeligt för en *Studioso
Theologiae.*

Efter han är så förfaren i gambla händelser, tör han ock veta,
hvad ynkelig ända, som på sistone kom ut af Fröken Malinses

ock Herr Erikses ogudaktiga kärlighet och förhäfvelsefulla olydnad
J:s Elvedius.

CORYDON TILL CHLOE.

I dalens lugna famn en stilla bäck sig rörer
i gröna mossan fram bland sköna blommors släkt
och ifrån trädens valv man fågelsånger hörer
och bladen böja sig för små zefyrers fläkt.

På himlens blåa grund den stolta Phebus tågar
ibland de lätta moln som herden mellan lamm,
men av det höga ljus, kring gudens hjässa lågar,
ej någon stråles sken till bäcken hinner fram.

I skuggans svala skygd en nymf sig tyst förnöjer
med sina fingrar små att binda sig en krans.
Dess pudervita hår dess ljusa hy förhöjer,
som rosens hy förhöjs av solens klara glans.

En vit herdinnehatt, beprydd med röda ränder,
är fästad som ett tak på denna blomstidyll:
så satt väl mången gång vid greska floders stränder
den höga svanens nymf ell' modern av Hercule.

Dess lilla purpurmund om dygdens oskuld talar,
en klänning av muslin dess vita kropp beklär;
ej fanns det förr en nymf som hon i Thules dalar
så lik i skick och allt gudinnan från Cythère.

Då går en herde fram inunder trädens grenar,
dess rygg är krökt av sorg, dess hy är blek och tärd,
dess fötters matta steg dess trötta gång försenar,
som efter Hectors lik gick Priams dystra färd.

Han når till nymfens fot och faller ödmjukt neder
på bägge sina knän och tager hatten av
och ger sin kärlek luft i tårar och i eder
och säger: "Giv mig ja ell' går jag i min grav!

Till Finlands barska krig som fändrik går min bana
att emot ryssars svärd med tapperhet bestå
och under Martis sold och konung Gustavs fana
jag söker mig min död, om jag ej dig kan få!"

Så klagar han och ber och ymnigt tårar gjuter,
och herden det är jag, och nymfen, det är du.
Så säg mig, Chloe kär, vad rådslag du besluter:
skall jag i döden gå, ell' vill du bli min fru?

EN TYSK FLICKUNGE.

Därinne i salongen
de gjorde fin musik,
det skrek och skröt i sången
och dröp av romantik.
Det var så mycket "Weinen"
och "Gluth" och "Heldenmuth"
— jag gäspade i mjugg och gick
i Wintergarten ut.

Jag lät musiken låta
och sökte mig en bänk
och såg fontänen gråta
sitt vemodsvåta stänk.
Och palmen stod och drömde
om Heinrich Heines tid.
Det var "die blaue Blume" visst,
som himlade bredvid.

En kaktus stod och tänkte
på "varats" gåta tyst,
och under lagern blänkte
en Kejsar-Wilhelms-byst.
"Der Heldenmuth", "das Denken"
och romantikens låt!
— jag var så led vid allting tyskt
och svor en "Schwere Noth".

Då hördes någon fräsa
— vad nu finns här en katt? —
då stack det fram en näsa,
då klang det som ett skratt.
Då stack det fram en näsa,
en käck och fin och späd,
då kek det fram en liten en
bakom ett mandelträd.

Det var en liten pyssling,
kokett och graciös,
en tummelitens syssling,
en liten lustig tös,
och över vita gazer
föll hennes blonda hår
— det var en dam på si så där
en åtta, nio år.

Jag hade allt en aning,
en dunkel aning om
den högst diskreta maning,
som från buskaget kom.
Vi läste i varandra,
vi kunde gott förstå,
att det var kurra gömma, som
vi bägge tänkte på.

Nåväl, så gömma kurra,
så kurra gömma då!
Hon svängde som en snurra,
hon skuttade på tå.
Och jag smög listigt efter
med långa tysta steg,
och hon kröp in och gömde sig
och höll sig still och teg.

Hon lagade sig varligt
bland blommorna en bädd
— det var så rysligt farligt,
hon var så rysligt rädd.
Vi låddes, att hon råkat
i någon jättes sal
— hon var prinsessan Edelweiss
och jag var Rübezahl.

Och stackars hon blev funnen,
o sorg, o nöd, o kval!
— det vattnades i munnen
på jätten Rübezahl.
"Kom fram, kom fram, prinsessa,
nu skall jag äta dig!
Var snäll och gör dig riktigt söt,
ty jag skall äta dig!"

Hon kom på alla fyra,
prinsessa som hon var.
Då grep det oss en yra,
en trolsk och underbar.
Vi svängde och vi slängde
som på den värsta bal
— den vita fröken Edelweiss,
den svarte Rübezahl.

Då tystnade musiken,
"der Heldenmuth" tog slut
och hela romantiken
kom röd och svettig ut,
och vi, vi måste skiljas,
"adé, adé, adé!"
Vårt långa sorgliga farväl
var allt en syn att se.

Adé, adé, prinsessa,
vi äro vänner vi!
Du svettas ej som dessa
heroiskt tyskeri,
är ej Thusneldas dotter
med kejsar Siegesgreis,
men fén, som drager folk till folk,
prinsessan Edelweiss.

DEN SVENSKE CELADONS
KLAGOVISA ÖVER DE SVARTE
MORHIANER I AFRIKA.

De svarte svarte Morhianer,
de gå med nakot ben
och bära ring i näsone
och göra mig stort men,
de svarte Afrikaner,
som kallas Morhianer.

Jag visade min luta
för desse svarte män
och sade: "Det är ljuvligt
att spela uppå den."

De togo den i handen
att gräva uti sanden.

Och sade: "Dårlig spade
de vite hava må."
Sen togo de min stövelknekt
och satte strängar på
och sade: "Du skall spela
på denna goda fela!"

De grävde med min luta
dess afrikanska grav.
Nu spelar jag på stövelknekt
och spelar ganska brav,
ty Celadon är vaner
vid svarte Morhianer.

HERR LAGER OCH SKÖN
FAGER.

Eller en liten visa om huruledes kärleken kommer och går.

Skön fager, I sen, hur de blomster och blader,
skön jungfru, de liljor så ljuvliga stå,
och göken han galer så nöjder och glader!
— "Herr Lager, Herr Lager, I låten mig gå!"

De björkar de luta sig samman vid stranden,
skön jungfru, oss lyster att lustvandra där,
skön fager och finer, I räcken mig handen!
— "Herr Lager, I gören er intet besvär!"

Ett gyldene skrin har jag ärvt av min moder,
det skolen I äga, skön fager och fin!

— "Herr Lager, Herr Lager, I ären för goder,
jag aktar ej guld eller gyldene skrin!"

Så gå, vart I vill, och så drag, vart Er lyster!
— "Herr Lager, Herr Lager, I ären mig kär!"
Då susade skogen och göken blev tyster
och ljuvligen doftade blomster och bär.

Men nu stå de björkar av kvälldagg begjutna
och skamröd är solen som blod eller vin.
På ängen vid ån hänga liljorna brutna,
vid åbrädden gråter skön fager och fin.

INGALILL.

Inga lilla, Ingalill, sjung visan för mig,
min själ är så ensam på levnadens stig,
mitt sinne är så ensamt i sorgen.
Inga lilla, Ingalill, sjung visan för mig,
den klingar mig så lyckosam, så god och tröstelig,
så milder i den ödsliga borgen.

Inga lilla, Ingalill, sjung visan för mig,
mitt halva kungarike det vill jag giva dig
och allt mitt guld och silver i borgen.
Min kärlek är mitt silver och guld i min borg,
mitt halva kungarike är hälften av min sorg,
säg, Inga lilla, räds du för sorgen?

EN FATTIG MUNK FRÅN
SKARA.

Mitt liv är i nedan och klent nu mitt verk,
jag fattige olärde bortrymde klerk,
en bortlupen broder bara,
fördömd av kapitlet i Skara.

Nu är jag en gammal och böjder man,
åt den onde given av kyrkans bann
för dråp och trilska och kätteri
och av kungen förklarad för fågelfri.

Alltsedan Lasse Kanik jag slog,
de hava mig jagat som ulven i skog.
Det enda de funno till rätta,
det var min munkehätta.

Jag var väl en dårlig och genstörtig munk,
jag tog väl törhända för mången en klunk
i lönn ur herr Abbatis tunna
och syndade svårt med en nunna.
Jag hade armar och ben av järn,
med löskemän slogs jag i var tavern,
med konor och gigare drog jag
och Lasse Canonicus slog jag.
Och ånger och plåga kom ut därav,
jag levde i främmande land av drav,
det självaste svinen rata,
som det är sagt i Vulgata.

Dock var jag ej än i den ondes klor,
ty mycket gott i människan bor.
Jag var på en stormig och villsam strat,
som när Väneren kastar en fiskares båt
och äntligen honom till stranden bär.

fast sargad och slagen av klippor och skär
och det som brister och felas
kan ännu lagas och helas.

Då satte de mig i en nattmörk bur,
sen drevo de mig, som när vilda djur
sig trängta att bytet slita
och riva och gnaga och bita.

De lärde mig dödssynd och dolskhet och hat,
och bitterhet blev mig till dryck och mat.
Jag kände mig död och dömd och såld,
en förtappad i satans våld,
mitt hem var byggt i Gehenna,
jag ville mörda och bränna.
Men suset i skogen och forsens röst
och morgonens sken, som går upp i öst,
och regn, som i hösten gråter,
de gåvo mig kärleken åter.

Och daggen och bäcken och fågelens sång
och ängarnes blommor och älgens gång
och ekorrens glädje i granens topp,
de gåvo mig åter levnadens hopp
och gåvo mig åter min ära
och lärde mig ny en lära.

Det är icke sant, som jag lärde mig förr,
att någon är utanför himlens dörr,
ty varje själ därinom går,
och ingen är get och ingen är får.
Den gode han är väl ej så god,
som själv han tror i sitt övermod.

Den onde han är ej så ond ändå,
som själv han tror, när kvalen slå.

Thy skall du ej mycket berömma,
ej mycket häckla och döma.

Och han, som sitter så mäktig i Rom,
han får väl utan mig sin dom
med munkar och höga präster,
som kalla sig doktor och mäster.
Och herren, som sitter så stolt i sin borg,
han får väl att bära, han ock, sin sorg,
och sorgen den träffar väl hertig och kung,
på kejsaren själv faller sorgen tung,
och alla på villvägar vandra,
vi skulle jag banna och klandra?

Och människan vandrar på jorden om
och ingen vet, varifrån hon kom,
och ingen vet, vart leden bär,
och ingen vet, vad livet är.
Men fram genom långliga strider
det dagas väl bättre tider,
då ingen är ond och ingen är god,
men bröder, som kämpa i ondskans flod
och räcka varandra handen
att hjälpa fram till stranden.

Om världen ock min ära tog
och ensam jag sitter i mörkan skog
och aldrig skall bättre tider nå,
så vill jag ej sörja och klaga ändå,
ty fågelen flyger så glad emot sky
och solen går upp var morgon ny
och björken om vårarne knoppas,
vi skulle då jag ej hoppas?

Törhända, när tusende år ha gått
som skyar hän över kojor och slott,
det drager i skogen en ryttare fram

och binder sin häst vid björkens stam
och gläntar på dörren och tittar in
på torftigheten i hålan min.
Och då får han se mitt fattiga pränt,
med vildpenna skrivet på pergament.

Då säger han: "Se, han visste, han,
vad nu är känt av varje man,
men kostat så långan långan strid
på jorden i långan långan tid
— och ändå var han bara
en fattig munk från Skara!"

NYA DIKTER

Från Värmland

BALEN.

En hjältedikt.

I.

Det var en gång, när jag var mycket ung,
då varje möda var mig lång och tung,
och på bohêmens alla vägar drev jag,
Childe-Haroldsdikter skrev och sönderrev jag,
ibland i sorg och punsch bland vänner smalt jag
och stundom slösade och stundom svalt jag
och gick och drömde dumt om guld och lager,
tills jag blev sjuk och ful och gul och mager.

Det var en gång, det var en Oskarsbal
en vinterkväll i stadens festlokal.
Jag stod vid dörrn, jag hade lånat fracken,
den var för lång, för vid, för hög i nacken,
mitt skjortveck, styvt och stärkt och brynt i tvätten,
stack prydligt av mot vita halsrosetten,
en knapp var borta, ena klacken sned,
min själ i olag, mitt humör ur led.

Och runt omkring mig trängdes stadens crême
i all sin prakt provinsiellt förnäm,
vår överhet stod klädd i guldgalon
kring länets hövdings ståtliga person
och vasariddarne av handelskåren
kring vår senator, brännvinsmatadoren,
och i en vrå stod major Gyldenstorm

och kapten Adelfeldt i uniform,
och här och där en löjtnant, rak och grann,
gick vridande mustaschen av och an,
och här och där det stod en skock civila
i väntande och stelt på stället vila.
Och utmed väggarne satt tant vid tant
i gult och gredelint och annat grant
och tyllomfluten, brokigt skiftande,
satt flicknoblessen, makligt viftande
med fläktorna kring sina unga drag
i flickförnämt och nådigt självbehag.

Som världserfaren kritisk pessimist
jag fann det hela tomt och fult och trist
och kände oro för min sneda klack
och för min lånade fördömda frack
och tänkte: "Det är dumt att gå på bal"
— men vänta, länets hövding håller tal.
Champagnen dracks, det ljöd "en enkel sång
ur svenska hjärtans djup en gång".

II.

Nu spökar det i trapporna
och i tamburn bland kapporna
den gamla goda tiden
hörs frasa genom siden,
fru Uggla seglar in.
Och gammaldags är stilen
i airen och profilen,
där sjutti år fått rita
sin skrift i hennes vita
och högvälborna skinn.

Men stolt hon bär mantiljen än
och stramt hon styr familjen än,

så hård mot vind och väder
som fordom hennes fäder
vid Lech och Holofzin.
Nu skramla braceletterna,
nu nicka nackrosetterna
och så med spel och fanor
och stass och ståt och anor
fru Uggla seglar in.

III.

Men som en lustjakt förs av morgonvindar,
i lätta lovar kring en flaggfregatt,
på bröllopsfärd i myrtenprakt som lindar
sig lent om duk och mast och ror och ratt
och glädjevimplar vajande i förn
kom dotterdottern, fröken Elsa Örn.

Det sam en ljusröd ros vid hennes hjässa
bland hårets gula gammalsvenska lin,
hon förde nacken som en ung prinsessa
och hon var adligt smärt och rak och fin,
men mjuk i gången som en ung dansös
och smått behagsjuk som en borgartös.

Och hennes ögon voro arga skalkar
och hennes läppar sköto friska fram
som unga knoppars halvtutsprungna kalkar
och näsans min var trubbigt trätosam.
Det fanns ej spår av gamla mormors ståt,
en lustjakt var hon, ingen örlogsbåt.

En smäcker jakt, som just vid dagens gryning
på glada vågor nyss har stuckit ut
— och så i mormors svallvågs efterdyning
med vårvind susande i varje klut

och glädjevimplar vajande i förn
kom dotterdottern, fröken Elsa Örn.

IV.

Och med detsamma var det mig, som allt
tog gladare och skönare gestalt,
musiken ljöd mer musikaliskt ren
och mera ljust och klart blev gasens sken,
och mitt förakt för mänskorna tog slut,
och länets hövding såg rätt klyftig ut,
och vasariddarne de gingo an,
och brännvinsbrännarn blev en hedersman,
och major Gyldenstorm en stel och satt
och högst sympatisk gammal toddytratt
till veteran från livets bistra brottning,
och flicknoblessen blev ett hovfruntimmer
från forna dagars trolska sagoskimmer,
och fröken Elsa Örn var hovets drottning.

Ty det var henne varje dag jag mött,
när varje dag jag trottoaren nött
förutan mål, på väg till ingenstans,
försänkt i dröm om det, som icke fanns,
och det var henne jag gjort visor om,
och det var hon, som jämt i drömmen kom
och satte sig hos mig och talte tröst
med hoppfullt glad och flickförnumstig röst.

V.

Och pratet pladdrade
comme il faut,
och valsen fladdrade
kring på tå

i vida ringar
av svarta frackar
bland fjärilsvingar
av tyll och flor
och skära nackar
och vita skor.

Det var en böljande
flod av vår,
när friskast sköljande
vågen slår
och allt för hågen
står lyckosammast
— men förd av vågen
vid närmsta hörn
mot soffans damast
sjönk Elsa Örn.

Hon satt där flämtande
röd och glad,
en andehämtande
ung najad,
i skum av spetsar
och tyllomfraggad
ur valsens kretsar
med välbehag
till stranden vaggad
av böljeslag.

VI.

Emot blygheten morskt jag förstockade mig
när jag stod framför fröken och bockade mig,
och en polka jag tiggde och fick,
fröken Elsa hon smålog och bugade sig,

och jag såg, hur barmhärtigt hon trugade sig
till att ge mig en nådefull blick.

Och med mod bland de polkande trängde jag mig
och så stolt ibland virvlarne svängde jag mig
som ett krigsskepp, som går till attack.
Och så törnade vi, och så struttade vi,
som förvildade skottspolar skuttade vi,
och bakut flög min lånade frack.

Fröken Elsa blev rädd, men betvingade sig
och hon gjorde sig lätt och bevingade sig
för att följa, när takten gick vill.
Och så nätt som Titania trippade hon,
men ibland under svängarna kippade hon
efter andan och bleknade till.

Med sin oro och ångest hon smittade mig
och till sist blev hon ond, så hon tittade mig
från förståndet och takten och allt,
och mot borden och stolarne strandade vi
och i skeppsbrott vid soffhörnet landade vi
— fröken Elsa hon skrattade kallt.

VII.

Och jag förstod, att nu var allt förbi,
och i min själ kom mörk melankoli,
jag hade dansat bort min lycka, jag,
och malört drack jag nu i långa drag,
och vart jag såg var livet dött och skumt,
och allting tölpigt, allting blygt och dumt
i trånga fjättrar åter inneslöt mig,
jag snodde runt med tummarne, jag snöt mig,
jag tittade i tak och golv och vägg
och lekte tafatt med mitt unga skägg.

Och fröken Elsa Örn hon såg därpå,
hon undrade, hon kunde ej förstå
mitt hjärtas tysta sorg, min andes ve,
hon bet i läppen för att icke le,
men blev förvånat allvarsam till sist
och såg förläget på sin fina vrist.

Då föll det plötsligt på mig ett begär
att vara tragisk som prins Hamlet är,
den dystert sköne galenskapsaktörn,
och säga: "Gå i kloster, fröken Örn!"
Det blev ej så precis, men dock ett tal,
vars make aldrig hållits på en bal.

VIII.

Jag såg mot golvet och jag sade: "Fröken,
ni vet det väl, att ungdomen är död
och kärleken förbi, vårt liv en öken,
där mänskorna gå kring som bleka spöken
och se, hur illusionen flyr med röken
från aftonlägereldens sista glöd.

Vår resas enda mål är blott att fara,
se, bakom hägringen är allting tomt,
ett tomt, ett ändlöst gäckande Sahara,
dit vi förirrats att begravas bara",
— då sade fröken häpet: "Kors bevara"
och knäppte händerna tillsammans fromt.

Jag såg mot golvet mörkt och tungt jag sade:
"Ni söker döva sorgen med ett skratt,
ni hör till dem, som ännu äro glade
i bilans skugga som Scheherazade,
när dag till dag av hotat liv hon lade
med hjälp av dikt, förlängd från natt till natt.

Men tingens lag den lyss på ingen saga
och smeks ej blid av någon flickas hand,
och den sultanen kan ej dikt bedraga,
han slår de starka och han slår de svaga,
han är Samúm, vad hjälper le och klaga
mot ökenstormens virvelhav av sand.

Ni tror er famna glädjen här på balen
— det är en skalle av en död, ni kysst!
Vi söka njutningen, vi finna kvalen,
vi tro på kärnan och vi äta skalen"
— då sade fröken ängsligt: "Är ni galen?"
och det blev plötsligt mycket, mycket tyst.

Sen sade jag: "Ja, när förnuftet frossar
som gam på lever, då är vanvett sunt,
när livets glädjes sista sol förblossar,
är galenskapen frälsarn, som förlossar",
— då sade fröken: "Ja, för sjuka gossar,
för unga flickor är alltsammans strunt!"

IX.

Och fröken Elsa drog på segertåg,
en smäcker jakt, i dansens vita våg,
hur mjukt hon lovade, hur skönt hon sam,
hur ädelt rest var hennes fina stam,
hur stolt hon seglade från arm till arm
med smidigt liv och högtuppburen barm!

Och runt omkring mig vällde sorlets ström,
jag hörde intet, jag var sänkt i dröm,
jag ville sörja riktigt sorgetungt,
men kunde ej, mitt sinne var för ungt,
och tänkte mot min vilja: det är dumt
att se på allt så tungt, så sjukt, så skumt,

och såg i en vision, hur själv jag satt
med fröken Elsa Örn en stjärnljus natt
i någon park på någon enslig bänk
vid någon sjö, som slog med skvalp och stänk,
och över oss föll månens svala regn
av mystiskt sken från saga och från sägn,
jag byggde underbara slott av luft
och månskensglans och vackert oförnuft.

X.

Du skall ej tro att livet dör i döden,
nej, långa, långa, evigt unga öden,
om vilkas slut ej någon aning vet,
vi genomleva i lycksalighet.

I sjunde himlens högsta högtidssal
är harpoklang och sång och evig bal
och mäktigt går musikens återskall
i pelarsalen av kristall.

*

Stjärnkronor bryta sin brokiga glans
i gnistrande prismor och kuber,
ärkeänglarnes döttrar,
sänkande blyga sin ögonfrans,
dansa med unga keruber,
släpen som skimrande dimmor,
stråldiademen som stjärnskottstrimmor
sväva omkring i behagfull dans,
lockarne fladdra så lätt som när vinden
driver en sommarens sky,
kärleksdrömmarnes dagrar
falla som rodnad på kinden,
sprida sig, flamma och fly,
ögonen lysa förunderligt klara,

sakta ibland ur de dansandes skara
sväva de älskande paren i dans,
söka sig väg genom salen och hinna
tysta gemak, där i kronorna brinna
stjärnor av dunklare glans.

*

Och salighet bjuds kring i fulla skålar,
en dryck av lyckans doft och hoppets strålar
— man läppjar tankfullt då och då ur skåln,
behagligt sträckt på mjuka purpurmoln.
Gud Fader sitter glad på tronens höjd
och ser och ler och nickar takt förnöjd
och känner kärlek utan gräns och mått
och tycker allting vara ganska gott.

Vi träda fram med något skygga fjät
ibland de dansande otaliga
och buga höviskt för Hans Majestät:
"Vi äro komna att bli saliga
från ett bedrövligt gammalt småstadshörn
— det här är jag och detta Elsa Örn!"
Då ler Gud Fader med ironisk min,
men farfarsaktigt god är ironin:
"Det fägnar mig att se ett sådant par,
och håll till godo med vad huset har
och tag en sväng med dessa andra unga,
som dansa vals så himlavalven gunga!"

Vi dansa ut, vi dansa natten lång
och när vi tröttna på vår dans en gång,
så finnes säkert vid Guds Faders hov
i någon vrå en undangömd alkov,
vi smyga dit, en livsvarm flod,
som liknar ungt och friskt förälskat blod,

av idel kärlek i vårt väsen strömmar
— vi slumra in, vi drömma sköna drömmar!

EN LITTEN LÅT ÔM VÅRN.

Ja vårn, ja,
ja vårn, ja,
tjong fadeladeli,
dä ä e fina ti!
Da stecker sä ur jola,
å guschelôv för sola,
ho ä så gla å bli!

I talla smacker ickern,
för talltôppmat dä licker'n
å kongler smaker'n bra.
I vika sprätter abbern
å gädda går å habber'n
å sier: "Tack ska'n ha!"

Å gôbban står i dôra
å sier: "Se gumôra
å tack för sist, fru Sol!"
Å kärngan går å môrker
å planter skôt i bôrker
å kackler ôm "i fjol".

Å bia kommer flygnass
å mörer kommer smygnass,
dä lôfter gôtt tå hägg.
Å kråkan kommer kraxnass
å svalan kommer flaxnass
å ännra lägger ägg.

Å göken gal i björka
å jäntan går te körka
å gôsan går på domp.
Å sjôl går ja i fjälla
å sjonger alltimälla
en litten stôlli stomp.

Å stompen ä ôm jänter
å are instrumänter
i löckas salmodi.
Å stompen ä ôm sola
å gläja här på jola,
ja vårn, ja,
ja vårn, ja,
tjong fadeladeli,
dä ä e fina ti.

BERGSLAGSTROLL.

"Och antingen ni tror eller inte gör detsamma,
men annars är det sant och anagga mig, anamma,
om inte det var trollpack, jag togs med en natt.
Vi vaktade vid milan i Västanåmyra
och natten led mot slutet och klockan var fyra,
då hörde vi ett buller och Pär han skvatt.
Det skallrade i fjälla, det dånade i jola,
det råmade som oxar i berga", sa Ola.

"Det stampade och trampade från alla fyra hållen,
och näggum det var roligt, för jaggu var det trollen,
som långsamt kommo skumpande med dunder och
                              duns.
Det rungade och vren och sa knak genom skogen,
för somma var så stora som kyrkan i Bogen,

och tallar är som halm för en tocken en luns.
Och Pär han kröp ner vid en rot av en gran
och själv så kröp jag ner bakom kolkuja", sa'n.

"Det dunkade och klang som när skrotjärn slamrar,
och somma hade armar som stångjärnshamrar
och somma hade nävar såsom jättekast
och somma hade gap som ett hål till en gruva
och somma hade tak av ett kolhus till huva
och somma glyste eld som en gnisterkvast
och somma hade snut som en järnlyftkran
och jaggu var det allt lite kusligt", sa'n.

"De satte sig kring milan och stekte sitt tackjärn
och kokade sig soppa på spikar och klackjärn
och mumsade på plog som på höns eller får.
De dansade kring milan, det var som en hoppdans
med kyrkor i polskdans och hus i galoppdans,
det var som ett dön som när guffarn går.
Och nog har jag vandrat och varit in i stan,
men aldrig såg jag maken till dansgille", sa'n.

"Och rätt som jag ligger som ett hopviket knyte,
så kommer där ett troll med ett otäckt snyte
och tjåvar och tar på min fattiga kropp.
'Titt vint, titt på skack, det är ugglor i mossen,
här ligger litet gubbkött', sa tryntrollklossen,
men just i detsamma rann sola opp.
'Se sola', sa jag, 'det är ljusande dan',
då nöso de och lade på långkutten", sa'n.

"Det dånade i berga, det skälvde i jola,
de skalade i väg bortåt fjälla där nola
och drumlade i kull sig där nolaskogs.
Det var som ett slagsmål av vettskrämda hyttor,
som bruk gjorde hjulkast och jättekullbyttor
och malmhus och kolhus och smedjor slogs.

För trollen äro lika förfärade för sola,
som jag för att skarva och ljuga", sa Ola.

BLIXTEN.

Han var svart av sot och av landsvägsdamm,
där han vandrade vägen fram,
i hans ögonbryn,
i hans hökuppsyn
var ett tycke av tattarestam.

Och hans ögon blängde så svart som sot
och så blankt som hans sotareklot
och ibland med list
och ibland med ett visst
litet tycke av vildhet och hot.

Över panna och hals lågo vilda snår
av hans svarta och toviga hår
och därovan satt
på tre kvart en hatt,
som visst inte var nygjord i går.

Och hans namn stod ej skrivet i prästens bok,
på hans hemstam blev ingen klok,
han var ingens son,
vete Gud varifrån
honom slumpen i livet vrok.

Genom sommar och vinter och solsken och yr,
över fall, över mo, över myr,
över berg, över hed
gick hans vandrareled
under ensliga vägäventyr.

Och där stig ej fanns och där foten slant
utför barrig och halkig brant
kom han plötsligt ut
vid en skogstorpsknut
eller ock vid en landsvägskant.

Men varhelst han kom, blev det liv i lek
och det mulna i minerna vek,
och det bjöds på sup,
både lång och djup,
och man skrattade, svor och skrek.

Ty i rägglor och ramsor var Blixten slängd
och visor han kunde i mängd
och han sjöng och han ljög,
medan pipan han sög
med en uppsyn, förbistrat befängd.

Och han ramsade rägglor om häxor och troll
och om irrfärder rakt bort i stoll
och om Hin och hans mor
och hur själv han for
med Hin onde till månen i såll.

Eller ock satt han högt över svalornas bon
som en kung, som en kung på sin tron,
med sin svarta kropp
på en skorstenstopp
lik Hin onde i egen person.

Och han visslade vasst och han joddlade gällt,
så det ljöd över dalar och fält,
när han svängde sin kvast
och med brådsnabb hast
gjorde fejningen bonden beställt.

GAMLE SKAM.

De säga att gamle Skam är död
— å nänäj män,
han lever än,
fast det är allt med nöd!

Jag mötte en kväll en bockskäggsman
i Finnmo skog
— jag märkte nog
på allt, att det var han.

Han skumpade fram i Jösshärsdräkt
och becksömsskor
— det stack som klor
från tån, där skon var spräckt.

Han grinade fult, han blängde lett
med vindögd blick,
och var han gick
det kändes osa svett.

Men gammal och grå och skral han var
med kutig bak,
och tom och slak
var säcken, som han bar.

Han luskade bort, han såg sig om,
illistigt rädd,
liksom beträdd
med ont, när någon kom.

Jag ropade högt: "God kväll, god kväll!
Hallå, stå still!
Hur står det till
med er i Häcklefjäll?"

Först ville han skrämma mig bort med vrål
och gapa brett
och spraka hett
och glo som röda kol.

Men ingen blev rädd för gap och sprak
och ingen rös
— blott själv han nös
och blev förstämd och spak.

"Hör på, fader Skam, går yrket fram?"
— "Hå hällers tack,
det går allt back,
gunås, för gamle Skam!

Jag vinner ej själ för allt mitt sträv
— på jakt jag går,
men allt jag får
är då och då en räv!

Jag tror att jag ger mig till rotehjon
hos Sankte Pär;
på jorden är
det ingen religion!"

Han sprakade åter ett tag, men kort,
ty ingen rös
— blott själv han nös
och gick bedrövad bort.

JÄNTBLIG.

Och akten er för jäntor
och deras falska blig,

det är en falsker jäntas blig,
som haver krossat mig,
med blig har hon betagit mig,
med blig har hon bedragit mig.

Hon bligade åt alla,
hon bligade åt mig,
hon lovade att följa mig
på livets tunga stig,
men kom en ann och vinkade,
hon neg och bleg och blinkade.

Hon neg och bleg åt alla
och sade alltid ja,
ty allesamman gossarna,
dem ville jäntan ha,
må raggen ta allt nigande
och blinkande och bligande!

Och nu så är vi gifta
och nu så är hon min,
varenda kväll går hon på dans
med hjärtevännen sin,
sen går hon hem och dänger mig,
jag tror jag går och hänger mig.

KORPERAL STORM.

När korperal Storm var i kronans kläder,
då geck han så stolt med sett stolta geväder
på Trossnäs för konung och land,
gevädret det sken i hans hand,
bantlädret det var som ett blankskinnsläder,
på böxorna satt en reväder.

Han svor, satt han svor, satt det oste och brände,
och geck i exyss och med benena spände
i blåd och tjangtil ungeform
— se här kommer korperal Storm!
Rekrytorna skvatt och bevädringen rände
och själva kafftinerna vände.

Men nu är korpralen fäll kommen på kneken
och hans ungeform är fäll lagder på bleken
och varken tjangtil eller blåd
— nu bekar korpralen sin tråd
och är en skomakare, bekig av beken
och krokig och svag i knäveken.

MORDET I VINDFALLSÄNGEN.

Jan Persson i Bo hade översta makten
        och styrde och ställde
        som kung i sitt välde
och kallades "Bulten" av folket i trakten.

Och Bulten i Bo var i friaretagen,
        en änkeman var han
        och guldkedja bar han,
som lyste så skinande grant över magen.

Han kom till en dans bort i Vindfallsängen
        — med gubbarne söp han
        och jäntorna nöp han
kärvänligt i sidan vid förbisvängen.

Och jäntorna bligade kärligt åt Bulten
        — hans gods äro stora

— att sitta som mora
i Bo är väl bättre än svälta i hulten.

Och nog är det sant, att han sugit och pinat,
    procentat och pantat,
    och nog är det sant, att
allt välstånd i socknen för hans skull förtvinat.

Och nog är det sant, att Nils Nilsson i Vallen
    blev jäktad och svulten
    från gården av Bulten;
nu går han kring socknen, försupen, förfallen.

Men Bulten i Bo, han var herren för dagen,
    han gick där och pöste,
    och brännvinet öste
han dåsig och nöjd i den svällande magen.

Och jäntan, som förr var Nils Nilssons jänta,
    den tog han om hakan,
    och blek som ett lakan
hon drömde om arv, som mor Bult har att vänta.

Men Bulten var ej den, som lätt lät sig fånga,
    han visste att välja
    och köpa och sälja,
det var ingen nöd, ty det fanns ju så många.

Och sist satt han däst och höll jäntor om liven
    med ruset i skallen
    — Nils Nilsson i Vallen
stod drucken bakom dem med handen på kniven.

*

Han tog honom hårdhänt och vilt över nacken,
    han slog och han spände

och kniven han rände
i bröstet på Bulten, som tungt föll i backen.

"Ja, ligg där och glo med ditt giriga tryne,
ja, ligg där och glo, du,
du, Bulten i Bo, du,
det är allt Nils Nilsson, du ser ej i syne!"

Han gav honom ännu ett hugg genom strupen,
han gick genom hopen,
"tag fast!" hördes ropen
från skocken av jäntor, i vråarne krupen.

*

Till kanten av råken hans steg hade spårats,
det var som man tänkt sig,
att Nils hade dränkt sig;
de funno hans lik i en vik, när det vårats.

Han jordades tyst, som han borde och skulle,
meni inga, som hasta
förb, vilja kasta,
som seden det kräver, en sten på hans kulle.

Ty många ha tyckt, det var rätt, det som gjordes,
det säges och menas,
att den skall ej stenas,
som gjort vad de önskat, men själva ej tordes.

I VALET OCH KVALET.

Han är änkling och gammal och skallig och krokig,
han är hård emot folket och grinig och gnidig,
ja, se toge jag den, ja, se då var jag tokig,

och tvi dig, din snålhans, och tvi dig och tvi dig!
Och för resten har snålhansen barn
— nej, så näggum, så näggum jag tar'n!

Men ändå när jag tänker på gården och grödan
och de smällfeta svinen och mjölkstinna korna
och vad fattiga jäntor få slita för födan
och för kläder på kroppen och läder till skorna,
ja, då tänker jag alltid som så:
hm kanske, ja, kanske ändå!

Nu förstås, är det sant, att jag lovat en annan
att bli hans, när han kommer tillbaks från Atlanten,
han är ung, han har knollriga lockar i pannan,
han är fin så han skiner, den fattige fanten,
och jag tror, att jag höll honom kär,
om han blott, om han blott vore här!

Men ändå kan jag inte bli fri från att tänka
på den ståtliga stugan, där kittlarne blänka
— en får dragas med gubben och jänka och jänka,
han är gammal och sjuk och till sist blir en änka.
Det är mycket att få, det är synd att försmå,
det är syndigt att låta det gå!

Det är sant, det är svårare synd att bedraga
den en bundit sig vid, den en lovat så heligt,
för det är som en repa en aldrig kan laga,
och mitt hjärta står still och mitt huvud blir veligt,
och det kännes som vore det gråt
i min hals, när jag tänker på't!

Men den gubben han kommer mig aldrig ur sinnet
för hans proppade skåp och hans svällande sängar,
och jag kan inte glömma det silvret och linnet
och hans kor och hans svin och hans får och hans
                                      pengar.

214

Ja, jag tror att jag tar'n, ja, jag tror att jag tar'n,
om han så hade aderton barn!

TRE TRALLANDE JÄNTOR.

Där gingo tre jäntor i solen
på vägen vid Lindane Le,
de svängde, de svepte med kjolen,
de trallade, alla de tre.

Och gingo i takt som soldater
och sedan så valsade de,
och "Udden är så later"
de trallade, alla de tre.

Men när som de kommo till kröken
av vägen vid Lindane Le,
de ropade alla: "Hör göken!"
sen skvätte och tystnade de.

Och tego så tyst som de döda
och rodnade, alla de tre.
Men varföre blevo de röda
och varföre tystnade de?

Jo!

Det stod tre studenter vid grinden,
och därför så tystnade de
och blevo så röda om kinden,
de trallande jäntorna tre.

Det stod tre studenter vid kröken
och flinade, alla de tre,

och härmde och skreko: "Hör göken!"
och alla så trallade de.

EN NYÅRSLÅT.

En var har sin sorg
och jag har min sorg,
och varje år har sin ynkedom.
Av mask, som frätte,
och regn, som vätte,
och sol, som stack, blev vår lada tom.
Men var ej ledsen, min flicka lilla,
det skall väl en gång bli väl igen,
till nästa nyår, till nästa nyår,
till nästa nyår, min lilla vän!

Och gården brände
och lyckan rände
till skogs och där har hon glömt sig kvar.
Och nöd är bitter
och ingen gitter
att hjälpa stackarn som inget har.
Men strunt i svälten, min flicka lilla,
vi få väl börja på nytt igen,
till nästa nyår, till nästa nyår,
till nästa nyår, min lilla vän!

DEN GAMLA GODA TIDEN.

Stjärnorna tindrade tysta för hundrade
år tillbaka och skogen sov.

Forsen dånade, hjulen dundrade,
gnistorna sprakade,
marken skakade,
hammaren dunkade tung och dov.

Bälgen blåste och blästern ljungade,
kvävande hetta ur ässjorna slog,
svettiga sotiga smederna slungade
släggan mot stängerna,
nöpo med tängerna,
formade järnet till harv och plog.

"De giva oss slagg för malm
och spark för vårt släp och slit,
de tröska oss ut som halm
och läska oss sen med sprit.

Min käring har svälten knäckt,
min dotter är brukets skarn,
förvaltaren själv är släkt
med stackarens första barn.

Han eldar oss helvetet hett
med rapp och med knytnävsslag,
han får allt ett vitglött spett
i nacken en vacker dag!"

Forsen dånade, hammaren stampade
överdundrande knotets röst,
ingen hörde ett knyst från de trampade,
skinnade, plundrade
ännu i hundrade
år av förtvivlan och brännvinströst.

SÄV, SÄV, SUSA.

Säv, säv, susa,
våg, våg, slå,
I sägen mig var Ingalill
den unga månde gå?

Hon skrek som en vingskjuten and, när hon sjönk i sjön,

det var när sista vår stod grön.

De voro henne gramse vid Östanålid,
det tog hon sig så illa vid.

De voro henne gramse för gods och gull
och för hennes unga kärleks skull.

De stucko en ögonsten med tagg,
de kastade smuts i en liljas dagg.

Så sjungen, sjungen sorgsång,
I sorgsna vågor små,
säv, säv, susa,
våg, våg, slå!

I BÖNHUSET.

"O, dyre vänner, syndens lön är döden,
hans synd var stor och bön är starkt av nöden,
vår arme unge broder Andersson
har blivit världens barn och fallit från."

O, vi arme syndens trälar,
Herre, hjälp våra fattiga själar!

218

"Han var begåvad rikt med nåd från ovan,
vår unge Barnabas, och hade gåvan
att tolka ordet mer än någon präst
och väckte många själar, kvinnor mest.
Och han var ljuvlig såsom Josef var
och frestades som han hos Potifar,
o, ynglingar, I gån på farlig mark!
Dock trodde vi att Andersson var stark
och kämpade mot djävulen och vann
— men djävulen var starkare än han!"

O, Ichabod, o, Ichabod,
synden rasar i kött och blod!

"Vi gifte honom med en äldre änka,
en stadgad människa, som kunde skänka
den unge mannen skydd mot satans garn
och köttets lockelser bland världens barn.
Hon var en stilla, djupt allvarlig kvinna,
en from och vaksam ljuvlig vaktarinna,
som stod på post i varje ögonblick
och följde Andersson, evart han gick.
Men mänsklig visdom är fåfänglighet,
ty som församlingen väl redan vet,
så rymde broder Andersson i natt
med Fia Bergman till Amerikat!"

O, synd och nöd, o, sorg och kval,
ack, denna jorden är en jämmerdal!

STADENS LÖJTNANT.

Vem kommer, vem rider, vem kommer till häst!
Å kors i alla tider,

se löjtnanten rider,
se fruarne i fönstren,
se pigorna i hörnen,
se löjtnanten sitter som en prins på sin häst,
o, Gud, vad han är vacker i sin vita väst!

Se solen den lyser på löjtnantens ritt,
se stövlarna de skina
så blanka och fina,
han är så rak i ryggen,
han är så smal om livet,
hans rock är av sista och yppersta snitt,
nej, titta ni, nej, titta ni, nej, titt, titt, titt!

Se löjtnanten småler så milt som en präst,
se löjtnanten vrider
mustaschen och rider,
han hälsar uppåt fönstren,
han nickar nedåt hörnen
och sitter som den finaste prins på sin häst,
o, Gud, vad han är vacker i sin vita väst!

"SKALDEN WENNERBOM."

Genom stadens park går sommarsuset,
skalden Wennerbom från fattighuset
kommer raglande — butelj i hand
— kryssar varligt över gångens sand,
tar en klunk ibland,
ler och mumlar saligt under ruset.

Bin fly kring från trädgårdsmästarns kupa,
kryp och larver störta huvudstupa
ned från träden, allt står högt i blom,

allt är fyllt av doftens rikedom
— skalden Wennerbom
sätter sig i gräset till att supa.

Fåglar tokiga av glädje kvittra,
gräsets hundra syrsor spela cittra.
Wennerbom han lyss med bitter min
— när han klunkar sitt eländes vin,
super som ett svin,
solens strålar mot buteljen glittra.

Brännvinet och han de hålla gille
och han mumlar: "Brännvinet ger snille.
brännvinet ger tröst, när hoppet far,
skål för ungdomen och det som var,
låt oss ta en klar,
om det här får gå, så får jag dille.

Jag var glad i tron och stor i tanken,
tills jag drunknade i denna dranken,
det är slut med mig sen femton år,
hejsan, bror butelj, allt skönt förgår,
låt oss ta en tår,
Wennerbom är full, det ger han fanken!"

Och han somnar in, han går till vila,
parkens medlidsamma kronor sila
litet ljus kring skalden Wennerbom,
milt kastanjen regnar ned sin blom,
flaskan ligger tom,
krypen härs och tvärs däröver kila.

Djup och rik är nu hans gudagåva
och i själen stinga inga dova
ångerns smärtor över last och brott,
till sin ungdoms drömland har han nått,

sover ganska gott,
det är skönt för skalder att få sova.

Bibliska fantasier

MANNEN OCH KVINNAN.

Adam sade till Eva:
"Du leda, du lystna hynda,
jag gitter ej släpa och sträva
för dig, som lärde mig synda!
Förbannelsens frukt har du plockat
med dina förbannade händer,
till lustar har du lockat
med dina nakna länder,
din däjlighet har försänkt mig
i låga begär bland djuren,
från Eden har du stängt mig,
det flammar eld från muren!
Din tunga är ormen som stiftar
allt ont med sin hatfulla träta,
ditt tal är en tand som förgiftar
min mat, när jag vill äta!
Och ville jag slå dig till jorden,
min kraft av din däjlighet tämjes,
en krypande hund är jag vorden,
jag vämjes, ve, jag vämjes,
förbannad vare du!"
Men kvinnan log i sin vrede
och hånade mannen och sade:
"Rätt så att du ger dig, du lede,
de namn, som på mig du lade!

Du själv är en orm som stiftar
allt ont, om ock i tystnad,
du själv är en tand, som förgiftar,
du själv är en hund i din lystnad,
du hatar, men vågar ej bräcka
det kärl, där din lusta vill dricka,
din törst med min kropp vill du släcka,
och därför min hand må du slicka!
Din livsfrukt du gav mig att bära
i ångest under mitt hjärta,
ditt barn med min blod må jag nära
och föda i smälek och smärta,
förbannad vare du!"

Och mannen knöt sina händer
och slog henne blodig om kinden,
och kvinnan bet sina tänder
tillsamman och flydde som hinden
och satte sig ned på en tuva
vid Phrath för att se i dess strömmar
och sörja och lida och ruva
i hatfulla, hämndfulla drömmar.
Men mannen lade sig neder
och borrade hjässan i jorden
och skälvde i alla leder
av sorg för de bittra orden,
i anden han såg henne blöda
och smärtsamt förvrida dragen
och grät sina ögon röda
av skam för de blodiga slagen
och mindes med ånger den möda
hon gjort sig alltjämt för hans trevnad,
och huru hon redde hans föda
och var till en hjälp för hans levnad,
och huru i hatet hon hyste,
var kärlek och smärta under,
och hur hennes ögon lyste

av vemod i trätans stunder,
och huru med kärlek hon ledde
den sonen, han givit henne,
och huru med omsorg hon redde
om aftonen bädden åt tvenne,
och huru, när sista flamman
av solen försjunkit i fjärran,
de slingrade lemmarna samman
i lust och i skräck för Herran.
Och Adam stod upp för att söka
och varsnade droppar av bloden
och såg hennes fotspår kröka
sig ned mot den heliga floden
och såg henne sitta vid stranden
med Kain, hans son, vid sin sida
och vara bedrövad i anden
och sörja och hata och lida.
Och Adam gick henne nära
och sade: "Vi skulle jag slå dig,
du blöder om kinden, min kära,
med vatten av Phrath vill jag två dig,
med läkande blad vill jag hela
de sår, i ditt hjärta jag skurit,
din sorg vill jag sörja och dela
de tungsamma bördor, du burit.
Jag gitter ej känna mig ensam,
förbannad och driven från Eden,
vår nöd som vår lust är gemensam,
gemensam den ödsliga leden,
där allting, som lever, vill gräva
oss gravar, varhelst vi blicke"
— så talade Adam till Eva,
men Eva svarade icke.
Och Adam vart stum och sänkte
förbittrad sitt huvud mot barmen,
och åter på hämnd han tänkte,
på nytt vart han gripen av harmen.

Då veknade kvinnan och trängde
sig tätt intill mannen och lade
sin arm om hans skuldra och hängde
sig fast vid hans hals och sade:
"Jag gitter ej banna och klandra,
jag gitter ej se hur du gråter,
vi måste förlåta varandra,
när icke vår Herra förlåter!
Vi äro fördömda att synda
och träta och aldrig sämjas,
vi äro som hund och hynda,
så låter oss synda och vämjas,
så låter oss samfällt lida
och sörja vårt livs elände
och hata och träta och strida
och älska till världens ände!"

Och mannen och kvinnan drogo
tillsamman ut i livet
och uppfyllde jorden och dogo
av ålder och år, är det skrivet.
Men så, medan tiderna farit
med väldiga vingeslag,
ha mannen och kvinnan varit
allt intill denna dag.

VÅR.

Simson sade vid sig själv:

Si, världen all sig gläder,
de milda vårens väder,
de komma och försvinna
och markens blomster spira

och vattubäckar rinna,
jag vill gå ned till Thimnath
och söka mig en kvinna!

Si, luftens fågel flyger,
si, skogens rådjur smyger
sin kära vän att finna,
si, öknens starka lejon
hos bergens lejoninna,
jag vill gå ned till Thimnath
och söka mig en kvinna!

Si, purpurröd till färgen
går solen bakom bergen
och himlens skyar brinna
och aftonsvalkan kommer
som nattens bådarinna,
jag vill gå ned till Thimnath
och söka mig en kvinna!

HÖST.

Simson malde på de filistéers kvarn och sade vid sig själv:

Stormarne dåna och haglen de falla
tungt på min hjässa, som eld är min panna,
rött för min ögon, de blinda, det flammar,
hatet förtär mig, min blod är som galla,
kommer och låter oss heligt förbanna,
heligt förbanna dem,
de filistéers eländiga stammar!

Litet är folket och smått är dess sinne,
dock är det stort i att pina och stinga

Herrans nazir, som fick kraften förlänad,
Herre, behåll dem din vrede i minne,
slå dem till jorden med Gideons klinga,
slå och förtrampa dem,
slå dem som hagel slår luftens fänad!

Stormar låt dåna och hagel låt falla,
låt mig få dö för din stormvinds vrede,
men giv mig hämnd, ty min strupe förtörstar,
låt mig förgöra dem, förstarna alla,
slå och förkrossa de usle och lede,
giv mig i händerna,
giv i mitt våld filistéernas förstar!

SAUL OCH DAVID.

Och Sauls själ var fylld av sorg till randen,
och ifrån Israel han höll sig fjärran
och skydde mänskors tal och dagens ljus.
Och över Saul kom den onde anden,
och han vart dolsk och övergavs av Herran
och höll sig dold i Gilgal i sitt hus.

Och anden ledde konung Sauls tunga
att tala hädiskt tal, och Saul sade:
"Vi lever jag, vi är jag Herrans träl?
Si, emot Herran vill mitt hjärta slunga
förbannelsen han i mitt hjärta lade,
ty sjuk av hat och pina är min själ!"

Då sade en: "Vill konungen befalla,
att vi må hämta David, herdegossen,
att du må finna tröst av harpans ljud?
Och David kom. Då bugade sig alla

och ropade och svängde högt med blossen:
"Välsignad vare han av Jakobs Gud!"

Ty han var fager under ögonbrynen
och ädelt växt och smärt och brynt av solen,
och folket viskade emellan sig:
"Si, alla fröjdas vi vid denna synen,
ty han är vuxen som för konungsstolen
och skön att skåda till och stor i krig!"

Och David trädde in och fram till sängen,
där Saul låg, och bugade och sade:
"Din tjänare är här" — men fick ej svar.
Och David satte sig och slog på strängen
och örat lyssnande mot harpan lade
som efter sången, den i harpan var.

Och David sjöng: "Si, natten kom
och på min ögon lade mörkret handen
och allt var töcken, när jag såg mig om,
och jag gick vilse över ökensanden.

Det fanns ej tröst, det fanns ej vän,
min gång var trött, mitt hjärta var bedrövat,
min väg var irrande, jag vet ej än
hur långt och vida mina fötter strövat.

Met ett jag vet, att jag var hård
och intill döds mitt sinne var förbittrat.
Min själ var lik en tom och öde gård,
som Herrans vredes ljungeld bränt och splittrat.

Och glömt var allt vad förr mig glatt.
Jag sade: vilse vandra mänskors öden,
och nu är kommen Herrans vredes natt,
jag vill förhärda mig och ge mig döden!

Då såg jag morgonstjärnan stå
och lysa milt och vänligt över landen
och tog mig mod och såg en väg att gå
ty från min ögon lyfte mörkret handen.

Och natten vek och morgon kom,
om dagen hördes luftens fåglar buda,
och solen lyste, när jag såg mig om,
på ängarna kring Betlehem i Juda.

Jag hörde nejdens herdars sång,
och mina hjordar mötte mig i marken,
och allt var härligt som det var en gång
den morgonen, när Noah gick ur arken.

Jag tänkte glad: vi sörjde jag,
vi var jag fången i min själs elände?
Si, efter natten kommer alltid dag
och såret läks och sorgen har en ände!

Min själ är stark, min själ är glad,
likt morgon och likt vår är allt till färgen,
av vin och honung dryper Gilead
och det är ljust kring dalarna och bergen!

Min kraft är ung och fri min håg
och högt bland himlarna min tanke svingar,
min själ vill ut på mera vida tåg
och hava morgonrodnaden till vingar.

Och konungen skall fatta mod,
ty många äro som med Saul lida,
och han är vis och är av hjärtat god
och har en själ, som skapades att strida!"

Då vek förbannelsen från Saul åter
och han begynte gråta bitterliga

och sade: "David, är du där, min son!
Räck hit ett bäcken, si, din fader gråter,
nu vill jag två mig och ur huset stiga
och ned bland folket, som jag höll mig från!"

Och ondskans ande vek för denna gången
och Herrans vrede var från Saul tagen
och han vart åter Israel till tröst.
Ty det var sorgebot fördold i sången
och det var balsam gömd i harposlagen
och det var läkedom i Davids röst.

UPP TILL SALEM.

Si, mitt hjärta det längtar i dalen
över bergen, där kungsörnen for,
upp till Salem, till konungasalen,
upp till Salem, där Salomo bor.

Han var mörk och konungslig som natten,
och hans blick var konungslig och god,
och hans röst var som väldiga vatten
i en mäktig och brusande flod.

Såsom vänliga kvällstjärnor brinna
och strö glimtar i dalarne ner,
har han skådat på sin tjänarinna,
si, han såg som den älskade ser.

Och han sade: "Min själ du behagar
såsom vårdagg i morgonens ljus,
kom till Salem och lev dina dagar,
kom till Salem och lev i mitt hus!"

Och han sade: "Du lilja i dalen,
har du mod att ha konungen kär,
si, bland prakten i konungasalen
äro sorgerna tyngre än här."

Jag vill vandra till blods mina fötter
genom dagarnes hetta och regn,
jag vill gå, jag vill leva på rötter,
jag vill sova i palmernas hägn.

Genom öknen, där lejonet krigar
och i klyftan sitt byte förtär,
vill jag vandra på vägar och stigar,
jag vill vara där konungen är!

PREDIKAREN.

Sjuhundra äro hustrurna och frillorna väl föga färre
och jungfruskarans mångfald utan tal,
all Tyri prakt är strödd i sal vid sal,
att sprida härlighet kring Syriens herre.

"Så smyckom oss, I Moabs döttrar, skönt
med purpursnören och med gyllne spännen,
behängom oss med nyutsprunget grönt
och slingom kransar kringom våra ännen
och övom oss i dans, att ej på skam
i dag vi komma må, och bärom fram
det kylda vinet och den friska honungen,
att vi må hälsa rätt vår herra, konungen!"

Och härligt strålar Moabs döttrars prakt,
men när slavinnan, som vid dörrn har vakt,
går fram och säger: "Si, vår herra nalkas",

231

då tiga alla de, som le och skalkas,
av fröjd och skräck förändra de sin hy
och vilja endels stå och endels fly.

*

Stor är kung Salomo, hans växt är lik
de höga cedrarna på Libanon,
hans anlete är skönt, hans dräkt är rik
av ädelstenar komna fjärran från,
hans makt är utbredd och hans namn går vida
och hundra folkslag tävla om hans nåd,
och många hedningarnas kungar bida
hans visa domar och hans visa råd.

Men böjd var konungen, när in han steg,
och ingens fägring kom hans blick att stanna,
han såg ej kvinnorna, hans tunga teg
och det låg mörker på den vises panna.

"Vi äro några här, som smyckat oss,
vi vilja dansa för vår herra konungen,
vi hava tillrett spis och upptänt bloss,
si vinet här och si den friska honungen
och dessa strängaspel av alla slag
och bädden redd, vår herra till behag!"

Men konung Salomo gick bort från dessa
och gick därfrån och sökte överallt,
och när han såg sin älskades gestalt,
i hennes knän han lutade sin hjässa.

Si, konung Salomo, du är för tung,
hon är för liten och för mycket ung,
för vek i höfterna att bära dig,
för svart i hyn, fast ganska täckelig,

si, dina kvinnor äro legio,
vi sökte du dig hit, kung Salomo?

*

Och konungen var led vid all sin ära
och vid all härlighet på denna jord,
och gat ej se med kärlek till sin kära
men började att tala visa ord:

"Jag sade till min själ: var glad, min själ,
ty allt har lyckats dig och gått dig väl
och du är rik och är en folkens förste
och nämns bland jordens konungar den störste
— men intet gladde mig, ty si, jag vet,
att allt är vind och tom fåfänglighet."

"— Jag var den visaste på jordens ring
och all Egypti visdom visste jag
och alla stjärnors gång och alla ting,
som hänt från Noe tid till denna dag,
men vad kan visdom båta den som vet
att allt är vind och allt fåfänglighet?"

"— Med guld och koppar har jag smyckat husen
och gjort till ögnalust Jerusalem,
jag hade kvinnor hundraden och tusen
och sade: jag vill fröjda mig med dem,
ty ljuv är kärleken, men si, jag vet,
att kvinnors kärlek är fåfänglighet."

Men hon, som konung Salomo har kär,
fastän hon späd och ganska liten är,
sig böjde fram att se predikarns panna
och mellan händerna hans huvud tog
och såg och såg och ville icke tro
att dessa visa orden voro sanna

— då teg kung Salomo och log.
"Vi ler du, konung Salomo?"

EN SYN.

Helvetet såg jag öppet ligga,
stämmor hörde jag stöna och tigga
om en droppe vatten,
stämmor hörde jag stöna och stamma
hest i lågor, som vita flamma
mot den eviga natten.

Blickar såg jag kvalfullt irra
efter hopplös tröst och stirra
i förtvivlans kamp.
Anleten såg jag hemska skälva,
bröst jag såg av ångest välva
sig i kramp.

*

Då reste sig en av de pinade,
hans drag voro djävulens drag,
förvridna, förstörda, förtvinade,
med spår av ett stolt behag.

Det flög som ett sken över dragen,
det var liksom åter dagen
lyst in i hans skuggade själ
och bådat ett nyfött väl.
Han sade: "Det är ju vi själva,
som slipa vårt pinostål,
som elden och marterna välva
omkring vårt eget bål,
men låtom oss själva förlåta oss,

så varda vi marterna loss,
och låtom oss alltid sträva
och låtom oss aldrig gräva
i gammal synd och skam,
men blott se fram!"

Och lågorna slocknade sakta
kring djävulens gestalt,
och skönt det var att betrakta,
hur ljust det blev i allt,
hur ärkeängelns pannas valv
blev åter vitt och klart
och hur hans läpp av lycka skalv
och smålog underbart
— det gick genom allt som en salig fläkt,
och helvetet var släckt.

HOSIANNAH!

Görer portarna höga och dörrarna vida
och häng slingor av grönt över ringmuren din,
dotter Zion, statt upp, att din konung må rida
som en ärones konung,
en ärones konung,
som en ärones konung må draga därin!

Låter harporna ljuda, basunerna stöta
och lägg kläden och palmer för konungens fot,
låt ditt folk strömma ut att sin härskare möta
under glädje och gamman,
glädje och gamman,
under gamman och fröjd gå sin konung emot!

Bortom skyn är hans rike av vin och av honung,
bortom skyn är hans härskarors vapendån,
han är kärlekens konung och frihetens konung
— klinge högt: Hosiannah!
högt: Hosiannah!
klinge högt: Hosiannah, Davids son!

DET ÄR FULLBORDAT.

Så tung ligger sorgen
på templet och borgen
och dämpat och tungt rullar åskans dån,
och stormen går fram över landen att buda
att lejonet av Juda
blev korsfäst av Juda i smälek och hån.

Och genom stormen ropa gälla röster
likt gråterskor med himmelshöga skri,
detropar vilt i väster och i öster:
Det är förbi! Det är förbi!
Det är fullbordat, såsom det står skrivet,
nu vilar mörkret åter över livet,
åt Gog och Magog blev det åter givet
och världen sjönk på nytt i slaveri!

Så tung ligger sorgen
på templet och borgen,
i rymden är sorg över människones son,
och molnen så tunga i himmelen sväva
och mänskorna bäva
och dämpat och tungt rullar åskans dån.

Från när och fjärran

TRONSKIFTE.

Den gamle kung Kronos är död, hans son,
som ärvde hans tron, är ung,
och hastig till sinnes och lätt på tån,
är nittonde seklets kung.

Den gamle var känd som en patriark,
en stillsam och tyst nomad,
som strövade kring över livets mark,
beskedlig och jämn och glad.

Den unge är fallen för äventyr,
på vägar dem själv han byggt
vid svindlande bråddjup han trotsigt styr
sitt susande iltågs flykt.

Så långsam och trög var den gamles gång,
han vände sig om och såg
tillbaka ibland för att se hur lång
var vägen, som bakom låg.

På staven för milen han märken skar
och höll vid varenda dörr
att titta, om allting där inne var
sig likt som det varit förr.

Det var ej så brydsamt att leva med
vid Kronos den Gamles hov,
hans följe i anständig passgång skred,
man åt och man drack, man sov.

Den unge, han aktar ej milens mängd
på stormande brådsnabb stråt,
han ser ej tillbaka på vägens längd,
han blickar blott djärvt framåt.

Han älskar ej fraser och fagert tal
och icke kommandot: stopp!
Åt den, som ej lystrar till hans signal,
han ryter ett kärvt: se opp!

Så ångar han fram ifrån zon till zon,
den unge, den djärve — men
de gamle bland folken behålla tron
på Kronos den Gamle än.

De sitta och meta i livets flod
som förr, liksom intet skett,
på samma förträffliga metmetod,
varpå deras fäder mett.

Då stormar det brusande tåget fram
med framtidens ilgods i,
det frustar, det stampar i rök och damm
och är i en blink förbi.

Det var det rullande nuet, som
försvann bakom närmsta krök,
de gamle, de vända sig långsamt om,
men allt vad de se är — rök.

DON QUIXOTTE.

Vid allt mystiskt i naturen,
varslar det om svåra tider;

far han ännu kring och rider,
han av Sorgliga Figuren!

Det var han och ingen annan,
ty Mambrinos hjälm, den fina
lödderskålen, såg jag skina
kring den kala hjältepannan.

Och den stolta Rosinante
såg jag styvt och spattigt dansa.
På sin mula Sancho Panza
såg jag hänga som en vante.

*

Ädle resenär från Spanien,
är du icke trött att rida,
har du icke nog fått lida
av den eviga kampanjen?

Jag förstår din min, den varnar
mig för skämtan med det höga,
svaret lyser i ditt öga:
ännu vifta väderkvarnar!

*

Ja, igenom tiden rider
ännu riddarn av La Mancha,
enligt min och mångas tanka
än han med i dagens strider.

När mot obekanta faror
förutseende vi blicka
och mot väderkvarnar skicka
våra unga tappra skaror,

stiger don Quixotte ur graven,
och till vår och riddarns heder

är det han, som striden leder,
han som svänger fältherrstaven.

KLOWN CLOPOPISKY.

Det var på nattkafét i "National",
ett nöjets paradis med syndafall,
förbjudna frukter och den lede satan
i maskopi med Evor ifrån gatan
och gamle Adam själv i månggestalt
av nattflanörer från Berlins asfalt.
Och gamle Adam sladdrade och drack
och levde rövare bland glas och brickor
och slog sig lös bland illa kända flickor
och söp sig full och bar sig åt som pack.

Min vän och jag, vi sutto i en vrå
och drucko bömiskt öl och sågo på,
hur slödderströmmen genom dörren drog,
och pöbelbränningen i salen slog,
och hörde på, hur klownen Clopopisky,
fötroligt stämd och doftande av visky,
berusat, öppenhjärtigt vemodsöm,
förtalde om sin kärleks brustna dröm.

*

Han drack en klunk och nickade åt oss
och tände så på nytt sin papyross
— såg på en stund, hur tändsticksresten brann,
och när han detta gjort, så sade han:

"En bifallsstorm kom rullande från raden,
och bravoropen skränade sig hesa,
och en bukett flög över balustraden

och föll precis i skötet på Teresa.
Hon gav en blick, som kunde smälta sten,
åt givaren, den ryske attachén
— och så en bugning åt publiken till
och hon red ut på *Ladv Mill.*

Jag bet i läppen, vild av svartsjuk vrede,
och mumlade små böner till den lede,
men det var min tur, Zacco skrek; se opp!
och jag sprang in i vinande galopp
och satte mig på baken plums pladask
och fick applåd av pöbel och patrask.

Men länge skulle ej min framgång vara
— 'der schene Ajust', min kamrat, ni vet,
försökte locka mig till rolighet,
men det var stopp, jag kunde inte svara.

Jag bjöd nog till att säga he! och äh!
men bjuda till hur mycket än jag ville,
mitt gamla prövade pajazzosnille
var som förvandlat nu till sten och trä.

Amfiteaterns blickar blevo buttra,
och raden började att halvhögt muttra,
och glåpordshaglet blev till slut orkan:
'Gör konster, ynkrygg' och 'var kvick, din fan!'

Jag gjorde ännu ett försök att grina,
men plötsligen rann sinnet till på mig
och jag bröt ut: 'Fördömda byke, tig!'
Då började de ruttna äggen vina
från alla håll som kulorna i krig.
Och som en störtskur, ifrån himlen fallen,
det kom av gamla ben och äppelkart,
en lösryckt bänklist slog mig hårt i skallen
och som en död jag föll och allt blev svart.

Och när jag återkommit till besinning,
jag låg i stallet på en knippa halm
och kände blodet sippra ur min tinning
och nästan kvävdes av kompostens kvalm.

Och nesan frätte mig och skammen brände,
min själ sjönk djupt i grämelsens elände.
Då hör jag lätta steg därutanför,
det är Teresas lätta steg jag hör,
och tänk ändå! — Teresa är så god!
Och vem har mätt en kvinnas ädelmod?
Kanhända själva skymfens övermått
den ädelhjärtade till hjärtat gått?
— Nu är hon här att gråta vid mitt bröst
och torka av mitt blod och ge mig tröst
och säga: caro, caro, povro mio!

Då hörde jag herr diplomatens röst,
som sade: 'Alltså fredag klockan tio!'

Då svor jag till och borrade min hjässa
i halmens tågor djupt och emot dessa
min tinnings färska sår jag söndermol
och skrek och skrattade och grät — och gol!
Ja, verkligen — jag gol — det var en vana,
en rolig konst ifrån min cirkusbana,
som *pièce de résistance* jag brukat den
och i min bittra sorg den kom igen.
Sen steg jag upp, gick ut och drack och slogs,
tills sorgerna med vettet ränt till skogs."

Han drack en klunk och nickade åt oss
och tände så på nytt en papyross
och gjorde sen sin bästa kapriol
och stod på huvudet och grät och gol.

FÖRRÄDARN.

Det lyste genom skogen
vid stranden av Loire,
det gick en dans på krogen
vid stranden av Loire.

Men den som stod på bordet
var Guy de Montcontour,
och den som förde ordet
var Guy de Montcontour.

Och allt blev tyst i salen,
när ministrelen sjöng.
Han drack och gav pokalen
åt närmsta man och sjöng:

"Döm, Normandie, och döm, Provence,
döm, Frankrike, hans skuld,
den mans, som stal la gaye science
och sålde den för guld!

Döm, Frankrike, den man, som spillt
sin sång på lögn för lön,
döm, sköna Frankrike, ej milt
Guilbert du Mont de Meune!

Hans sång var stolt i yngre år,
ej krympt och vingestäckt,
hans ungdom växte vild som vår,
hans glädjetrots var käckt.

Men fegt till hovets kvalm han smög
från sångens fria lag
och sålde sig för guld och ljög
sig till ett riddarslag.

Nu sjunger han i silkedräkt
vid silversmyckat bord,
hans kind är gul, hans blick är släckt,
hans sång är tomma ord.

Hans sång är smicker blott och prål,
hans sång är platt och dum,
hans skrud är fin, hans själ har hål,
hans rygg är böjd i krum.

Han är en man, som sålt sin själ,
ett tomt förtorkat skal,
ett stoft i guldfodral, en träl
i flöjel och sindal.

Han är en man, som har förspillt
sig själv på lögn för lön,
döm, Frankrike, döm icke milt
Guilbert du Mont de Meune!"

RENÄSSANS.

"Ja, sköna sirater, vid Pluto,
har skidan till värjan, du bär,
de röja din konst, Benvenuto,
— låt se, huru klingan är!"

Så ropade vännernas skara
och mäster Cellini log.
"Nå, fram med din stolta Ferrara,
drag blankt!" — Cellini drog.

"Se hit, det är klingornas klinga,
en bättre har aldrig fåtts,

men den skall Cellini tvinga
sig fram överallt på trots!

Vart hånsord från skamlösa strupar
skall tystas med denna egg,
med den vill jag slåss, tills jag stupar,
helt ensam med rygg mot vägg!

Med den vill jag skydda min flicka,
min konst vill jag skydda med den,
med handen på den vill jag dricka
en skål för min enda vän!"

Men hon, som bar kruset med vin i,
blev blek och blev röd igen
och viskade sakta: "Cellini,
vad heter din enda vän?"

Han svarade: "Vänskapen flyter
i havet som Tiberns älv,
den vän, som ej vänskapen bryter,
han heter så här — jag själv!"

Och tumlaren tog han från brickan
och klingan i skidan han stack
och slingrade armen om flickan
och kysste och log och drack.

DE GODE OCH DE ÄDLE.

Jag vill ej vara ädel, jag vill ej vara god,
de gode och de ädle de ställa upp sin stod
i skönaste belysning på högsta piedestal
med inskrift om bedrifter i hörnet av sin sal.

Sen stå de och betrakta sin älskliga bild,
hur ädel är ej minen, hur god och blid och mild,
de tänka i sitt hjärta: Si, allt är ganska gott!
— men bakom står Hin onde och hostar så smått.

IDEALISM OCH REALISM.

Nu är jag led vid tidens schism
emellan jord och stjärnor.
Vår idealism och realism,
de klyva våra hjärnor.

Det ljugs, när porträtterat grus
får namn av konst och fägring.
En syn, som svävar skön och ljus
i skyn, är sann som hägring.

Men strunt är strunt och snus är snus,
om ock i gyllne dosor,
och rosor i ett sprucket krus
är ändå alltid rosor.

IDEALET.

Idealet är här, idealet är där,
idealet är likt sankte Pål, sankte Pär
idealet är svart, idealet är vitt
och likt påvens skägg av en egen snitt,
idealet är lätt, idealet är tungt,
idealet är gammalt, idealet är ungt,
idealet är kärlek, idealet är hat,

idealet är Tolstoys och Nietzsches prat
— jag tror det är bäst, att en var har sitt,
som jag har mitt.

HANS HÖGVÖRDIGHET
BISKOPEN I VÄXJÖ.

Det lider mot slutet av biskopskalaset
och biskopen klingar med gaffeln mot glaset
och fyller det bräddfullt med skummande vin
och blinkar i smyg åt sin vän Heurlin.
Prostinnorna tystna, kaplanskorna tiga,
och halvmätta suckar av vördsamhet stiga
ur prostarnas djup, och bedrövat och tungt
mot tallriken blicka kaplan och adjunkt.
Av lyssnande andakt gå moln genom salen
i väntan på ett av de frejdade talen,
där biskopen plägar att utsmycka tron
med tankfulla bilder och klangfull ton.

Men Foibos Apollon i gnistrande char
olympisk och ljus över Thule far,
och strålar från gudomens härlighet stanna
bland lockarnas virrvarr kring biskopens panna
och skänka ett tycke av grekisk stil
åt biskopens fina, förnäma profil.
Och biskopen reser sig, ögonen ljunga
av trotsets, men icke av trones sken,
och attiskt är saltet på biskopens tunga
och tankarna komma direkt från Atén.

Hur ystert de nakna kariterna springa
från biskopens läppar, hur ystert de svinga
kring salen i anakreontisk takt,

247

hur ädel och stolt går historiens Klio
som korledarinna förut bland de nio,
hur skön kommer Eros i all sin makt!
Om frihet är talet och adel, som kräver
heroiska bragder, och skönhet, som väver
sitt soliga skimmer kring allt som är,
om guden i druvan och sången och dansen
i segrarens blick under lagerkransen,
i gratien som kvinnan i lemmarna bär,
om enhetens gud i materien och anden,
som härskar i alltet och lever i granden,
om livet som lyckans och segrarnas ban
i skydd av den store och mäktige Pan.
Det är som lycksaliga korer hördes,
det är som den eviga plektern rördes
av Foibos Apollon med egen hand,
det klingar i luften, det dånar i marken,
centaurerna stampa där ute i parken,
menaderna dansa på gårdens sand.

Och skogarnas åbor ur klyftorna lockas
och fauner och nymfer i fönsterna skockas
att le åt vårt vördiga prästerskap.
Och biskopen tystnar, och prostarna titta
förbluffade upp, och prostinnorna sitta
och stirra och undra med öppna gap.

Men snart går en viskning i lön genom salen:
"Herr biskopen blickar för djupt i pokalen,
om detta får gå, så blir biskopen galen!"
Från hus och till hus går den stora skandalen
i hela den småländska jämmerdalen.

BOLLSPELET VID TRIANON.

Det smattrar prat och slår boll och skrattar
emellan träden vid Trianon,
små markisinnor i schäferhattar,
de le och gnola, lonlaridon.

Små markisinnor på höga klackar,
de leka oskuld och herdefest
för unga herdar med stela nackar,
vicomte Lindor, monseigneur Alceste.

　　　Men så med ett
　　　vid närmsta stam
　　　stack grovt och brett
　　　ett huvud fram.

Vicomten skrek: "Voilà la tête là!"
och monseigneur slog förbi sin boll
och "qu'est ce que c'est?" och "qui est la bête là?"
det ljöd i korus från alla håll.

Och näsor rynkas förnämt koketta,
en hastig knyck i var nacke far
och markisinnorna hoppa lätta
och bollen flyger från par till par.

　　　Men tyst därifrån
　　　med tunga fjät
　　　går dräggens son
　　　Jourdan Coupe-tête.

UR FRIEDERIKE BRIONS VISOR.

Ännu går dansen kring eken
och dansen är mig kär,
men går jag själv i leken,
är sorgen också där.

Och sitter jag vid väven
att söka mödans fred,
då kommer sorgen även,
och sorgen väver med.

Och vandrar jag i skogen
en kväll att trösta mig,
då vandrar sorgen trogen
på samma tysta stig.

*

Den stolta Rhen, som tågar
förbi små tysta hem,
vad frågar han, vad frågar
den stolte efter dem!

Hans bölja speglar häcken
och slår mot trappans rand
och tar sin gärd av bäcken
och vaggar skum i land.

Av allt han ser han kastar
ett vänligt återsken,
men utan vila hastar
till havs den stolta Rhen.

*

Jag mötte en flicka, hon bar sitt barn,
hon rodnade skamset förlägen,

hennes dräkt var lump, hennes namn var skarn,
hennes hem var den ändlösa vägen.

Hon hade dock något att kalla för sitt,
mot varandra de värmde sig varma,
jag ville att flickans barn var mitt,
jag ville jag vore den arma.

SÅLUNDA TALADE ZARATHUSTRA.

En natt gick Zarathustra upp på berget med sina lärjungar
för att betrakta stjärnorna.

Och vid de sutto på berget och blickade upp mot himmelen
eller skådade· ned mot dalen, där skogen växte utmed bran-
terna, sänkte Zarathustra sitt huvud och föll i tankar.

Därefter höjde han åter sitt huvud, talade och sade:

"Huru ofta haver jag icke sagt eder dessa orden: flyr dyg-
den och befliter eder om det ont är! Ty I veten, att dygden
är fåvitska trälars tal, och att det onda är ett gott för den,
som är det ondas herre och icke tjänare. Och huru haver jag
icke förmanat eder att älska och förkovra eder självandes och
icke eder nästa! Ty livet är kort och den som gör andras gär-
ning och icke egen, han skall vara såsom ett torrt träd, och
det torra trädet kan aldrig varda till virke i den bryggan,
som leder till övermänniskan.

Men när haver jag sagt eder, att I skolen binda människorna
med band, på det I själva mån vara fria? Det är trälars sed,
som till makt komma. Eller när haver jag sagt eder, att I sko-
len slå och förtrampa dem som tävla med eder om högheten?
Det är trälsed.

Skåder ned på skogen, där många toppar skjuta upp över
de andra! Månne det höga trädet varder högre, om de låga
träden huggas med? Eller höjer edra ögon upp till de tusen
sinom hundratusen stjärnorna, som tindra i rymden! Tron

I att den stjärnan Sirius glänser med klarare sken, om de
övriga stjärnorna släckas? Det är småpiltars tro.

Så vakter eder nu för trälars sed och småpiltars tro, när I
låten övermänniskan växa i eder! Ho vet, om den sig störst
tänker är den störste! Och månne icke den ännu klenväxte,
som stor växtkraft haver, är större än den redan storväxte,
som mindre kraft haver av begynnelsen och allaredo uppfyllt
sitt växandes mått? Så låter var och en växa och lysa efter
sin art och förmåga och varer icke lågsinnade! Den där star-
kast lyser och störst är av alla, när alla äro i sitt fylle och sin
fulländning, av hans frö och gnista skall övermänniskan
framgå!"

Sålunda talade Zarathustra och hans lärjungar förundrade
sig storligen.

ATLANTIS.

Livssorlet forsar från staden,
tung är den välvande kampens musik.
Högt ur den dova kaskaden
stänker ibland som ett skrik.
— Här är det stilla,
här ligger vattnet
stilla i tigande vik.

Här är det ödsligt och stilla,
här är det långt från det verkligas strand,
drömmarnas svävande villa
väves om vatten och land.
Luta ditt huvud
hit mot min skuldra,
se över relingens rand!

Tingen, som skymta på botten
äro ej klippor och revlar och skär
— ser du de glänsande slotten,
ser du palatserna där?

Sagans Atlantis,
drömmens Atlantis,
världen, som sjönk, det är!

Skinande vita fasader
runt kring en skimrande marmorborg,
heliga stoder i rader,
gårdar och gator och torg!
Nu är det öde,
hän genom staden
vandrar dess minne i sorg.

Guldet fick makt att förtrycka,
rikmännens kast, en förnäm myriad,
stal millionernas lycka,
åt och drack och var glad,
vann sin förfinings
segrar, och nöden
växte med segrarnas rad.

Så efter mäktiga öden
sjönk och förgicks Atlantidernas makt,
folket, som självt gav sig döden,
ligger i gravarna lagt.
Härligt begåvat,
sjunket, förfallet,
sist till sin undergång bragt!

Havet har prytt med koraller
dödsdrömmens stad, där de hänsovne bo.
Solljus likt stjärnskimmer faller
matt över gravarnas ro.
Algernas fibrer
grönskande näten
kring kolonnaderna sno.

En gång, ja en gång för oss ock
slocknandets kommande timme är satt.
En gång, ja en gång på oss ock
faller väl slummer och natt,
vagga väl vågor,
lyser väl solens
sken genom vågorna matt.

Staden, som sorlar från stranden,
står på en grund, som är lera och slam.
En gång går hav över landen,
går över städerna fram.
Över oss sorlar,
över oss gungar
folk av en främmande stam.

INFRUSET.

Skarp som nordanstormen,
allas kamp mot alla
kyler genom märgen
och gör hjärtan kalla.

Det som lövomrankat
lyste varmt i solen
liknar snart en boning
på en ö vid polen.

Men ännu där inne
milda känslor bygga,
sitta där och sörja,
lutande och skygga.

Stundom de med möda
kylans fjättrar skaka,
vilja ut, men stappla
frysande tillbaka.

Kampens bistra frostvind
isar allt det varma,
alltför kallt är livet
för de veka arma

Längre lider vintern,
kortare blir dagen,
mörkare blir mörkret,
blekare bli dragen.

Tills de milda känslor
alla ligga döde
i sitt hem vid polen
tigande och öde.

Om en fångstman kommer
vindvräkt över haven,
mötes han av ingen
i den tysta graven.

TRÖST.

När sorgen kommer, som när natten skymmer
i vilda skogen, där en man går vill,
vem tror på ljuset, som i fjärran rymmer,
och sken som skymta fram och flämta till?
På skämt de glimta och på skämt de flykta,
vem tar en lyktman för en man med lykta?

Nej, sörja sorgen ut, tills hjärnan domnar
i trötthetsdvala är den tröst vi fått
— det är som vandrarn, som går vill och somnar
på mossans mjuka dun och sover gott.
Och när han vaknar ur den skumma drömmen,
ser morgonsolen in i skogens gömmen.

FYLGIA.

Fylgia, Fylgia, fly mig ej,
när jag drags av det låga mot dyn,
du skygga, förnäma, sky mig ej,
när med lumpna tankar jag skymmer din rena gestalt,
som svävar i skönhet och stjärnglans
och drömmar av ljus för min syn
så nära mig,
men så fjärran dock
som den fjärran, fjärran skyn,
du eftertrådda, du oåtkomliga,
du flicka av skönhetslängtan,
du väsen i dräkt av livets skiraste silverskir
med lyckliga drag och kärlekens skäraste törnrosskim-
mer i hyn.
Fylgia, Fylgia, fly mig ej,
du skygga, förnäma, sky mig ej,
du min skönhetslängtan,
som mot dagens sorger
är min skyddande tröst i nattens syn!

KOROS.

Svara, giv rätt åt den stoftgrandfödde,
Moira, som dolt dig i mörker och natt,
formande Kaos och länkande Kosmos' gång!

Varföre födas och dö vi,
varföre stappla vi livskvalbrutne
släkt efter släkt invid dödens brant?
Vi göt du giftet av längtan i barmen,
vi har du satt oss omätliga mål,
medan du dock slungar vandrarn i djupet
just vid hans första försökande fjät?
Är du blott slumpens ymnighetshorn,
gjutande evigt en varelseström
syftemålslöst genom ändlösa rum?
Är du en ondskefull dämon,
skapande väsen för gyckels skull,
väsen att leka med,
väsen att pina,
väsen att döda för ro skull?

DEN EVIGE JUDEN.

Även jag har sett den gamle vandrarn,
sedd av världens skalder, vart han kom,
men han var ej lik den bittre klandrarn,
icke trotsarn inför Herranom,
icke sörjarn, som de sjunga om.

Det var sent en afton härom året,
dungen susade sin sommarsång,
sjön gick böljegång mot videsnåret,

257

där jag låg i gräset kvällen lång,
drömmande om livets böljegång.

Mången gammal halvtförklungen sägen
drog förbi min själ i brokigt tåg,
där jag låg och stirrade mot vägen,
halvt till sömn förförd av vind och våg
— men med ens ett underting jag såg.

Ty där höjde sig vid närmsta backe
världsomvandrarens titanfigur,
tiden tyngde på hans gamla nacke,
härjad var han hårt av ur och skur,
men massiv och väldig som en mur.

Bredden av hans skuldror fyllde måttet
utav vägens bredd från tall till tall.
Och hans pannas valv var mörkt som brottet,
mörkt som skuggan av det syndafall,
som all tid har tyngt på världen all.

Och i blicken låg ännu den pina,
som i människornas liv den lagt,
denna makt, som älskar att förtvina
vad den själv till sol och lycka bragt,
födelsens och dödens hårda makt.

Men i silverskäggets munvik drog det
som till ett föryngrat löjets drag,
mitt i ögats dystra pina log det
som mot nattens moln en nyfödd dag,
full av hopp och värme och behag.

Och förundrad såg jag gubben stiga
utför branten närmare mot mig,
jag var upprörd, kunde icke tiga,

och jag sade: "Vad kan glädja dig,
vandrare på den fördömdes stig?"

Och han log och sade: "Jag har lidit,
men min plåga är ej mer så tung.
Medan seklen trögt och tungsamt skridit,
har jag känt mig mer och mera ung,
jag blir glad till slutet som en kung.

I min själ har droppat ned en droppe
av ett löje över livets lott,
det är någonting på tok däroppe,
det är somt Vår Herre missförstått,
även han förväxlar ont och gott.

Lyckan kommer, sorgen kommer även,
som ett tjuvpojkstreck av något barn,
någon står och smusslar in i väven
av vårt liv ett nyckfullt spunnet garn,
som till helgon gör oss eller skarn.

Världsförloppet vecklar ut sig galet,
det är komiskt mitt i all sin ståt,
därför ler jag åt det långa kvalet,
det är icke värt en klagolåt,
när all världen är att skratta åt!"

Och han gick, det sågs ännu på nacken,
hur han mumlade ibland och log,
sist försvann han vid en krök av backen,
aftonsolen bakom bergen drog,
vinden susade och vågen slog.

STÄNK OCH FLIKAR

STÄNK OCH FLIKAR.

Frågas: "varför blanda
högt och lågt så där,
mot det helas anda
olikarten skär?"
— svarar jag så här:

"När i huvudstaden
just ett regn har slutat,
medan vaktparaden
under dån av trummor
nalkas slottsfasaden,
ser jag alla slagens
folk i trängsel trång,
torgens gamla gummor,
som på fisken prutat
förmiddagen lång,
processionens trista
tåg med lik i kista,
barn i skratt och språng,
ynglingar som nicka
hemligt åt en flicka,
sneglande åt lagens
vakt med gömd batong,
prinsarna och kungen
tätt vid tiggarungen
och två män, som dricka
i en trappnedgång,
men ur Mälarvågen

stiger Irisbågen
högt mot högt som spång.

Kunde ögat skåda
bilden av det hela,
kunde örat höra
strängarna, som spela
huvudmelodin,
kunde sedan båda
konstfullt sammanföra
allt i symfonin,

visste då vårt öga,
visste då vårt öra
att det högsta höga
och det lägsta låga,
våra tankar våga
dröjande beröra,
såsom toner höra
med i harmonin.

Men de skilda ljudens
helbegrepp är gudens,
icke människans,
formernas och skrudens
sammansyn är hans.

När min blick vill famna
formens, dräktens, färgens
allt av blott en timmes
liv vid Mälarns vik,
ser den skymt och stycke,
ser den glimt och flik.

Vill mitt öra samna
allt i enhet, hör det

tonstänk lika bergens
ekon av musik,

intet mer, vad gör det,
blott en själ förnimmes,
blott av liv ett tycke
är i stänk och flik.

Bohemiska vers

NYKÖPINGS GÄSTABUD.

Jag håller fest, med mina vers till gäster,
det dricks otroligt och det skryts förfärligt
likt fulla riddare och mätta präster,
men deras glada rus är icke ärligt.

Och hovmansversar stiga fram och buga,
hur välskt och sirligt är ej allting skrivet,
jag tror dem icke, dessa rim, de ljuga,
de bringa sist mitt samvete om livet.

De tala lättsint ord, det är att dölja
att uppror mot mig själv i skymning tassar,
med kappans lätta sidenveck de hölja
ett tvivels dolk, att bruka när det passar.

Jag grips av skam för detta falska gyckel,
för mina ark i ett av skåpets gömmen
jag vrider om i bittert hån min nyckel
och rider ut och slänger den i strömmen.

Ty mina dagars ro, min sömn om natten,
ha de förött med all den Håtunleken,
den glada leken med de lömska spratten,
den glatta minen och de dolda sveken.

*

Men Bjällboätten är dock Bjällboätten
och ingen boskap förd till slakt från betet,
så får väl nåden då gå före rätten,
för agnars ondhet bränner ingen vetet.

Jag öppnar bommarna på nytt, jag banar
mig vägen fram till deras fängselkammar
och medan dunkelt framtidsont jag anar,
jag står i dörrn i vankelmod och stammar:

"Så gån härut, I hertigar av meter
och riddare av rim, jag löser bandet,
och riden ut att göra mig förtreter
och föra ofog över hela landet!"

FLICKAN I ÖGAT.

I.

I någon nu förklungen lore
det finns en gammal regel,
att, om en man vid spegeln står
och ser i ögats spegel

sig själv, men annars inget är
att se i ögonringen,
så hålles han av ingen kär
och älskar heller ingen.

Men om en man har värme kvar
att hålla av en kvinna,
skall denna kvinnas bild stå klar
på ögats regnbågshinna.

Det är väl skrock, jag vet ej än,
om jag skall tro på regeln,
men hur det var, jag mindes den
en dag, jag stod vid spegeln.

Jag såg och såg — min egen min
av clown, som är allena,
hans vissna kind, hans trötta grin
av fjasko på arena.

Och all den sorgenatt, som låg
så svart i ögonbrynen,
jag såg och såg, men hur jag såg,
jag såg mig själv i synen.

Jag såg mig själv, jag sade: "Hej,
du dotter av min moder,
du liknar allt ett konterfej
av din förfallne broder!

I ädelt skick och fint behag
vi äro ett, vi tvenne,
jag har mig själv till hustru, jag,
och avlar barn med henne!

En pussig ätt av sång och skämt
och burschikosa tankar
med humor av begravningsklämt
och hopp av tappat ankar!

Små änglar med sin faders min
av clown, som är allena,

hans vissna kind, hans trötta grin
av fjasko på arena!

Men kärlek till sig själv gick an
i brist på älskarinna,
om icke också den förbrann
som kol i mull förbrinna.

Jag är en grop med utbränt kol
av innebrända lustar,
jag pustar eld med alkohol,
det flammar, när jag pustar.

Jag blossar till, jag domnar ner
bland askan i detsamma,
jag vill slå högt, jag vill ha mer
än flämtet av en flamma."

II.

Jag satte mig att dricka
från morgonen till kvällen,
jag sökte alla ställen
med alkohol och flicka.

Men glädjeflickan smektes
med yrkesmässig kyla
och kunde icke skyla,
hur litet hon bevektes.

Och vinterkall som fisken,
som frusit fast vid isen,
för smickret och kurtisen
var hon, som satt vid disken.

Jag gick och drev i parken,
där silkefloren vifta
och sommartygen skifta
som blomsterprakt på marken,

där högsta dameliten
i finhet lyfter släpen
från ankeln, späd och näpen,
och hälen, smal och liten.

Jag fångade i hasten
av mötena på vägen,
halvt fräck och halvt förlägen,
de bästa ögonkasten.

Jag följde genom staden
den kjol, som vackrast röjde,
hur formerna sig böjde
i höften och i vaden,

den växt, som mest flöt över
av all den kraft av kvinna,
den ström av älskarinna,
en stackars karl behöver,

den blick, som störst och varmast
gav ut den största slanten
åt den vid rännstenskanten,
som var på kärlek armast.

Och oförskämd som slusken,
som skådat bättre tider,
men tyst som den som lider
av paltorna och snusken,

jag stod vid rännstenskanten
och såg och såg på flickan

och drog min hand ur fickan
och tiggde stumt om slanten.

"Ack giv den arme saten
ett korn av överflödet,
en liten bit av brödet,
en liten sked av maten!

Giv hit en vecka bara,
ett dygn, en natt, en timma,
som kärlek att förnimma,
anamma och bevara!

Åtminstone beskär mig
en fattig kyss att minnas
som tecken av en kvinnas
behag att vara när mig!"

Men även hon, den rika,
som mest lät kraft gå av sig,
den flödande, som gav sig
till bröd åt alla lika,

hon kunde endast skaka
på huvudet och tänka:
"Ja väl, om du kan skänka
mig någonting tillbaka!"

III.

Men med chokolad i takets plåtar
står kalifens borg av skär krokan
i ett fönster vid ett torg i stan.
Nedanför i en av borgens båtar
står en sockerprins och gör små låtar
på en gul gitarr av marsipan.

Bakom borgen med stramalj och garn,
lik en fånge i kalifens riken
och med minen av ett ensamt barn,
sitter fröken, som står för butiken,
och hon går och hon rör sig och gör sin vakt
över sockerkalifens pappersprakt.

Ja, du liknar allt en herdetös,
som slavinna hos kalifen fången,
frihetsarten har du kvar i gången,
den är gosslikt glad och graciös,
men ditt huvuds mjuka böjning för mig
har ett fångens vemodsdrag, som rör mig.

*

Och därinnanför i sidokammarn.
är ett soffhörn, där jag många gånger
satt och drack min porters bittra kalk,
medan pinan slog med kopparhammarn,
och mitt sinnes självförakt och ånger
hörde domens hårda syndabalk.

Och när flickan såg mig sitta där,
lik en trött och sjuk och söndersliten
rövarhärjad ökenresenär,
var hon alltid såsom samariten
i den gamla kristna sagan är,
göt hon alltid, såsom skrivet står,
löjets balsam, som till löje smittar,
göt hon vin av medlidsamma tittar
i den arme resenärens sår.

Milda flicka, är du nu som då,
då är gott hos dig, du milda flicka,
jag är törstig, giv mig tröst att dricka,
ty till dig, du milda, vill jag gå.

IV.

Ej ett öre, ej en vitten
gåve jag för hela flickan,
var ej löjets glimt i titten,
som hon ger armén på brickan,
batteri vid batteri,
när hon räknar: "Vänta — åtta!
Det skall vara gräns och måtta,
snälla goda rara Ni!"

Ej en spik, en knapp, en trasa
gåve jag för flickan hel,
om en min av dygdig fasa,
sipp och stygg och dum och stel,
med sin dödningsskalles döda
kalla skräck förfulat skyn,
skyn den rena, skyn den röda
som förskönar hyn,
när jag biktar alltför äkta
ångerbittert syndaväckta
bikter från mitt liv i dyn.

När jag lallar: "Jag har ött mig
sjuk och led på flickor, jag,
jag har levt som Leviatan
dag och natt och natt och dag,
jag har varit full på gatan,
jag har gjort en dam, som mött mig,
skamliga förslag",
blir hon röd och sorgsen bara,
säger bara: "Je bevara,
kan Ni inte låta bli
sånt med flickor, snälla rara
kära fina goda Ni!"

V.

Titta bort från det att jag är drucken,
titta bort från det att jag är kal,
kom ihåg, att när en nöt är sprucken,
finns dock kärnan i sprucket skal!

Låt oss låta du är odalisken,
som står fången på en hög altan,
och altanens balustrad är disken,
jag är prinsen av marsipan.

Hör du cittran, hör mitt vackra styckes
sång om sorg vid djärrankällans brädd,
flicka, vet, jag är ej den jag tyckes,
är förvandlad och går förklädd,

är en man, som kommit hit från Hellas,
och Narkissos är det namn jag bär,
i min egen spegel i en källas
mörka våg var jag fordom kär.

Mycket väsen har min kärlek vållat,
skogen fylldes av min klagolåt,
Afrodite har mig då förtrollat
till den stackarn du småler åt.

Ja, du ler, din själ är lik min egen,
den vill gråta, men den ler sin gråt,
låt oss följas åt, se här är stegen,
låt oss fly i kalifens båt.

VI.

Var välsignad, milda ömsinthet,
var välsignad åter,

du som allt förlåter,
fast allt uselt i mitt liv du vet.

Var välsignad du, som ej gav tröst
som en nåd från ovan,
men som kärleksgåvan
från en syndig fattig flickas bröst.

Du är vin för törst och bot för skam,
du är mat i svälten
på de magra fälten,
där min trötta levnad linkar fram.

VII.

Men drömmar äro drömmar,
och ord äro ord,
nu sitter du och sömmar
som förr vid ditt bord
och tittar genom fönstret
och tänker milda tankar,
mens vackert efter mönstret
sig blomsterslingan rankar.

Och ensam med mitt fula
mig själv i min kula
jag står förstämd och blickar
i spegelns glas som förr,
mig tycks en flicka nickar
i ögats öppna dörr,
i själva irisringen,
men strax så är det ingen.

Blott samma gamla Ego,
som icke kan betagas
och icke ändra sig,

om ock från himlen stego
en gammal gudasagas
kariter ned och nego
och liknade dig
och rodnande tego
och längtade tysta
i smyg att bli kyssta
av mig.

Ty jag är dömd att veva
mitt verspositiv,
och du är gjord att leva
ditt älskande liv,
det är som kärleksfrasen
mot smeket av handen,
som blommorna mot vasen,
som orden mot anden.

MEN.

Men att evigt krankt betrakta
sina sjuka drag och miner,
se, hur döden lömskt och sakta
härjar oss till grå ruiner,

det är pina utan ände,
spanska stövlar, hjul och stegel
— bäst att le åt sitt elände,
bäst att slå itu sin spegel.

Bäst att taga bördan på sig,
le åt åldern, som förtorkar
män till gubbar, bäst att slå sig
fram, så länge hoppet orkar!

275

Håna livet, när det hånar
kallt och hatfullt: vrid dig, sväng dig
undan ödet, håret grånar,
du är utnött, gå och häng dig!

FREDLÖS.

Jag drömmer att jag vandrar med påken i hand
förbi hela världen,
ser ängar och gärden
och hus invid vägarnes rand,
men har inget hem eller land.

Min kind är förfrusen och mörkröd och fnasig,
min byx är så trasig,
det glappar och glappar och slår, när jag går,
mustaschen så stelt som en skurborste hänger,
och ur mina känger
det pekar två smutsiga tår.

På stenar jag vilar, i gårdar jag tigger,
i lador jag ligger
för tack, det är billigast köp,
för mynten jag fått jag i krogarne super
mig full, så jag stuper
i sömn på den fläck, där jag söp.

Och skrovlig är basen
och dyster och rasen
av brännvin och hosta och hat,
men gör sig så spak, när jag jämrar och gnäller
så fromt, när det gäller
att tigga en skilling till mat

Jag strövar, jag vandrar, där ingen jag känner,
jag har inga vänner,
man ger att bli kvitt mig snart,
och intet är mitt utom påken och påsen
och dyrken till låsen
och flaskan med skvätten jag spart.

Och går jag förbi, där ett bröllop firats
och grindarna sirats
med slingor av björk och syren
och flocken av flickor i lönnlunden glammar
och under dess stammar
till kvälls dukas borden av sten,

jag tänker i drömmen: en gård och en kvinna
att koka och spinna
gott varmt åt en trött fattig fan,
en fäll och en säng, där en usling kan ligga
och slippa att tigga
vart mål, som en annars är van,

det kan en väl önska, men djävlar anamma,
det gör väl detsamma,
en föds och föröds, tills en dör.
Till gården hör husan och katten och kusken,
men slusken, men slusken
och tjuven är jämt utanför.

Och ont sticker blickarnas hätskhet ur lunden,
och argt gläfser hunden
åt grinden, där trött jag i drömmen står,
jag vänder mig långsamt åt vägen där ute,
jag drömmer mig önska, att åter jag sute
i häkte och nappade blår.

EN UPPSALAFLICKA.

Ett ungdomsminne.

"Hör på, kära vän, och skål, kära vän,
drick ur, kära vän", sa Fina,
"det goda en gjort, det får en igen,
för ont, som en gjort, får en pina,
månntro jag kan komma till himmelen än
precis som en laggift fru,
häll i, kära vän,
drick ur, kära vän,
hör på, vad tänker du?

Jag håller ju av och jag tycker ju om
varenda student, som jag känner,
om också vår hela studentkår kom,
jag höll dem väl alla för vänner,
när fästmör och systrar ge sjutton i dem,
för det de ej sköta sig,
då ha de ett hem,
då ha de ett hem,
då ha de ett hem hos mig.

Vackra Klas, som du såg, fina John, som du minns,
det är gossar, som duga", sa Fina,
"och den svarte Karl Filip, du vet, är en prins,
är en prins ibland gossarne mina,
och den långe, du kommer ihåg, vet du, den,
han är också så vacker och snäll,
men se du, kära vän,
men se du, kära vän,
är min älskade vän för i kväll.

Utan mig inga kyssar och sådant ni fått,
men fått hålla er stilla om natten

278

och fått griniga miner av mostrarna blott
och allsingen porter, men vatten
— se hos mig får en sjunga så mycket en vill,
och hos mig har vi bröllop var natt,
och jag bjuder ju till,
och jag bjuder ju till,
så studenterna ha litet glatt.

Det är vilt detta här och det går väl på tok
med oss alla studenter", sa Fina,
"men så blir en väl gammal och klok som en bok
och får sitta och sucka och grina,
tills en far upp till himla, jag tror inte än
att Gudfader är butter och snål,
vad tror du, kära vän,
och häll i, kära vän,
och drick ur, kära gosse, och skål!"

LYCKLANDSRESAN.

En skepparevisa.

När jag steg i land,
där druvorna lysa
på Lycklands strand
och flickorna mysa
på stranden i blomster och band,

go on, tänkte jag,
känn mynten i fickan,
i dag är i dag,
den vackraste flickan
om halsen och höfterna tag!

279

Hon gav mig en titt,
jag kom till ett näste,
där vin ficks fritt,
och vinlöv hon fäste
huldsaligt om huvudet mitt.

Och i mitt schatull
med tärningen lekte
jag Lycklands gull,
mens flickan mig smekte
så saligen ljuvlighetsfull.

Men bönderna där
i Lyckland trängde
mig riggen för när,
och tillhyggen svängde
de bönderna, bönderna där.

"Hej, leden är trång,
nu näven håll knuten
och taljan i gång,
se opp från kikuten,
ohoj, alle boys, kom along!"

Och ilsken och full
jag slog och jag spände
tre bönder ikull,
min käresta rände
åt skogs med mitt Lycklandsgull.

Det small och det ven,
de flängde mig sönder
med käppar och sten,
förbannade bönder,
de slogo mig halt i ett ben.

Så steg jag ombord,
men stödd på en krycka
och lappsalvsmord,
av Lycklands lycka
och viner och flickor förgjord.

Till sorg blir all glans,
och halt får en vanka
omkring efter dans,
ens vinlövsranka
blir hård som en hagtornskrans.

Men skål, alle boys,
gör fast alle trossar,
och skål, alle boys,
god natt, alle gossar,
nu går skeppar Lyckman till kojs!

TORBORG.

Dagningen växer och vägen svalkas
kylig i fukten av daggens dropp,
trampet av klapprande hovar nalkas
hastigt i trav och galopp.

Solen går upp, över skyarna svävar
skimret av morgonen rosenrött,
hultens och moarnas harar och rävar
sova i gömslena sött.

Endast de hastiga hovarnas klapper
slår genom tystnaden snabbt och ljutt,
medan en ekorre, skrämd, men tapper,
gör över vägen ett skutt.

Just vid svängen, där glimtarna sticka
sylar i skuggorna vasst och bjärt,
kommer en ridande ståtlig flicka,
hög om barmen och smärt.

Skummet stänker om betselstålen,
hårdare, tätare tyglen dras,
ond är flickan och trilsk är fålen,
bägge om makten tas.

Flicknäven hårt om spöt sig knyter,
medan hon ropar ett kärvt: "Du skall!"
Stramt om de präktiga höfterna flyter
ridkjolens plastiska fall.

Klatsch på klatsch och tyglarna lösa,
nu har hon väldet och nu bär det av,
skräckens och lydnadens andar fösa
hingsten framåt i trav.

Hövligt jag griper åt hattens brätten,
tagen av synens skönhetsmakt,
men med en flyktig blick åt lornjetten
ler hon med kallt förakt,

nickar kort, som hon tänkte: "Stackar,
närsynt och skallig som männen mest,
ynkryggar, krokryggar, tramp för klackar
åt valkyrior till häst!"

Hovarna dåna och släpet flyger,
synen försvann med den hast den kom,
ekorren tyst utmed grenarna smyger
fram för att se sig om.

Ja, jag har sett mig och läst mig, fröken,
närsynt i nattlivets svartkonstbok.

levat mig skallig i punschen och röken,
tryckts under usla ok,

lärt mig i tungsinnets ödsliga håla
livstumlets bubblande kittelkok,
vilja och mäkta, betvinga och tåla,
härda mig stark och klok.

Därföre orkar jag ostört njuta
sköldmögestalternas fägringsprakt,
ock när de hånfulla ögonen skjuta
hat eller kallt förakt.

Hemvers och vardagsvers

STRÖVTÅG I HEMBYGDEN.

I.

Det är skimmer i molnen och glitter i sjön,
det är ljus över stränder och näs
och omkring står den härliga skogen grön
bakom ängarnas gungande gräs.

Och med sommar och skönhet och skogsvindsackord
står min hembygd och hälsar mig glad,
var mig hälsad! — Men var är min faders gård,
det är tomt bakom lönnarnas rad.

Det är tomt, det är bränt, det är härjat och kalt,
där den låg, ligger berghällen bar,

men däröver går minnet med vinden svalt,
och det minnet är allt som är kvar.

Och det är som jag såge en gavel stå vit
och ett fönster stå öppet däri,
som piano det ljöd och en munter bit
av en visa med käck melodi.

Och det är som det vore min faders röst,
när han ännu var lycklig och ung,
innan sången blev tyst i hans dödssjuka bröst
och hans levnad blev sorgsen och tung.

Det är tomt, det är bränt, jag vill lägga mig ned
invid sjön för att höra hans tal
om det gamla, som gått, medan tiden led,
om det gamla i Alsterns dal.

Och sitt sorgsna och sorlande svar han slår,
men så svagt som det blott vore drömt:
"Det är kastat för vind sedan tjugu år,
det är dött och begravet och glömt.

Där du kära gestalter och syner minns,
där står tomheten öde och kal,
och min eviga vaggsång är allt som finns
av det gamla i Alsterns dal."

II.

Och här är dungen, där göken gol,
små töser sprungo här
med bara fötter och trasig kjol
att plocka dungens bär,
och här var det skugga och här var sol
och här var det gott om nattviol,

den dungen är mig kär,
min barndom susar där.

III.

Här är stigen trängre, här är vildskog,
här går sagans vallgång vild och lös,
här är stenen kastad av ett bergtroll
mot en kristmunk långt i hedenhös.

Här är Vargens gård av ris och stenrös,
här ljöd Vargens tjutröst gäll och dolsk,
här satt Ulva lilla, Vargens dotter,
ludenbarmad, vanvettsögd och trolsk.

Här går vägen fram till Lyckolandet,
den är lång och trång och stängd av snår,
ingen knipslug mästerkatt i stövlor
finns att visa oss, hur vägen går.

IV.

Kung Liljekonvalje av dungen,
kung Liljekonvalje är vit som snö,
nu sörjer unga kungen
prinsessan Liljekonvaljemö.

Kung Liljekonvalje han sänker
sitt sorgsna huvud så tungt och vekt,
och silverhjälmen blänker
i sommarskymningen blekt.

Kring bårens spindelvävar
från rökelsekaren med blomsterstoft

en virak sakta svävar,
all skogen är full av doft.

Från björkens gungande krona,
från vindens vaggande gröna hus
små sorgevisor tona,
all skogen är uppfylld av sus.

Det susar ett bud genom dälden
om kungssorg bland viskande blad,
i skogens vida välden
från liljekonvaljernas huvudstad.

ETT GAMMALT FÖRMAK.

Jag minns ett gammalt lågt gemak
med mörknad rämnig gips i tak.
Och dovt från kvarn och såg vid ån
hörs hjulens brus och forsens dån.
Och gammaldags är möbelns snitt
och bukigt bred och dryg,
med svängda ben i guld och vitt
och blommigt övertyg.

Ur hörnet stirrar skum och svart
i brons en byst av Bonaparte.
Från vägg till vägg hans vita ham
i bleka stålstick rider fram
vid Austerlitz, i Jenas slag,
vid Berezinas bro,
från segertåg till nederlag
på väg till Waterloo.

En dammigtvit Karl-Johans-byst
fixerar kejsarn stelt och tyst.
Den långa näsan pekar djärvt,
den strama läppen tiger kärvt,
beredd att plötsligt slunga ut
i brusande kaskad
vulkaniskt hett om en minut
en våldsam gascognad.

Ett gammalt skåp av masurbjörk
med tung skulptur, massiv och mörk,
bär romantikens dikt i famn,
och rygg vid rygg och namn vid namn
står Atterbom med stab och här,
Tegnér är med som gäst,
och Sarons liljeskald är där
och Törnroslärans präst.

En fluga surrar av och till,
men urets pendelknäpp står still,
sitt kvalm jasminers ånga strör
ifrån buskagen utanför,
och starkt slår doften ur en vas
från torra törnrosblad,
det blänker svagt ur slipat glas
i kronans prismors rad.

Och årbräckt mellan fönstren står
klaveret stumt sen sexti år,
men framför på dess nötta stol
jag drömmer fram i korngul kjol
och korkskruvslock och spetsfischy
en faster av min mor,
som blek orange är hennes hy
och blicken mörk och stor.

Och trånsjuk som en vallmodröm
hon sjunger sången vek och öm,
mens nacken vaggar av och an,
med kärleksord från Ispahan,
om Bulbul och Papilio
och om violers sorg,
om rosenkval och liljero
i Demiurgens borg.

Av ambrarök och saronsdoft
och fjärilsfjun och blomsterstoft,
törnroseri och oförnuft
jag känner fylld gemakets luft;
på fin och lätt och liten tå
framsmyga feer små,
och andevaktlar hör jag slå
från varje vinkelvrå.

SAGOFÖRTÄLJERSKAN.

Och minns du Ali Baba
och minns du vår gröna
syrengrotta, lummig och sval,
där mörk som den sköna
sultanan av Saba
och brunögd och spenslig och smal,
du satt och förtalde
en saga, du valde
bland en tusen en nätters tal?

Och kjolen av siden,
du ärvde bland arven
från mormors dagar,
var mjuk såsom råsilkegarn,

en slik, som med tiden
man ändrar och lagar
med klippet och skarven
åt döttrar och döttrarnas barn.

Och gott var att luta
sitt huvud mot silket
och njuta var beta
av sagornas bröd i vart ord
som sparvarna njuta
vid neket, på vilket
det bästa de veta
är satt som på gästabudsbord.

Och minns du Ali Baba
och andarne och fasan
och undren och värmen
i öknarnes brännande sand,
och minns du Abu Hasan
med toffeln i ärmen,
du drottning av Saba
och Bagdad och Wak-Wak-land?

SLÄKTVISAN.

Liljavit och rosa,
till bot styr sin kosa
vart bi,
sommarn är så unger,
hela släkta sjunger
samma melodi,
kära, kära ni.

Allihopa ropa:
"kära, kära ni,
vi, vi, vi,
vi ska hålla hopa!"

*

Snögen faller tunger,
räven går i hunger,
och ulven ger tjut.
Släkta brukar truten
mot släkta: "släng ut'en
och ställ'en bakom knuten,
gå ut, ut, ut!"

"För var och en har sitt, du,
och var och en för sej
och dej, dej, dej,
dej håller jag från mitt, du!"

Släkta går och gnatar
och hotar och hatar,
processar och spar,
för släkta bär det utför,
den ene är det slut för,
den andre köper krut för
det sista han har
att ända sina dar.

Släkta går och lider,
mens året det skrider
mot sommaretider
och lövgrön maj,
aj, aj, aj,
i hjärtat, i hjärtat det svider!

*

Rosarö och lilja,
och sorg är att skilja
en ros från sin rosendegren,
sommarn är så fager,
hela släkta drager
i sommarns ljusa sken
till gårds i hemallén.

Släkta står på trappa
och släkta vill klappa
släktas rock och kappa,
kära, kära ni,
hela släkta gråter:
och välkomna åter,
kära, kära ni!

Allihopa ropa:
"Kära, kära ni,
vi, vi, vi,
vi ska hålla hopa!"

EN VÅRFÄSTMÖ.

(Om jag hade haft någon.)

Det var den glans av solen,
en majdagsmorgon giver,
om hennes bara hår,
ett vårens vaj i kjolen
av törnroshäck, som kliver,
och vit syren, som går.

Och hon var het om kinden
av gången och av vinden

och badet som hon fått sig
av kalk och lut i grannars
kikut i glugg och dörr,
och blyg men ändå trotsig
och rödare än annars
och vackrare än förr.

Och ögats djärva gnista
bar bud om allt det varma
som spränger alla band,
när alla knoppar brista
och alla bäckar larma
i kvinnosjälens land.

Det var som hela våren
med lärkorna i täten
och sipporna i spåren
och snabb och glad i fjäten
drog ut att fånga mig
och kysste mig och lade
sitt bröst mot mitt och sade:
"Håll av mig, var när mig
och tag mig och bär mig
nu strax hem till dig!"

ETT GAMMALT BERGTROLL.

Det lider allt emot kvälls nu,
och det är allt mörk svart natt snart,
jag skulle allt dra till fjälls nu,
men här i daln är det allt bra rart.

På fjällets vidd där all storm snor
är det så ödsligt och tomt och kallt,

det är så trevsamt där folk bor,
och i en dal är så skönt grönt allt.

Och tänk den fagra prinsessan,
som gick förbi här i jåns
och hade lengult om hjässan,
hon vore allt mat för måns.

Det andra småbyket viker
och pekar finger från långt tryggt håll,
det flyr ur vägen och skriker:
tvi vale för stort styggt troll!

Men hon var vänögd och mildögd
och såg milt på mig, gamle klumpkloss,
fast jag är ondögd och vildögd
och allt vänt flyktar bort från oss.

Jag ville klapp'na och kyss'na,
fast jag har allt en för ful trut,
jag ville vagg'na och vyss'na
och säga: tu lu, lilla sötsnut!

Och i en säck vill jag stopp'na
och ta'na med hem till julmat,
och sen så äter jag opp'na,
fint lagad på guldfat.

Men hum, hum, jag är allt bra dum,
vem skulle sen titta milt och gott,
en tocken dumjöns jag är, hum, hum,
ett tocke dumt huvud jag fått.

Det kristenbarnet får vara,
för vi troll, vi är troll, vi,
och äta opp'na, den rara,
kan en väl knappt låta bli.

Men nog så vill en väl gråta,
när en är ensam och ond och dum,
fast litet lär det väl båta,
jag får väl allt drumla hem nu, hum, hum!

JÄGAR MALMS HUSTRUR.

I.

Han steg in och han sade: "God kväll,
kära far, kära mor, tack för sist!
Och han satte sig ned på spisens häll,
han var mager av vandring och brist.

Vid hans fot låg hans bössa och jägaredon
och en klunga av vilt ifrån heden och mon
och en vidvingad tjäder han lyfte vid klon:
"Tag emot, det är tacken för sist!"

Ifrån elden det flammade rött
över jägarens mörka gestalt,
medan moran skar stycken av kött
och av korv och av skinka och palt.

"Han är trött, han har gått sina modiga fjät,
sätt sig till, tag sig för, håll till godo och ät,
och en sup skall han ha, tacka näcken för det,
det är bistert där ute och kallt!"

Gamla mormor, som tvinnade garn,
lät den surrande spinnrocken stå,
och omkring stodo jäntor och barn,
för att höra, hur Malmen gick på.

Men han var ej så lustig som annars han är,
och han sjöng inga visor, som sist han var här,
han var mulen och tyst, han var butter och tvär,
och han ljög ej så muntert som då.

II.

"Hör nu, Malmen", sade moran,
   "var är flickan, som du hade
här om sistens till att draga
allt ditt gods av vilt och skinn,
hon, den stackarn, som du sade
vara hustru din?

Hon var skygg som skogens hare,
   men hon följde dig i hälen
som en jakthund följer husbond,
som din häst ditt lass hon drog,
slita fick den trogna själen
nog och mer än nog."

"Är det Britt-Lis som I menar,
   hon fick stryk, tills hon blev trogen,
eller Marja eller Kersti,
jag har många hustrur jag,
och mitt bröllop står i skogen
mest varannan dag.

När jag kom från Älvdalskanten,
   över Vitsand högt i fjället,
satt där en som grät och sade:
'Käre Malm, stig in, stig in!'
När jag närmre såg på skrället,
var det hustru min.

Och min sista koppardaler
	gav jag konan i föräring,
och jag sade: 'Vill du hava
mera sen, så tigg och stjäl,
torka dig i synen, käring,
jag har brått, farväl!'

Och när jag kom ner till Fryken,
	stod en flicka där, som bar sin
dibarnsbyting i en trasa,
och hon skrek åt ungen sin:
'Gulle lelle, titt på far sin',
det var hustru min.

Och åt Rottnen till på höjden
	långt åt skogs vid Mällafalla,
kom två kvinnfolk och en barnskock,
då, vet moran, blev jag flat,
alla gräto de och alla
tiggde de om mat.

Alltihop, så var det fantfolk
	av den allra värsta välta,
svarta kvinnfolk, svarta ungar,
och mitt svar till alla var:
'Är du hungrig, får du svälta,
så gör alltid far!' "

"Malmen skarvar", sade moran,
	"ja, nu skarvar du igen, som
du är van om dina kvinnfolk,
sant en bit, med lögn en bit,
men hör på, var har du den, som
sist var med dig hit?"

"Ja, jag ljög väl", sade Malmen
	och hans uppsyn blev en annan,

och han stirrade i elden
och blev stel och blek med ett,
och han tog sig över pannan,
som en syn han sett.

"Men om I vill höra sant, som
    varken skarvar eller klipper
om min sista lilla hustru,
Eli-lita, skall I få,
den som inte tror, han slipper,
det är sant ändå.

Det är sant, hon var min jakthund,
    som slet ont för mjöl och vatten,
och min magra lilla märr, som
drog mitt lass och svalt och frös,
och min sängkamrat om natten
och min kära tös.

Allt hon gjorde för mig, allting
    gott och snällt och vänt hon gav mig,
sade aldrig ont emot mig,
och ju mera hård jag var,
desto mera höll hon av mig,
det var Elis svar.

Men I vet väl, hur det går en,
    och I vet, vad den får tåla,
som en likar mest av alla,
allt en får och allt en tar,
och det går en som de snåla,
det blir inget kvar.

Har I följt ett stackars skjutet
    fattigt rådjurskräk i spåren,
har I sett, hur milt det tittar,
fastän sårat och förblött,

hur det sörjer och förstår en
och med ett är dött?

Det var så som Eli-lita
        såg på mig, när sist om hösten
hon med ett sjönk ned på stigen
häftigt som hon gick och stod,
och det rosslade i rösten,
och ur mun kom blod.

Och när blodet frusat länge
        och det sen begynte stillna,
var hon vit som kalk i synen,
där hon ej av blod var röd,
när jag ville tala till'na,
var hon redan död.

Jag har lagt'na under roten
        av en tall i ödemarken,
det är bara mull och mossa,
ris och barr på Elis grav,
men jag skar ett kors i barken
och en namnbokstav.

Men det där är längesedan,
        och att någon för en flicka
går och sörjer lungsot på sig,
det är bara käringsnack,
giv mig något starkt att dricka,
skål och tack!"

LELLE KARL-JOHAN.

"Lelle Karl-Johan
han skall ni tro, han
brås allt på mej och är from som ett lamm,
klok är han även,
snyter sig i näven
redan som far sin, Karl-Johan, kom fram!

Se, hur han bockar sig,
se, hur det lockar sig
vänt över skulten på lelle Karl-Johan,
jojo, må tro, han
vet allt att vara med folk minsann,
bibliskan kan han
mest som en annan
prost eller präst eller klockare kan.

Säj mej, Karl-Johan, vad lovade Mosen
— tork dej om nosen —
Israels barn, som han förde ur Gosen,
om en vill hedra sin far och mor?

Nu skall ni höra, att lelle Karl-Johan
allt blir en präst, när Karl-Johan blir stor",
— sade och smekte sin lelle Karl-Johan
mor till Karl-Johan,
men tänk, vill ni tro, han
svor
sturigt och lett: "Jag gir jäkel i mor!"

HÄRJARINNOR.

Den ena heter Elsa, den andra heter Greta,
och alltför väl de veta
sin segersälla makt över mig.
De komma och försvinna som vilda små orkaner,
de härja mig, de kuva mig som goter och alaner,
de lägga mig platt öde med sitt krig.

Ty Greta hon har ögon, som smila och tigga,
illpariga, pigga
av skälmskhet och lust på konfekt,
och läppar som beständigt vilja gnabbas och retas,
det finnes inga läppar så lustiga som Gretas,
de morska sig, de truta sig så käckt.

Och Elsa hon har ögon, troskyldiga stora,
som aldrig förlora
sitt understuckna bakelsebegär,
och läpparna de röra sig så allvarsamma sluga,
de tala så bevisande sant, när de ljuga
av längtan efter äpplen och bär.

Och bägge ha de fötter och ben, som galoppa
och valsa och hoppa
behagfullt i strumpor och skor,
och bägge gå i dans, så det svingar och svävar,
och bägge ha små arga och smeksamma nävar
och naglar som de bruka till klor.

De klösa mig, de håna mig, de le, så de kikna,
och vackert de likna
gud Amor i byxtöskjol,
och äro de alaner, är det nätta små alaner,
och äro de orkaner, är det lätta små orkaner
i morgonluft och skinande sol.

Och går jag och funderar på gatan i staden,
det nyper mig i vaden,
det rycker mig i rocken med ett,
det sysslar så besynnerligt lömskt kring min ficka,
förargad får jag fatt i en hand av en flicka,
den minsta och näpnaste jag sett.

Då höjer sig ett härskri och Elsa och Greta
och åtta små feta,
försmädliga prinsessor därtill,
som fritt och förvildat från läxorna skolka,
på gatan dansa schottisch och hopsa och polka
kring mig, som förbluffad står still.

Sen blåses det till anfall och klappas och smekes
och nypes och lekes
att jag är en stor millionär,
som äger alla pengar i hela Europa,
de gadda sig tillsammans, de skrika allihopa:
"Hos trädgårdsmästar Lind finns det bär!"

Jag kämpar som en man, men alanerna vinna,
de skratta och försvinna
vid hörnet som en virvlande vind
och lämna mig förarmad och skövlad och slagen,
och skynda sig att äta sig fördärvade i magen
av körsbär hos trädgårdsmästar Lind.

Och ligger jag och drar mig där hemma på schäslongen,
då tassar det i gången,
jag lyssnar och jag undrar, vad det är,
och dörren springer upp, jag är snarad och fången,
jag kämpar och jag brottas, men ingen håller stången
mot hela alanernas här.

De kravla och de klättra, de hålla mig förlamad
och nupen och kramad

och pinad på sträckbänken sträckt,
tills pengar kommer fram, så att Greta och Elsa
och hela deras här få förstöra sin hälsa
hos sockerbagar Smitt på konfekt.

Så går det mig var dag, och min kassa börjar tryta,
ty slantarna flyta
ur pungen min i många bäckar små,
och vägrar jag att giva och vänder dem ryggen,
då göra de grimas åt den småsnåle styggen
och näpsa mig och släppa mig och gå.

Men hålla de sig undan och fred mig beredes,
då ligger jag och ledes
vid böckernas livlösa ord,
då tänker jag med vemod på striderna de heta,
då längtar jag förstulet efter Elsa och Greta
och hela alanernas hord.

EN BALFANTASI.

Min tanke på rytmerna flyter,
min själ är som drucken av nektar,
jag drömmer mig grekiska myter
i virveln, där valsvinden fläktar,
där tyllvågen böljar och går
och silket i bränningar slår.

Jag drömmer om vindarnas röster
av storm i en stormens orkester
en morgon, när ljust är i öster,
men döende skumt är i väster,
jag drömmer en forntida vik
i dans efter stormens musik.

Ægeiska havsvågor slunga
sitt silverne skum genom rummet,
och svalt nereiderna gunga
de stoltsköna lemmar i skummet,
de vila, de vagga omkring
i gungande, skvalpande ring.

Och vitt lyser stänket om barmen,
och droppar i lockarna glimma,
tritoner slå flämtande armen
kring midjornas fylle och simma
åstad under brottning och skratt
i krets med sin rövade skatt.

Då lyfter högt strålande Eos
i skyn sina rosiga vingar,
och hör, Hymené, Hymenéos!
ur djupet av vågorna klingar
ett glädjebebådande bud,
en chorus av glättiga ljud.

Och skrattet, som skallade, tiger
i skräck för den växande glansen
och mäktig ur böljorna stiger
den Böljeskumborna i dansen,
det är som var vind och våg
blev mild, när han fägringen såg.

Hon bär som ett lysande skimmer
av sol ifrån hjässan till tårna,
och allting som lever förnimmer
med kärlek den Böljeskumborna,
det är som en hyllningens sång
i vindens och böljornas gång.

MARQUIS DE MOI-MÊME.

"Man kan se, att just supén är slutad,
man blir mätt och dum,
se herr skalden där i stolen lutad
egenkär och stum.
Gud så högst allsmäktig,
man blir rent andäktig,
tänk, så karlen gör sig dumt förnäm
— Marquis de Moi-Même!"

Så ljöd jollret från en fru bakom mig,
halvt det roade och halvt bekom mig
litet ont, jag gjorde om min min
till lord Byron eller Lamartine
och jag sade för mig själv: "God dag,
den marqui'en den skall vara jag",
och jag lade nobelt mina armar
djuputlevat ned mot stolens karmar,
teatraliskt, skaldiskt slapptförnäm
— Marquis de Moi-Même.

Och jag drömde om mitt markisat
och min ungdoms borg med brustna tinnen,
min domän av sten och flyn och mossar,
mina arma gamla glädjeminnen
från den tid, då hoppets flamma blossar
över livets taffels fyllda fat.

Och jag tänkte: "Det är litet kvar,
alltför litet, alltför stackars litet,
av det markisat som en gång var,
allt mitt vilt är utött och förbitet
av allt hundfördömt, som livet har,
och mitt väsens sansculotter härja
all min ägo, det är svårt att värja

304

mot Dantons och Robespierres system
Marquis de Moi-Même."

Två glädjedikter

EN MORGONDRÖM

I.

Jag sov och jag drömde
Om Ariens land,
där solguden tömde
med givmild hand
kring allt överallt i en lycklig ängd,
som sedan vulkaniskt vart bränd och sprängd,
sitt liv, sina håvors mängd.

Jag drömde om aplar i mäktiga hag
kring urskogens väldiga vattendrag,
om körbärsdungar och vinbärssnår
kring floden, som enslig i dälden går,
om vete, som självsått ur jorden stiger
i ödemarksdalen, där allting tiger,
om humle, som klänger och slingrar sig fram
i skogens tystnad från stam till stam.

Och ängar sig breda
kring bäckars fall,
där herdarna leda
sin hjord i vall,
när kvällen sin dagg över landet strör,

vid lidren med byttor till mjölk och smör
stå väntande hustrur och mör.

Och mannen är stark och kvinnan vek
och ungdomen yster och vig i lek,
ett naket folk, för stolt för ok,
för rent för dräkternas skökodok.
Men skymtar det stundom bland flickornas flockar
ett mångfärgat kläde om höfter och lockar,
det är för att göra sig särskilt grann
och vacker och kär för en älskad man.

Vid viken, vid kröken,
som älven slår,
den stigande röken
ur tjällen går,
där syssla i ro med de yngsta små,
som lipa och le, där de tulta och gå,
de gamle, de silvergrå.

Men högt på en klippa i frihet och ljus
och högt över töcknen är konungens hus,
på vidden och branterna runtomkring
vid midsommartid hålles folkets ting,
och konungen dömer från domarestolen
och tänker för folket och talar med solen,
och solen sår ned sina gudomssvar
om allt som skall bliva och är och var.

II.

Där strövar i skogen en fri ung man
och ingen är fri ung man som han,
hans blod är en störtsjö i vårstormstider,
hans trots önskar strider
och allt vill han fresta och allt han kan.

Den säkraste brottarn och måttarn
han prövar med näven och lansen
och kysser, när rast är i dansen,
de vackraste flickorna fritt
i vredgade friares mitt.

Jag såg i min dröm, hur hans gång var glad,
hur allt, när han strövade muntert åstad,
bar skick av en fri ung man,
hur hemlighetsfullt, det om läpparne log,
som visste han nog
att gudarnas ättling
och älskling och like var han.

Han strövar med glättiga fjät framåt
på skogens vilda stråt,
han stannar och ler åt små kryp,
som måtta åt tån med ett nyp,
han gäckas med gökar, han retas med trastar,
han följer för ro skull ett spår,
på hällen han vilar, vid tjärnet han rastar
att se på en fisk som slår,
han faller på knä invid randen
och ligger och dricker ur handen.

Jag såg i min dröm, hur hans blick blev klar
av glädje åt bilden, som vattnet bar,
den visade gudarnas ättling,
hur manvuxet vacker han var.

III.

Fina fötter, nätta små,
kliva långt och slugt på tå,
än de skynda, än de väja,
knätt och kny, för ljud och speja,

om ej någon hörde små
fina, nätta fötter gå.

Kny och knätt, nu le och lura
glada ögon bak en stam,
och en flickas axlar kura
sig ihop som rädda lamm
och försiktigt förtänksam
smyger hon sig fram.

IV.

Och med ett som en vind
stryker flickans arm över jägarens kind
och har täckt honom ögonen till,
och hon ler åt sin fånge, haha och hihi,
han kan inte bli fri,
han må sträva så mycket han vill.

"Stackars Dum och Egenkär
där,
kan du gissa vem det här
är?"

Och hon kniper och drar
och hon rycker och slår för att frampressa svar
och att skrämma den älskade rädd,
och hon plågar och pinar hans rygg med sitt ben,
men den pinan är len
som ett smek på en kärleksbädd.

Blint han kämpar att bli lös,
trevar, gissar: "Nyp och Klös
är ditt namn och Udd och Sticka,
Riv och Ryck och — släpp mig, flicka!"

Och med ett med ett skratt
blev han fri, sprang han upp, fick han flickan fatt
och han drog henne tätt
mot sin mun för att kyssa sig munnen mätt,

och hon klängde sig fast,
och hon snyftade till och i gråt hon brast,
och hon sökte hans blick,
och en glimt av hans innersta själ hon fick.

Och som knoppen av Ariens ros en vår
sina skylande blad från pistillerna slår
inför sol, inför vindar och frön
låg hon naket och utslaget skön
och med vittskilda knän och med skälvande sköte
var den älskades åtrå i möte.

V.

Själ i flamma, blod i dans,
han var hennes, hon var hans,
han blev hon, hon blev han,
ett och allt och tvenne,
när hans unga makt av man
trängde in i henne.

Och med huvudet bakåt i kyssande böjt
och med skötet mot famnaren höjt
drack hon livets och kärlekens yppersta drick
i var störtvåg, hon fick
av hans livseldsaft,
i var gnista, som gick
av hans kraft.

Och som samma andedrag,
samma puls och hjärteslag
själ vid själ i samma kropp

sammanhöll,
steg och föll
rytmens ned och opp,
mot och in och från,
tills med ens en stråle sköt
ur hans liv och livsvarmt göt
faderkraft i moderfröt
och som två förenta floder
ström av fader, ström av moder
blevo ett i son.

VI.

Och som hjärtblad i en blomsterskida,
heltförenta nyss, när skidan brast,
än vid sömnen hålla troget fast,
höft vid höft och sida invid sida,
syskonkärligt lågo hon och han
ännu flämtande och ännu röda
av sin kärleks första bråda möda
tätt med armen knuten om varann.

Men med ljuset, som i rymden flammar
av den evigtklara lyckans rike,
kom lycksalighet som sändebud,
milt välsignande från ljusets gud
likt en solglimt mellan skogens stammar
över gudens sons och dotters like,
mänskosonen och hans brud.

GUDARNE DANSA.

Vi glädjas de helige gudar, vi draga
de åldrige vise sin värld att behaga
på nytt som i urtidens domnade saga
med guldkar och harpor och cittror och kransar
i festliga dansar
och sol kring Elysiens fält?

För länge i svarta och skrämmande skrudar
de suttit och sått som fördömande gudar
sitt hot kring de dödliges tält,
för titt kom det skallande skräckbudet "fall ej",
för titt hade dånet av domsordet "skall ej"
i åskor från höjderna skrällt.

Den eviga lustan att önska försvann ej,
och evigt fientligt kom "vill ej" och "kan ej",
"jag vill ej, jag kan ej, jag skall ej försaka"
i vilda förtvivlade ekon tillbaka
ur Orciska djup att Elysium skaka,
förbannande, skränande gällt.

För rikt i vart träd hängde frukten förbjuden
att fresta till brott emot gudomsbuden,
än prålande fräckt i den varmtröda huden,
än hycklande oskyldigt skär.
Se mannen är man, se kvinnan är kvinna,
av törst efter famntagens lust de betagas,
de dåras, de dragas,
de rodna, de brinna,
av trotsiga sinnens begär.
Och brott väckte brott, och så hopades brotten,
och släkten och folk sjönko dömda till botten
av Orcus, där dödskvalet är.

Och gudarne själva att icke förföra
ej vågade längre ambrosian röra,
ej nektarpokalernas rand.
Och gudarnes lycka blev gömd under haven,
föryngringens dryck blev i bergen begraven
på vinken av Åskarens hand.

Och åren förrunno, och seklerna gingo,
och kval var den föda, som gudarne fingo,
och ålderdom blev deras dryck.
De stapplade årbräckta kring vid sin krycka
i törst efter ungdom och svält efter lycka
och böjda av sorgernas tryck.
Och pestens och febrarnes skydrag drogo
hän över de fält, som i solsken logo
av hälsa och liv och vår,
och pesten förödde, och febrarne slogo,
och många odödlige dogo
av hemska spetälska sår.
Och solarnes värme begynte att mattas,
och födandets livssaft begynte att fattas
till sist i vart avlande grand,
all glädje försvann från Elysiens lunder,
all skönhet, all frihet, all kärlek gick under
i gudars och människors land.

Gudarne dansa, gudarne dansa,
högtidligt de dansa och tågande kransa
sin tinning med vinranksblad,
i takt gunga skäggen, de grånade sida,
i takt fladdra mantlarne vita och vida,
och starkt dånar harpa, och högt klingar cittra,
strängarna glittra, strängarna glittra
i tågande, dansande rad.

Vid gudarnes sida
gå grånade blida

312

gudinnor, som kärligen le och kredensa
ur skinande gyllene kar
i ädelstensmuggar, som tindra och glänsa,
föryngringens dryck åt envar.
Högtidligt i dans kring Elysiens slätter
fullbordas den fest, som i grubblande nätter,
till lärdom och tröst för de skapades ätter,
beslutats i gudarnes råd.
De skapade undra och fröjdas och dricka,
gudarne nicka, gudarne nicka
åt alla i huldhet och nåd.

Ur kung Eriks visor

EN VISA

OM NÄR JAG VAR LUSTIG MED WELAM WELAMSSON
PÅ UPPSALAHUS OCH ÄRKEBISKOP LARS OCH
DOKTOR BENGT VORO UTANFÖR OCH VÄNTADE.

Klunkom, Welam Welamsson,
klunkom, Welam Welamsson,
si ormen är tagen
och glädjen är stor,
i länkar är han slagen
och väntar domedagen
i burn, där han bor,
klunkom, Welam Zelamsson,
gudlov vi have Sturen
instoppad i buren!

313

Klunkom, Welam Welamsson,
klunkom, Welam Welamsson,
herr Larses postillor
vi vele giva Hin,
och så herr Bengtses brillor,
låt kalla våra frillor
från staden hitin,
klunkom, Welam Welamsson,
låt fylla mer i stopen
att läska frillohopen!

Klunkom, Welam Welamsson,
klunkom, Welam Welamsson,
vår tid vi vele öda
med dryckjom och svir,
så drickom oss röda,
så drickom oss döda
i gott Malvasir,
klunkom, Welam Welamsson,
och blomstrom och blommom,
åt Hecklom vi kommom.

EN VISA

OM MIG OCH NARREN HERKULES.

Knäpp gitarren,
strängen slå,
vem är narren,
vem är narren,
av oss två?

Jag är narren,
du är kung,

knäpp gitarren,
knäpp gitarren,
sjung!

Rör på strängen,
det är vår,
glad på ängen,
glad på ängen
blomman står.

Över ljungen
står en tall
högst i dungen,
högst i dungen
all.

Hög på hästen
red en kung
upp till festen,
sprang av hästen
ung,

tog, du dansens
giga hör,
kyss av landsens,
kyss av landsens
mör.

Hör du strängens
hårda skorr,
nu är ängens,
nu är ängens
blomma torr.

Storm kring branten,
tallen brast,
hör diskanten,

hör diskanten
viner vasst.

Knäpp gitarren,
vilt i ring
virvla barren,
virvla barren
kring.

Trött och sprungen
är gitarrn,
nu är kungen,
nu är kungen
narrn.

Hör gitarrens
brustna röst,
det är narrens,
det är narrens
tröst.

EN VISA TILL KARIN

NÄR HON HADE DANSAT.

Av ädla blomster vill jag linda
en slinga kring min käras hår,
av kära minnen vill jag binda
en krans åt dig för ålderns år.

Med mina händer vill jag vira
den kringom den jag haver kär,
ditt gråa hår skall kransen sira
ännu, när jag ej mera är.

Si däjelig och ung i dansen
min kära är, men icke glad
— så är en tagg i denna kransen
och gift i dessa blommors blad.

Jag ser en droppe blod, som stänker
av kransen kring min käras hår,
så är ett kval i allt jag skänker,
min skänk gör ont, min krans ger sår.

EN VISA TILL KARIN

UR FÄNGELSET.

Mät mig ej med mått, men vät mig med tårar,
en dåre är jag vorden, en dåre ibland dårar.

Skön var min krona och härligt var mitt rike,
jag haver varit konung och kejsarens like.

I spillror är mitt rike, i stycken är min krona,
i fängelsets mörker mitt brott vill jag sona.

Jag tjänades troget av vänner och fränder,
se frändernas blod förmörkar mina händer.

Troget gick i striden mitt folk för min ära,
i nöd fick det trohetens skördar uppskära.

Döttrar av mitt folk gingo fagra på torgen,
jag förde dem upp till att skändas i borgen.

Sist grep jag efter dig för att finna sista trösten,
våren skulle skövlas att skänka liv åt hösten.

Titt över mig har du bittra tårar gjutit,
mät mig ej med mått, förlåt vad jag brutit.

Drömvers

SI DRÖMMAREN KOMMER DÄR.

Si drömmaren kommer där,
sitt huvud mot bröstet sänkt han bär.

På ensliga stigar vill drömmaren vandra
och är icke lik oss andra.

Han drömmer drömmar, som hädiskt ljuga,
att sol och måne och stjärnor för honom buga.

Han är vår faders käraste son,
kommer och låter oss slå'n!

PRINS ALADIN AV LAMPAN.

Prins Aladin av Lampan
har ingen lampa kvar,
han trevar under manteln,
där lampan var,
han söker efter Ringen,
men ringen finner ingen,
som inga ringar har.
Prins Aladin den Store

har tappat sitt förnuft
och trevar blint i luft.

Han manar ur det vida:
"Kom, feslottet mitt,
med pärlor och rubiner
i salen, som skiner
av guld och av vitt!
I andar, I gören
er plikt och er flit,
I fören mig, I fören
prinsessan Belbrududur,
den månemilda, hit!"

Så raglar framåt gatan,
där trängseln är stor,
prins Aladin i trasor
och trasiga skor:
"Se fånen, hör på fånen,
den galne skräddarsonen,
ni vet, ni vet han tror,
han är sultanens bror!"

— I skräddare och tiggare,
I kännen icke anden,
man gör en vink med handen
och ropar sakta blott:
Kom slott, kom slott, kom slott!
Han ser åt himlaranden,
han spanar efter anden,
han väntar på sitt slott,
då småler folket smått:
"Ditt slott är allt i månen,
se fånen, se fånen!"

Ack, den som ägt om Lampan
har aldrig mera ro,

och den som burit Ringen
vill aldrig mera tro,
att icke undertingen
från fordom äro kvar,
fast villorna bedraga
och tvivel honom gnaga
och inga ting han har.

Ty Lampan, det är skaparkraft,
som gör till makt en man,
och Ringen, det är troskraft,
som allting kan.

DET BORDE VARIT STJÄRNOR.

Det borde varit stjärnor att smycka ditt änne
som länkar och spänne
och stråldiadem om ditt hår,
där silverljusa skira och svagtgyllne bleka
små strimmor sågos leka
likt strimmor, dem ett norrsken i kvällrymden sår.

Din fot var späd och liten, din vrist var fin och
                              spenslig,
din väg var så enslig,
och blygtförnäm och skygg var din gång,
du liknade de syner, som drömmarna väva,
de lysa och sväva,
och stjärnor de bära om håren till spång.

I skimret om din panna var sorgen och musiken,
men frusen, besviken
av toner, din visa på läpparne låg,
Din växt var full av gratie, men aldrig fick den följa

sitt väsen att bölja
med frigjort behag i var linjevåg.

Ditt huvud höll du lutat som säven för vinden,
och blek var du om kinden
som blekaste blomst som i skogsmon står,
men mörka som en kvällhimmel ögonen sågo
mot länder, som lågo
för fjärran och skumt för en blick som vår.

Och alltid jag förnam det förpinade ljuset,
det slocknande suset
av gudom, som dör i din blick, i din röst.
Du var mig som en sångmö, som blott vågar viska,
för sjuk bland de friska,
för vek bland de starka med vittvälvt bröst.

Jag tänkte: "Du är rik i att älska och svärma,
att fostra och värma
all skönhet, all kärlek, allt ljus i din själ.
Vad båtar dig din rikedom? — till skam skall den
vändas
och trampas och skändas
som skogens viol av en stigmanshäl."

"I träldom och förnedring din rygg skall du kröka
som slav och som sköka
en gång för din kärleks och vekhets skull.
Ty det, som drömmer vackrast, och det, som blickar
mildast,
brutalast och vildast
skall brytas mot jord och besudlas med mull."

Men kanske har det bättre och ädlare gått dig
— när mänskorna försmått dig,
kanhända hava peris beskyddat din gång.
För mig var du en ljusgestalt i nattens tid upprunnen.

vid morgonen försvunnen,
jag minns dig som en stjärna, en saga, en sång.

EN STRANDVISA.

Är det ljuvt att sköljas
under sorl och sus
av en klangfull böljas
gång till dödens hus?

Är det skönt att drunkna
i en havsvågs famn,
är för alla sjunkna
djupt i djup en hamn,

där för brott och ånger,
vilka stormat vilt,
ljuda sorgens sånger
sonande och milt?

Men vem vågar språnget,
fast ens liv är ött,
fast ens hopp är gånget,
från en värld, som dött,

dött, där ögat skådar,
dött, där örat hör,
och fast allt bebådar
att jag ändå dör?

DRÖMMAR I HADES.

I.

Än, fastän dvalan betyngde min hjärna,
låg jag och grubblade vidöppet vaken,
såg jag, hur ljusflamman andades matt,
såg, hur hon flämtade långt ned i staken,
fladdrade, slocknade, såg, hur en stjärna
glimtade svagt genom rymdens natt.

Månen sken in, men dess kyliga skimmer
tycktes mig likna den elmseld, som blossar
över en mast, när det kvällas på hav,
lysvedens ljus eller lyktmän på mossar
eller det sken, som ens öga förnimmer
flyktigt en sensommarnatt på en grav.

Luften mig tycktes lik jord, som förtunnats,
vidgats och blivit ett stoff, som kan andas,
skumt och av skymtande syner fullt,
skugga och glimt, som förenas och blandas,
gravkummelljus av den art, som förkunnats
fordom i sagor om trolldomskult.

Skumma gestalter jag såg i det vida,
vilande rader av somnade släkten,
bidande än i förhoppning och tro
solen och dagen och morgonväkten,
slumrande stilla och sida vid sida,
varv över varv i en dödsdröms ro.

Dovt som när haven skvalpa och svalla
hörde jag sorl av de multnades röster,
mörka som klang av en harposträng,
hörde dem skölja från väster till öster,

fråga och svara, stiga och falla,
vandra som böljor i svall till min säng.

II.

Knappt med tydlig tanke
ljödo rytm och takt,
men i allt förnam jag
gömt och innelagt
allt, vad själfullt anas,
allt, vad djupt förstås
i det minsta ord, som
i en suck förgås.

När min kloka tanke,
kylande och torr,
gav sin form åt ljuden,
blev det skorr,
greps av ve var ädel
dödens drömgestalt,
gick en kramp, en smärtans
ryckning genom allt,
blev det Hades ljuvast
drömt av död och natt
till en kantig versrad,
tungt i meter satt.

III.

Bruset av Albions harpa,
sorlet av sång på norröna,
Beowulfs tider och Fingals
hörde och såg och förnam jag
skymta och ljuda i Hades
dunkelt och underligt sköna.

Anglernas fabler om kungar,
danernas häxande galder,
glæernas tungsinta dystra
sägner om Merlin och Gral
fyllde mitt öra med ton av
hedna och forntida skalder.

Halvkristen gnostisk magi, som
fjärran ur östern stammar,
völvornas kvad och druidisk
visdom, som sökt i de dolda
djupen de vises sten,
fyllde med syner min kammar.

IV.

Jag såg en sovandes
höjda haka,
det svarta skägget
låg ungt och vekt
vid silverkanten
av tröjans halsrand
omkring ett anlete
stolt och blekt.

Jag såg en sångares
vemodspanna,
det mörka håret
i ädelt fall,
den manligt svärmiska
sorgsna läppen,
som kanske sjöng i
kung Arthurs hall.

Jag såg hans dödsdystra
ögon öppnas

att söka någon,
han aldrig fann,
de slötos åter,
och i detsamma
den syn, som skymtat,
i luft förrann.

Men länge hörde jag
mjukt melodiskt
hans tanke tala
sitt mörka tal,
sin halvtutslocknade
sångarsaga
från någon wälsk
eller anglisk dal.

"Har jag ej älskat någon,
en som var huld och vän,
sov jag och drömde jag, låg jag
ej emot kvinnoknän,
medan den mörkröda solen
sjönk bakom ekar hän.

Gav hon mig ej en brudnatt,
firad i stjärnesken,
över oss gungade lummigt
kronorna gren över gren,
vind var i vide, och viken
slog mellan säv och sten.

Allt hon mig gav, sin makes
gyllene konungaked,
medan hon smekte mitt huvud,
milt kring mitt hår hon vred,
gav mig sin själ och för min skull
bröt hon sin heliga ed.

Länge vi drucko i lön med
ögat av tårar vått
eller med svårmodslöje
kärlek i ont och gott,
kärlek i synd och lycka,
kärlek i lust och brott.

Hörde jag nyss, att munkens
röst i mitt öra ljöd:
livet är skönt att se till,
kärlekens kind är röd,
nu har din älskade vitnat,
nu är Osviva död.

Nu skall Osviva sova
länge i slummer sval,
sömnen och drömmen och döden
var hennes eget val,
aldrig hon ångrade, aldrig
går hon till himmelens sal.

Munk, det är sång och sägner,
munk, det är völvors kvad,
att, när den sista hösten
fällt sina sista blad,
skall en befriare draga
genom de dödas stad.

Hava väl åldrar susat
över min själ sen då?
Då är väl dagen inne,
snart skall väl slaget stå,
skall väl befriarens ande
stark genom väldena gå!"

Som hav i svallning,
när vinden kommer,

som våg i vandring
gick suset fram
av dagens aning
i Hadesnatten
fördold och hemlig
och undersam.

Men åter sjönk den
i djupets mörker,
där förd av drömmen
min tanke sam,
och åter steg den
och kom tillbaka,
och syner såg jag
och ord förnam.

Och över anleten
stundom föll det
en glimt av klarare
ljus än förr,
men ännu svagt som
en månestrimma
från livets natt
genom dödens dörr.

SAGAN OM GRAL.

Efter en dvala med hemska och skakande
syner och röster och tvivelskval
halvt som i sovande, halvt som i vakande
drömde jag sagan om Gral.

*

Gral är allt varandes hopp och hugsvalan,
Gral är juvelen med underligt sken,
siad är Gral av Sibyllan och Valan,
Gral är de vises sten.

Fordom ett kärl av smaragd, som har flutit
över i urtid av livets vin,
nu kring sin dryck har det helt sig slutit,
vinet är vordet rubin.

Gral är smaragd och rubin, och han hyser
kraft av de två i sitt väsens glöd,
grönt, det är hoppet, men kärleken lyser
skimrande, gnistrande röd.

Kraft suger Gral ifrån nedan och ovan,
han bringar enhet åt allt, som är delt,
han har den frälsande läkande gåvan,
allt, som är bräckt, gör han helt.

Synd signar han till det luttrande saltet,
vilket kan rena till bragd ett brott,
han kastar skönhetens ljus över Alltet,
han gör det onda till gott.

Högt genom himmelens glänsande hallar,
långt genom dödsrikets skumtgråa dal,
djupt genom Hyle, där djurtjutet skallar,
sökes den helige Gral.

Finns han där uppe i renhetens riken,
högt, dit den helgade trånaden går,
eller i djup, dit på himlen besviken
tanken förtvivlande når?

Ingen det vet, men han finnes och formas
åter till kalk efter spådomens ord

en gång, när himlar och helveten stormas
djärvt av en man från vår jord.

Den, som går ned genom Hades, att väcka
sovarnes mörker med ljusets bud,
den, som går ned genom Hyle, att släcka
hatarnes tjutande hat mot Gud.

Den, som är älskad av Gud som av Satan,
den, som har Gud liksom Satan kär,
den, som går fram över Vintergatan,
följd av all helvetets här,

kuvande himmelens hat mot de dömda
med de förbannades kärleksbragd,
han är den rätte, som finner det gömda
vin i dess kärl av smaragd.

Trotsarn i kärlek, den starke, som mätte
gudom och mandom och helvetesfall,
famnande alla, han är den rätte
hjälten, som komma skall.

*

Så att besvärja mitt lidandes makter,
så att hugsvala och göra mig väl
tankarne sjöngo i rytmiska takter
sagan om Gral för min själ.

ANINGAR.

Stundom en skymt som av dagens
gryende morgonstrimma
flyktigt att snart förgå

330

lyste sig väg genom dunklet,
tankar, som just börjat morgnas,
hörde jag tala så:

"Kommer han, nalkas han, är han
stigen ur moderskötet,
ström av hans närhet känns,
leker han, växer han, går han
fram som en yngling med givmild
blick lik en älskande väns?

Ler han? Ett friare löje
log icke gratiernas älskling
över de vises Atén,
aldrig en gudarnes gunstling
ystrare krossade gudars
hermer mot tempelsten.

Aldrig en fri ung heros
glättig som han och lycklig
druckit vid lundkylig brunn
vatten med lesbisk druvmust,
kysst en kredensande flickas
kärleksförtörstande mun.

Är han en sångare? Orfevs
aldrig som han lät susa
skönhet i skogars löv,
levande ton lät dallra
fram genom hårda klippan,
stum, tungt sluten och döv.

Aldrig behag lät bölja
ängarnes betande hjordar
hän genom liv och lem,
kom att lycksaliga ljuda

människors klingande sinnen
högt mot Elysiens hem.

Är han en krigare? Indus
är ingen gräns för hans härtåg,
ländernas gräns är ej hans,
vidare välde väl vinner
han än det fordom av Ammons
son över folken vanns.

Trotsig och glad skall han strida,
ädelmodig och vänsäll
bruka sin segers makt,
länge i godhet råda
över vart älskat land, som
blev honom underlagt."

EN FLIK AV FRAMTIDEN.

Solen går mot Eden,
Eden är den stjärna,
dit den ljusa leden
solens vandring för,
jorden följer gärna
solens gång i spåren,
se, nu nalkas våren,
se, hur vintern dör.

Känn, hur livet sprides,
känn, hur kraften välter
hinderna till sides,
som oss fjärran band,
sekelisen smälter
i den höga norden,

nu styr sakta jorden
hem till Edens land.

Känn, hur etervågen
undansköljde allt, som
fult och lågt I sågen
i ert nakna kön,
se hur var gestalt, som
tungt i sjukdom böjt sig,
rätat ut och höjt sig
ung och stark och skön.

Väl, så kasten dräktens
fega blygdomhöljen
inför sommarfläktens
lek, som smeker hult,
det I ängsligt döljen
som ett skamfullt anat
lytes form är danat
ädelt oskuldsfullt.

Vill du guldskatt vinna,
väl, så samla skatten,
se, ditt guld skall rinna
rikligt ur din hand
som ett gyllne vatten,
sig i solsken byta
och med ljus omflyta
allt din kärleks land.

Vill du makt och ära,
vill du krans och spira,
allt din själ kan bära,
sök och välj och vinn,
kransen skall du vira
om ditt hår att sira

makten av den spira,
du har valt till din.

Följ var trotsig drift du
följde förr i fruktan,
fritt som lagens skrift du
såge sagd däri,
synd och skuld och tuktan
äro nu förgångna,
all den fordom fångna
livets kraft är fri.

Varje dryck i mulen
fordomtid du njutit
som en glädje stulen
från en pliktens dag,
när en lag du brutit
att en lycka fånga,
drick den ut i långa
djupa fulla drag.

NYTT OCH GAMMALT

Nytt och gammalt

FÖRORD.

De efterföljande dikterna göra icke anspråk på att äga något synnerligt högt litterärt värde och äro ej heller fullt exakta uttryck för vad förf. känt och tänkt — åtminstone icke alla och åtminstone icke vad förf. vid tiden för utgivandet känt och tänkt. — Giva de icke full valuta för sitt pris, vill jag be allmänheten förlåta mig det och tänka att jag möjligen framdeles kan komma att skriva något, vars valuta är större än dess pris, och på så vis kan debet och kredit ändå komma att gå ihop.

Dylika självbekännande förord som detta torde vara ovanliga, men kunna ibland vara nödiga — t. ex. då en författare icke vill missuppfattas såsom ägande anspråk han icke äger.

G. F.

INLEDNINGSVERS.

En diktbok är lik skrinet
med många ädla stenar
och många smycken små,
lik mångahanda vinet,
som källaren förenar
i en och samma vrå.

Men stundom är i skrinet
väl ock att finna smycken
ej fullt att lita på,
och stundom är av vinet
ej allt den ädla drycken
från Xeres och Bordeaux.

Så pröven då med blicken
var dikt, var bok vi sjunga,
vart smycke i vart skrin,
och när I vinet dricken,
så pröven med er tunga
om det är äkta vin!

EN VÅRMORGON.

Vårens vindar äro ljuva,
glädjens vemod milt de tala
till en själ, som sörjt sig sjuk,

livets vårfröjd kuttrar duva,
kvittrar gråsparv, visslar svala,
gungar björkens krona mjuk.

Men min vårfröjd kan ej sjunga,
ej med sparvar kan den kvittra,
ej med duvor kuttra ömt,
icke mjukt i björkar gunga,
icke le åt allt det bittra,
som min dystra natt har drömt.

Låt dem kvittra, låt dem kuttra,
endast matt jag känt ditt ljuva
morgonliv, du dag, som grytt,
länge än min själ skall ruva
i de kval, som kanske luttra
mig till vårfröjdsliv på nytt.

KUNG ERIKS SISTA VISA.

Vad båtar oss gråt, vad hjälper oss rop,
kung Johan och Gud de hålla ihop,
kung Johan gav mig blacken
och Gud sin nåd med detta hopp:
ditt fånghus är din egen kropp,
och villst du ur ditt fånghus opp,
så kanst du bräcka nacken.

MIN STJÄRNAS SÅNGER.

I.

Med vrede du ser från din gyllne stol,
hur min stjärna slocknar och fläckas,
vi gav du min stjärna så svagt, min sol,
av ditt ljus att det så skall släckas?

Jag är dock din son, och allt frö jag fått
till mitt ljus är väl fött av din låga,
så lider du själv av det ont mot gott,
som för mig varit sjukdom och plåga.

Och är ej min fläck av din egen art,
men av ont ifrån rymdernas öken,
vi stötte du mig med så våldsam fart
långt ut, djupt i mörker och töcken?

II.

Du säger: "Kom hem till din faders gård
att kyssas av fadersläppar!"
— din kärlek är mig för bitter och hård,
den smeker och kysser med käppar.

Med slag du renar, med knivar du tvår,
mot din kärlek jag hårt vill mig värna,
det känns som du tvådde så fläckar och sår
som livskraft och ljus ur min stjärna.

Du tvår med din lut min stjärna ren,
den varder så ren som ett vatten,
då bliver så tomt min stjärnas sken
som en vattnets avbild av natten.

III.

Min stjärna var ändå väl något värd,
trots fläck och försvagat ljus,
en än milt lysande vänlig härd
för mig och mitt fattiga hus.

Det lyste av mitt om allt där var,
det var gott, fastän ej likt ditt,
din brännande stråles eld bortskar
allt ljus, som var medfött mitt.

Så brinn och förbränn i mitt fattiga hus,
din låga den hatar jag,
till sot den bränner min stjärnas ljus
rättfärdighetsfullt enligt lag.

Så bränn då och tro att du bor i mig,
du bor i min utrymda sal,
ditt "brinn och tala" är "slockna och tig",
du lyser ett utbränt skal.

IV.

En sista gnista av stjärna är kvar,
den vill jag försöka att rädda
och draga en väg, där ingen far,
och stigar, av ingen beträdda.

Jag hatar din hjälp, och jag tror ej ditt ord,
trots ditt skryt att du lyser för världar,
din visdom är ej för stjärnor gjord,
den vanvettiggör och förhärdar.

Ditt faderskap är av tvivel höljt,
min frändskap med ditt folk är ingen,

kanhända en annan sol jag följt
som broder i syskonringen.

Men kom som en bortbytt till dig och er,
där främmande ögon stirra,
jag vill icke vara i ditt land mer,
i fjärran rymd vill jag irra.

Där vill jag slockna i ensamhet
långt bort från din hatade flamma,
som bränner med kärlek, tills ingen vet,
om ej kärlek och hat är detsamma.

UR GRALSÖKARENS SAGA.

I.

"Evigt lönlöst grubbla,
evigt gissa blott,
alltid bragt att låta
onått låtsas nått,
alltid bragt att snubbla
på en olöst gåta,
hur kom ont av gott!

Jag vill ned
på det ondas led,
jag vill välta
mig i lastens älta,
jag vill känna
hat bränna,
avund stinga,
jag vill dolk svinga,
gift bringa

den, som mat mig bär,
ljuga, stjäla,
träla
för vart lågt begär,
lömskt bedraga
svaga,
kallt och torrt
oskuld mörda,
sparka bort
de förförda
— som ett djur mig skicka,
pöl dricka,
träck smaka,
utrannsaka
dygd i brott,
träcks renhet,
enhet
mellan ont och gott."

II.

Han smutsade bäcken
för henne, som drack
ur bäckens flöden
längre ned.
Då grep honom skräcken,
och kvalet stack,
och hat till döden
hans hjärta led.

Han ville stena
den förr så rena,
han ville slita
med klor i stycken
den förr så vita,
som drack den drycken,

likt varg, som sliter
ett lamm itu,
och säga: "Flicka,
vi smutsar du,
där jag skall dricka?"

III.

"Jag kom för nära
det oerhörda,
jag kan ej bära
det allt för stygga,
jag vill ej mörda
med klor och tänder,
jag måste rygga
till mera trygga
och milda länder.

Jag vill ej djupare ned mig sänka,
Jag vill ej öka
min skuld för mycket,
jag måste vila och eftertänka,
att sen med klarare ögon söka
det dolda smycket."

SJUNGEN HOPPFULLT, SÅNGER.

Sjungen hoppfullt, sånger,
ej om kval och nöd,
jag vill slå min ånger
mig till fota död.

Är en tron att hinna
än min själ för feg,
skall jag välde vinna
kanske steg för steg.

Och om tusen gånger
jag på fall blir bragt,
skall jag dock min ånger
bryta ned med makt.

Ty min ånger väcker
lust på nytt att slå,
och min pina släcker
icke din ändå.

ALLT ELLER INTET.

Min sol, du är ej kanhända
som förr jag trodde så hård,
och ger du oss lejd, vi vända
min stjärna och jag, måhända,
tillbaka igen till din gård.

Men kräver du allt, jag kan det ej,
kräver du något, jag kan det,
det målet du satte, jag hann det ej,
men om du det sänkte, jag hann det.

EN PARKFANTASI FRÅN SJUKHUSFÖNSTRET.

Nu är sommar, nu de gröna
löven gunga, som när sjögång,
halvt förgången, ännu går,
jag vill vara med i kronors
djupa valv och vara med i
mörka doftuppfyllda snår.

Jag vill drömma mig en dröm om
något fordomdags där inne
i allt grönt om träd och mark
— är ej grönskan ålderdomligt
William-Shakespearelik, ej parken
lik ett hörn av Windsors park?

Kanske är det, att helt nyss av
en med möda buren tvättkorg,
bred och stor, som kunde rymt
själva Falstaffs vittberömda
väldiga och välvda mage,
från ett snår jag såg en skymt.

Nog av, engelskt ålderdomligt
går ett vindsus genom löven,
parken fylls av äventyr,
träd och buskar bli till väsen,
bli till folk och hov och adel,
häst och hund och vilt, som flyr.

Jägarskarans gröna vida
kappor fladdra om var sluttning,
om var grönklädd höjd och plan,
grönt är silket, grönt är floret
i var ladys kjol och slöja,
grönt vart betsel, grön var man.

Något skild från jägarskaran
står en riddersman med adligt
hövisk hållning, rak och stolt,
och en smärt och finbyggd page med
handen på en dolk i bältet
om sin gröna jägarkolt.

Och när vinden böjer kronor,
riddarn bugar sig, och ståtligt
vajar hans baretts plymage.
Underligt att en så mäktig
riddersman så djupt och ofta
bugar för en stackars page.

Underligt det är med pagen,
underligt, hur graciöst den
spänstiga gestalten böjs!
Och i barmens och i höftens
vekligt böjda linjer syns mig
att en hemlighet mig röjs.

Page, du liknar alltför mycket
hovdamsflockens yngsta ungvilt,
gossklätt på förbjuden stig,
och din kavaljer för mycket
hovets farligaste jaktfalk,
Walter Raleigh, tycks det mig.

ETT DRÖMACKORD.

Djupt i det djupa
seklerna stupa,
åldrarne sova,
hör hur den dova

sorlande sången
går från en ålder, i djupet förgången,
hör hur det strömmar, hör hur de brusa,
mörka och ljusa
vemodets minnen från skönare tider,
starkare strider,
hör hur det klagar
manligt och vekt om de fagrare dagar,
kampen var högsint och hård.
Hög rider fursten i guldstickad sadel,
stolt rider adel
fursten i spåren
fram genom våren
susande lummig i heliga ekar,
segern är vunnen,
folket går ringdans i högtidens lekar,
grön vaggar säden,
långt bakom träden
skymtar den gästfrie jarlens gård.

VINGHÄSTEN.

Jag ville dikta dristigt fritt som nycken
hos någon sorglös ryktbar sagans lätting,
min vers vill ut, min vers vill slå i stycken
var trångsmidd länk i tvångets tunga kätting.

Min vers vill följa sina egna lagar
och egenvilligt vara vild och yster,
min vers vill fabla, när min vers behagar,
och tala sanning, när min vers det lyster,

Min vers vill ut bland folk med nakna lekar,
där frihetsvind förjagar dumma domar,

348

min vers är hänsynslös, min vers förnekar
var dräkt, vart stängsel, varje dörr med bommar.

Min vers kan sparkas, när med klumpigt tjuder
en välment stallknekthand vill hindra stegen,
föraktar havren, som en främling bjuder,
den röst han lystrar till är blott min egen.

Min tredska vinghäst med den hårda manken,
som lyder trögt vid mina grepp i tömmen,
vill högt i höjden med den fria tanken
och långt i fjärran med den djärva drömmen.

Min vers vill stundom ridas till de ljusa
Elysiens ängder, solomgjutet gröna,
min vers vill ned till Gorgo och Medusa
att ur det hemska hämta upp det sköna.

Min vers trivs uselt, där om lov det frågas,
där lydnad viskar och där budord mumla,
min vers vill våga det, som ej får vågas,
och tumla fram, där ingen alls får tumla.

*

Jag vet nog av allt gammalt om pegasen,
om Ikarus och soln och annat skvaller,
och allt det kloka bakom fönsterglasen,
som pekar och slår vad: slå vad han faller!

Men låt så vara, låt då färden lyckas,
tills ödet vill, att vi från höjden falla,
det är ej allt förbi, fast så kan tyckas,
när sönderknäckta vi beles av alla.

Ty när beledd av alla, sörjd av ingen,
min vers tros död och platt förgjord av nesan.

jag tar en penna ur den brutra vingen
och gör ändå en vacker dikt om resan.

ALKIBIADES.

I.

Hör folkets tal: "Se Alkibiades
och i hans följe den berömde hunden!
Mer ädelt växt är Alkibiades,
mer rik och stolt än andra evpatrider,
mer skön hans hund än någon annan hund.
Se dessa öron, denna ädla nos
och denna vackra, yvigt svängda svansen!"

Du ser, min ädle Alkibiades,
hur folket skockas att beundra dig!
Det gläder mig, att så du synes älskad,
dock önskar jag det var av annan grund
än att din hund har yvig svans!

"Du känner ej atenarne, i Sparta
är mod och vishet en tillräcklig orsak
att anses duglig nog att föra härar,
men i Aten den värdige behöver
en häst, en hund, en ryktbar älskarinna
att aktas värdig statens högre värv.
Du känner icke mig, som gör på lek,
vad grubblets gubbar under djuptänkt allvar
med väldig kraftansträngning ej förmått."

II.

Hör, vet du av, min Alkibiades,
att i Aten finns ingen man så svart
som Alkibiades, den skönhetsstymparn,
den svansavhuggaren, den hundfördärvarn
— hur föll dig in att hugga svansen av
ditt framtidshopp, atenarnes beundran?

"Det var emedan det mig tyckts Aten
har hållit mun om Alkibiades
för mycket och för länge sista tiden.
Det är förbi med den Aten har glömt,
men den Aten på alla torg och gator
beständigt pekar ut, om ock med hat,
har icke långt igen till fältherrtältet."

III.

Du går allt vidare på trotsets väg,
all sed förtrampar du med fräcka fötter,
du hånar gudarne, du kränker lagen
och heliga mysterier skändar du!

"Du talat vist och rätt som statens lagar,
jag lyder lagen i min egen själ,
den Zevs mig gav, när i min moders kved
min första längtan strävade mot dagen.
Den lagen gav mig rätt att leka fritt
med eld och gudar och vad andra frukta."

IV.

Du är föraktad, Alkibiades.
Vi känna väl ditt lömska svek med Sparta

mot dina bröder och din faders stad.
Du glömmer Nemesis, du glömmer Moiran,
som slår förbrytare och störtar ned
eländige förrädare till Orkus!

"Mig lyster pröva, huru långt en Moira
förmår att motstå viljan av en man,
mig lyster skåda Orkus, lyster smaka,
hur mörkret är, till dess mig lyster stiga
på nytt till ljuset och min fader Zevs!"

EROS' VREDE.

"Ej lömskt i mörkret, som när tjuvar dolt sig,
ej under paltor, som när tjuvgods döljs,
ej dolskt och skamfullt, som när trälar sålt sig
och nesans märke med en trasa höljs,
men som när drottningar och kungar siras
med segerkransarne skall kärlek firas.

Där kärlekståget går skall vänligt lysa
av sol och sommar och av gröna blad,
i grönt stå klätt det huset, som skall hysa
en livest lycka, ung och stark och glad,
där brudgum väntar brud bland följesvenner
med far och bröder, släkt och många vänner.

Med krans om lockarne skall bruden prydas
som livets lyckas unga drottning bör
och som en drottning skall den unga lydas
med kärlig lydnad av all nejdens mör
och högt på skuldror skall den ädla bäras
att ses av alla och av alla äras.

Men ej med klutar ömkliga, elända
skall hennes renhet döljas tvivelsam
och ej en enda tråd skall uselt skända
med hemligt menande om lönlig skam
en enda skönböjd form, som vågar minna
en mannens blick om brud och mor och kvinna.

Och alla strängar skola klangfullt röras,
när bröllopshusets tröskel är beträdd,
och glättigt aktningsfullt skall bruden föras,
mens klangen domnar, fram till makens bädd,
och sedan vänligt falle signordsregnet
på deras famntag, tryggt i gudomshägnet.

Så är min vilja: naket, fritt och ärligt
sig helge kärlek ren i världen all,
stig högt i livets luft, allt glatt och kärligt,
men fall, du mulna hyckleri, och fall,
du fega lystnad under fårahuden!"
— så talte Eros vred, den unge guden.

NARKISSOS.

Han låg på knä och såg i källans vatten,
hans tröst var mörkret och hans vän var natten,
som vänligt lade slöjan om hans bild.
Men solen kom och skarpt belyste dagen
den bleka hyn, de tärda anletsdragen,
hans kind var tom, hans fägring var förspilld.
Han sjönk tillsamman, hans gestalt var bruten,
ty i hans blod var feberelden gjuten
och soten drack hans blod och åt hans lunga,
och högt han ropade som förr: "Narkissos!"

Narkissos!
ljöd Ekos dova svar med bergens tunga.

Förbittrad såg han bildens drag förvridas.
"Är det ej nog att detta kval skall lidas,
men bo i allt, som ses och lyssnas till?
Jag ser och hör och känner blott Narkissos,
jag hatar dig, du är mig kär, Narkissos,
jag vill gå bort, jag kan ej det jag vill!
För mig finns viljan ej och icke valet,
ty själva hatet älskar jag och kvalet,
vi skall du pina mig till döds, Narkissos?"
Och Eko ropade med sorg: "Narkissos!"
Narkissos!
Och tusenfalt det ljöd: Narkiss-Narkissos!

Då sågos vita veck för vinden flyga,
då sågs en flicka fram till källan smyga
och bakom grubblarn snart hon stod.
Hon lade armen om hans hals, hon lade
sitt hår mot hans, sin kind mot hans och sade:
"Var man, Narkissos, var en man med mod!
Den dystra krets, du ser, är blott en källas,
men vänd dig om, där väntar hela Hellas
och ädel kamp med Hellas' ungdomsskara
— och vann du ej, så har du mig, Narkissos!"
Narkissos!
med veka stämmor hördes bergen svara.

Då strök han håret från sitt bleka änne,
då stod han upp och log och kysste henne
och glömde källan och sin egen bild.
De följdes åt hän över ängens matta,
och genom skogen hördes fauner skratta
med stämma vänligt skrålande och vild,
och Afrodite bröt sin doms förtrollning
och hon göt åter styrka i hans hållning

354

och lät hans blod i friska vågor välla.
"Se, kärleken har helat dig, Narkissos!"
                Narkissos!
sjöng Eko döende vid sorgens källa.

DOLORES DI COLIBRADOS.

Jag såg henne icke, när livskraften svällde
och ungdomen log likt kalifernas välde
i anletets hy som en mörklagd vår,
jag såg henne först, sedan höstregnen slagit
och vintern de snövita strimmorna dragit
som drivor i skog i Dolores' hår.

Men ögonen såg jag, som ej hunnit mista
sin sista förbittrade älskande gnista
av elden som fordom så bjudande var,
och stoltheten låg som ett dröjande minne
av sol, som belyst hennes hemslotts tinne
på gulbleka rynkiga pannan kvar.

Vad var det för lockande stämmor, som hördes,
att långt över vattnen och landen hon fördes
och rycktes med roten från hembygden loss,
kanhända hon följde en man över haven,
jag känner blott namnet, som står över graven
och vet, att hon gick som en främling bland oss.

Hon var oss en främling, som främling betraktad
hon gick ibland främmande, glömd och föraktad,
och trång var den gråkalla nordiska vrån,
knappt hann hon att tvinga sig ned under seden,
förrn framhugget hårt av den kokande vreden
kom bittert och hårt hennes anstolta hån.

Och hon, som haft rikligt av lyckans gåvor,
och hon, som förslösat sin rikedoms håvor,
tills intet blev övrigt för ålderns år,
fick nesligt i ömkliga trasor förfalla,
men var hon gick fram, var en viskning bland alla:
"Se adeligt blod, som i trasor går!"

Se adeligt blod, det är pöbelns nöje,
försmädat och höljt av föraktets löje
och få det förnäma i stoftet ned,
och därför de stucko med knappnålssticken,
tills flammor det sköt ur den mohriska blicken,
och skrattade rått, när Dolores led.

Och grannarne sade: "Dolores är galen,
hon är ej som vi och de andra i dalen,
man ser hennes själ är för djupt förstörd."
Och de fingo rätt mot Dolores på slutet,
ty själen blev skum och förnuftet brutet,
till dårhusets cell blev Dolores förd.

Dock kom hon till klarhet igen i det sista,
jag såg hennes svärmiska ögon brista
och säg, hur hon smärtsamt i döden log,
min hand hon försökte förgäves att krama:
"Se pierda Granada, ay de mi Alhama",
hon viskade sorgset och svagt och dog.

Jag stod där och såg på de härjade dragen
och tänkte: "En borg är av kriget slagen,
förödd är en vingård med ädelt vin,
Granada är skövlat, Alhama är härjat,
förött och förbränt och av döden färgat,
men är dock en skön och en stolt ruin."

Och ej i Cordova moskékatedralen,
men skogen i norden och kyrkan i dalen

var med vid Dolores' begravningsakt,
och vaxljus ej brändes, ej rökelse svängdes,
när fram genom hopen på kyrkbacken trängdes
sex män med en kista i vårdslös takt.

Och ej Andalusiens flammande dager,
ej sus i cypresser och myrten och lager
vet vrån, där Dolores är jordad, av,
en tvinande sol genom dimmor lyser,
en lutande björk står på kullen och fryser,
och snön ligger vit på Dolores' grav.

TIGA OCH TALA.

Varföre skulle du mässa
också din själs litania,
också din sorgs miserere?
Hånande ögon bevaka
den, som har blottat sin sorg.
Stoltare vore att pressa
smärtan i barmen där nere
hårt och beslutsamt tillbaka,
än att den förs i det fria
naken kring gator och torg!

Klangen, som världen behöver,
är ej ett vekt miserere —
tonen, som läte sig vässa
uddvass till pil eller klinga
finnes väl ock i din barm.
Smärtan, som bundits där nere,
skall, när en tid har gått över,
väpnad från fot och till hjässa

upp ur sitt fängelse springa
djärv som befriande harm!

Sanning till hälften du säger,
harm vill till vapen jag smida,
dock skall ej smärtan, ej sorgen
tigas ihjäl, ty att tiga
är hos en sångare brott.
Stoltare är det att stiga
mitt ibland vimlet på torgen
fram med all sorg, som jag äger,
tolk för de tyste, som lida,
tiga och lida blott.

TRÄL I FRÄMMANDE LAND.

Mitt ljus vill ha frihet att lysa,
min eld till att värma och liva,
min tanke vill icke förfrysa,
i kylan av tigandets driva.

Min trältjänst mig friheten spärrar,
med rätt det av alla föraktas
att tjäna som svinvakt hos herrar,
som själva behövde att vaktas.

Jag säljer för mat och för pengar
en själ, som är skapad att råda,
med lögn inför andras drängar,
som sen mig med ömkan benåda.

HAMLET.

Väl är mitt huvud sjukt, väl vacklå stegen,
väl är jag nära att förgås av kvalen,
min blick är inåtvänd, min mun förtegen,
de hava rätt: "Visst är prins Hamlet galen!"

Visst är prins Hamlet galen, men han leker
väl ock med flit en lek med galenskapen,
emot det motstånd, intet klokt beveker,
begagnar han det galna såsom vapen.

Du kloka vardagsvana, som beställsamt
ser till att allting göres som det brukas
— var på din vakt, när Hamlet handlar sällsamt,
att ej din stora klokhet förödmjukas.

EN MAJVISA.

Nyss fåglarne sjöngo på nytt om vår
nytt hopp gav den lyckliga låten,
men mig, som åter vid fönstret står,
i halsen sitter gråten.

Nu blommar all världen och sommarn drar in
bland ljusgröna dungar och gärden,
all världen är skön, all världen är min
och jag är en son av all världen.

Och törnrosröd lyser morgonsky
och morgonens dimmor sig lyfta,
all världen är ung, all världen är ny,
och ändå så ville jag snyfta.

Ty morgonen kommer för klar, för snar,
för friska dess daggdroppar dugga,
den lyser för ljust på den, som var
för nyss i dödens skugga.

HARENS RÄTT.

En hare må väl ha rätt
att mumsa på sin kål
och äta sig magen mätt
så mycket magen tål,
och njuta sitt liv det kära,
när ingen räv är nära.

Och söker en räv att tvinga
sig till ett mål på hare
att koka i kulans kettil,
har haren rätt att springa
med harben höga och snare,
men kalla sig annat än hare,
har haren ingen rätt till.

SÅDANT ÄR LIVET.

Och haren han sitter och äter blå bär
och tänker förnöjt: "Det är gott det här",
då kommer en räv ur en buske och tar'n
och tänker förnöjt: "Gud ske lov att jag har'n" --
och sätter sig ned till att spisa
-- det är harens visa.

Och räven han slickar sig glad om sin trut
och går att spatsera i skogen ut,
då möter'n en jägare, jägaren skjuter'n,
då glor han, då gnor han, då tjuter'n,
då dör han, då gör han i dön ett språng
— det är rävens sång.

Och jägarn han blistrar så stoltelig
och tänker: "Nu haver jag rogat mig",
men hemma där pysslar hans käringkropp
med vitt i hans kaffecikoriakopp,
så dricker'n, så dör han av kaffecikoria
— det är jägarns historia.

JÄGARSTAMP.

Det stampar med klumpiga stövlar
i förstugången, det hojtar och svär,
det dunkar i golvet med jaktgevär:
"Millioner skock tunnor tusan bövlar!
— Agneta! — Gustava! — är ingen där?"
Och eko hojtar och svär, så det skallar
som vore det Oden och Odens här,
och in slår doften av granar och tallar,
av nyskjutet vilt och av vilda bär.

En dörr springer upp och en yrhätta rusar
i famn på en bister och barsk major,
majoren är reslig och bred och stor,
hans näsa är röd, ty majoren snusar
och äter och dricker som Auka-Thor.
Och ned över bröstet hans långskägg flyter
ett Starkotterskägg ifrån hedenhös.
Majoren kysser sin flicka och skryter

om dagens bragder, så ekot ryter:
"Det smällde och small, skall du tro, min tös,
och jössarne gnodde som fan var lös!"

Och Ugglan och Falken och Hööken,
en klunga av hjältar från dagens kamp,
där orrarne stöpo och haren damp,
de buga och göra sin kur för fröken
med ståtligt och ridderligt stövelstamp:
"Jag tänker beständigt på fröken Agneta,
var gång, som jag skjuter, skall fröken veta,
ty svag för de sköna är lyckans dom!"
"Pytt, löjtnanten skjuter ju alltid bom!"

Och fröken är kall och förnäm emot Hööken
— "jo jo", säger Falken, en stor filur,
"det är si och så med Höökens tur,
det sägs, att han själv fått en träff, vet fröken,
och själv blivit fångad och sitter i bur".

Men fröken är vred och röd så hon flammar,
och dam i varenda tum,
och Ugglan grinar och Falken glammar
och Hööken rodnar och stammar
och slokar med vingen, betryckt och stum.
Och ränslar och kruthorn och hagelpungar
de läggas å sido och hängas på spik,
majorens väldiga stämma rungar
och dånar och skryter för full musik.
I dörren står gamla majorskan och gläntar:
"Stig in, mina herrar, för maten väntar!"

FJORTON DAGAR EFTERÅT.

De viska, de tassla, de nattliga vindar,
i parkens konungsliga ekar och lindar,
det brusar i skog och i fors och i såg
och tyst gå de månvita skyarnes tåg.
Och månskenet strålar och strålarne leta
sig in genom fönstren till fröken Agneta,
och tankarne komma och tankarne gå,
de dansa, de dansa en dans på tå.

"Nål och sax och vax och tråd,
krona, krans och silkevåd,
nu skall bröllop stunda,
tänk att heta Hennes Nåd
Höök till Ekelunda.

Tio tärnor skall jag ha,
flickorna på Appelsta,
flickorna på Gata,
kusin Ebba? — hon blir bra,
Ebba, hon kan prata.

Jag skall vara helt i vitt,
släp förstås, och snibb och snitt
à la mode för året,
upplöst hår, som faller fritt,
slöja över håret.

Jag skall vara söt och blyg,
titta törs en knappt i smyg
på sin kära fästman,
mamma gråter; bred och dryg
harklar prosten Wästman.

Låt mig se! — Jo, 'vill du ta
denna Klara Lydia
Julia Agneta?'
Då skall Malkom svara: 'Ja,
det kan herrn väl veta!'

Sedan är det jag som svär:
'Vill du hava denna här
Malkom Höök till make?
— 'Ja då, jag och Malkom är
såsom hysk och hake!'

Sen skall prosten hålla tal,
grant och dumt med lång moral,
alla lyss andäktigt,
hejsan, hoppsan, sen blir bal,
bröllopet var präktigt!

Men vill Malkom säga från:
'Skåpet här, i denna vrån,
jag rår om kabyssan',
slår jag till'n med toffeltån,
sen så skall jag kyssa'n."

FÖRBJUDEN MARK.

Vid min sida satt han och förtalde
om den gamla tiden, satt och malde
på sitt gamla, muntra spjuvervis,
om sin ungdomstid och dess kurtis.

"Det var bröllop, hela tjocka släkten
var från femton väder sammanbjuden;
blek stod bruden i den vita dräkten,

skära lyste tärnorna kring bruden,
släktens blomsterflor i samlad kår,
valda sysslingar, elitkusiner,
nittonåringar med spanska miner
och det stolta kast som nacken får
hos infantor, som fyllt nitton år.

Anndagsmorgon kom jag att gå galet
överlagt, förtäljer släktförtalet,
det är osant, jag var dåligt vaken,
gick och drömde, det är hela saken,
kom att öppna på en sluten dörr,
som jag aldrig öppnat förr.

Härskri, vilt alarm,
spetsar, underkjolar,
flykt kring bord och stolar,
gny och ädel harm!

Hög i förolämpat majestät,
klädd i stubb till knät,
stod min kära, snälla, eljest glada
kusin Ada,
blek och ond och grät,
med ett skärp i hand, beredd att slå,
och befallde:
— 'Gå!'

Men besluten att gå lugnt till väga
var jag nog gemen
att se ned på strumporna och säga
'Nå än se'n!
Nog vet jag, att flickor gå på ben,
att de ha lekamen
och att deras hals och själ är ren
— och för resten, kära Ada,
har jag sett dig bada,

när du var en liten en —
— du är mera fyllig nu, än se'n,
du har vuxit, du är stora damen!'
Nytt alarm,
gny och harm!

Men med kall och stel försmädlighet,
på vars hårda hud ej vrede bet,
liksom rörde ingenting mig,
såg jag lugnt omkring mig
för att få en utsikt mera hel
av bataljens vilda skådespel.

Som när ormar sno sig fast likt remmar
kring Laokoon och två hans söner
och man ser det kval, som fadern röner,
på hans plågsamt sträckta marmorlemmar,
och det rop, hans öppna mun står still i,
stod min ståtligt växta kusin Milli
med två syskon: Ingeborg och Lilli,
spensliga som mör hos Kalidasa
i en ställning av förfärlig fasa,
pinsam tillgjordhet och snedvänd hals,
sammanormade i samma lakan,
skyddade om näsan och om hakan
men för övrigt utan kläder alls.

Och högtidlig som en präst,
med sitt snörliv snett om barmen fäst,
stod min halvkusin, den fromma Hedda,
vid kommoden bort i vrån,
mässande på hån:
'ar-ma-barn, var-int-e-rädda,
vi-ska häll-a-vigvatt-en-på'n!'
Men en liten tös på elfte året,
kusin Elin, gul som lin i håret

och med ögon, klara blåklintblå,
sade: 'Han kan gärna stå.'

Då först svängde jag mig om på klacken,
fick en ask som projektil i nacken,
hörde hånfullt skratt bakom min rygg,
fick upp dörrn, var åter trygg.

Hela dagen blev jag hårt behandlad
för mitt nidingsdåd,
först mot kvällen blev min dom förvandlad
till en akt av furstlig nåd:
den att hålla upp en docka tråd,
varmed kusin Ada sydde fast
en garnering som i valsen brast."

EN UNG MOR.

Klen och svag och blek om kind,
klädd i linntyg och i stubb,
i en liten skrubb
på en gammal vind
satt en sjuttonårig tös
på en kistas lock och frös
med ett byltebarn, som grät,
lagt i knät.

"Det blir aldrig väl igen,
väl igen för den,
som har ingen enda vän,
Gud vet hur det går,
ty i lagen står,
vad en får, när en lagt å lönn.

Gud som haver, Fader vår,
jag får gå i sjön!

Ba, ma, låt
lagom, lilla styggen,
jag vill vända ryggen,
åt ditt pip och låt.

Skall jag kväva't, fy, fy, fy,
det är grymt att kväva,
jag får skura, jag får sy
och försöka sträva.

Ba, ma, kanske tror
det att mor
vill ge mat och skor,
vill ge klär
åt ett otäckt tocket där,
som är fött i hor.
Jag får dra mig fram
genom fattigdom och skam
och den usla karln
får betala för sitt barn."

STUDENTKÅRENS DOTTER.

"Och nu har jag fått mig en liten,
en smånäpen flicka", sa Fina,
"nu kommer väl hela smiten
av alla studenterna mina
att knuffas och slåss i min trappa
om vem, som är flickungens pappa!
Dä ä ja, dä ä ja, dä ä ja,
dä ä ja, dä ä ja, dä ä ja!

Och sen ska studentkåren samlas
på Gillet och gasken gå lös
och en million ska det skramlas
åt min och studentkårens tös
och namnen, vi henne ska giva,
ska bli Carolina Rediviva.

Och va ska vi sen ha för chim?
Jo sen
ska docenten Ahlén
få hålla ett tal på rim,
som slutar med: fyrfaldigt leve,
må flickan bli gift med en greve!
Dä ä ja, dä ä ja, dä ä ja,
dä ä ja, dä ä ja, dä ä ja!"

EN KONSTTEORI.

Så jag målar, donna Bianca,
ty det roar mig att måla så!
Om det frågas, donna Bianca,
säg: "Det roar honom måla så!"

En pedant från Salamanca
säger säkert: "Det är ingen pli,
ingen skola, donna Bianca,
ingen stil i Juans måleri.

Vankelmodigt tycks han vanka
med sin pensel ibland allt, som är,
forntid, nutid, donna Bianca,
är den vilsne målarn lika kär.

Och det friska och det kranka,
skratt och sorgetårar, natt och dag,
klart och mulet, donna Bianca,
målar han med samma välbehag.

Realistisk är hans tanka
och romantisk är den likaså,
ingen enhet, donna Bianca,
är i denna målarkonst att få!"

Säg pedanten, donna Bianca,
att det roar mig att måla så,
arabesken är en ranka
som en stel pedant ej kan förstå.

GRALSTÄNK

ETT DIKTHÄFTE

FÖRORD.

För att bokens titel och innehållet av dess första diktcykel må bättre förstås hänvisar jag först och främst till "Sagan om Gral" i Stänk och Flikar, där jag begagnat återfinnandet av det under medeltiden berömda Gralsmycket såsom en symbol för allförsoningen. I Brockhaus' konversationslexikon säges Gral, vilken också säges hava haft något att göra med fågel Fenix' pånyttfödelse, enligt medeltidens legender av Josef från Arimathia hava begagnats att uppsamla blodet från Jesu sår. Jag känner icke särdeles mycket mera om dessa legender än detta och har icke särdeles stor sympati för den ifrågavarande symbolen. Enligt vad jag tror delvis var en eller annan reminiscens efter medeltidslegender har jag emellertid diktat min saga om det försvunna Gralsmycket och dess framtida återfinnande, och här ännu en gång tagit upp symbolen. Redan i "Sagan om Gral" är bägaren med dess innehåll betecknad som livets vin och de vises sten. I den här följande första diktcykeln har Graldrycken kommit att bliva något liknande den själva varat ljus- och livingjutande urkällan, den lysande livssaft, vars minsta utstrålade gnista anträffas mer eller mindre dold och försvagad hos alla ting och väsen.

De övriga dikterna hava genom titelbladet kommit att inrubriceras under samma symboliska beteckning, och kunna ju också även de i enlighet med den första diktcykelns tankegång betraktas såsom innehållande mer eller mindre svaga stänk från ljuset av Gral. De flesta av samlingens dikter äro för övrigt mera att betrakta som rimmade tankeförsök än som poesi i vanlig mening — de likna i detta fall, frånsett skillnaden i vishet, Goethes "Sprüche in Reimen". Möjligen är denna diktart icke särdeles förtjänt att utövas, även med

373

det höga föredömet Goethe framför sig, men för en gångs skull må man ha rätt att försöka den. I alla händelser önskar jag icke att man efterliknar den knaggliga form, som är att finna i vissa mina dikter av detta slag. En annan egenhet med dessa moral-filosofiska dikter är deras villkorliga form, de säga nästan mangrant endast "kanhända" och "möjligtvis" även där påståendet kan synas välgrundat nog. Detta kommer sig av att deras författare känt sig slagen på fingrarna av egen alltför stor kategorisk säkerhet i uttrycket av moral-filosofisk tankegång i föregående dikter. Denna diktsamling är också till en del avsedd att utgöra ett korrektiv och en förklaring av det som i "Stänk och Flikar" och "Nytt och Gammalt" kan vara misstag eller dunkelhet — ett slags återtåg till en tryggare ställning med säkrare operationsbasis, från vilken man efter nya strategiska överläggningar kan framtränga till Ariens land. Framdeles komma sannolikt mina åsikter att ytterligare utveckla och förändra sig och i så fall kommer naturligtvis ytterligare korrektiv att bliva nödvändiga.

Gustaf Fröding.

GRALSTÄNK.

I.

Var Gral är vet ingen,
men djupast i tingen
bo gnistorna hemligen kvar
av ljus, som i livsdrycken var.

Det krävs blott att gnida
med sida mot sida
två ting eller sammanslå två,
att gnistor därur skola gå.

Och stundom det flammar
ur murknade stammar
en ljusglimt, fast flyktig och sval
— en kvarstod av ljuset från Gral.

Och sök, skall du finna
att också ur kvinna
och man som ur trä eller sten
går Gralgnistans flyktiga sken.

Som guldgrävarn guldfyndigheten
kan ana av märken, I veten
om sökandet närmar sig Gral
av gnistornas ljusmängd och tal.

II.

Nalkas från Gral det i suset
av älskande, viskande stämman ett hemligt bud,
nalkas väl även i ruset,
pratande vänskap förtroligt från Gral ett försonande ljud.

III.

Och Gral bor i snövlaresången
i enstaka tonstänk och välljud och bor
hos den, som i dogmen är fången
i troheten mot det han tror.

Hos vällevnadsprästen vid maten
i vänsällhetskänslan, som fyller hans sal,
hos myndige, stolte prelaten
i härskaregåvan är Gral.

IV.

Gral är i glädjeflickan
i ömheten, varmed hon ger dig en kyss,
tömmer ock sedan hon fickan
på den, som hon famnade nyss.

V.

Gral är hos spelarn i djärva
kastet om framtida öden,
kvinnor och slott att förvärva,
öda, förslösa, fördärva,
eller att själv ge sig döden.

VI.

Avskyr du härar i slaktning,
därför att plågan och jämmern du vet,
böj dock ditt huvud med aktning
för härslagets härlighet!

Gral levde mäktig i modet
hos män, som med mandom och trohet mött död,
ädelt han lyste ur blodet,
färgande rocken om dödsskjutet manhjärta röd.

Syns dig ock tidsåldern stigen
över den tiden, då modet göt blod,
gå då i krig emot krigen
med krigarens manliga mod!

VII.

Ock hos don Juan är stänket av Gral
i trotset mot dolkstingens hot överallt,
gnistan är kvar i Mefistos tal
i sarkasmernas bitande salt.

Och Gral lyser ännu ur skarnet
av synderna alla tillhopa
i svinet och gudabarnet
John Falstaff av hela Europa.

VIII.

Gral är i Stoa och Plato,
Gral är i Epikur,
Gral är i Cæsar som Cato,

är i var Catilinariskt
storvulen tigernatur.

IX.

Gnistan av Gral var i Neros själ,
vars feghet man kanske förstorat,
i modet att sist likväl,
fast darrande, låta en träl
få stinga den konstnär ihjäl,
som "världen ej borde förlorat".

X.

Låt feghet och falskhet vara,
var modig i nöd och fara,
var sann, visa inget sken.
Men därför ej allt förkasta
hos hare och räv, tag fasta
på snarfyndigheten hos räven
och minnes att gott är även
det snabba i harens ben!

Låt bräkandet vara och sluta
med vanan att gläfsa och tjuta,
var man, icke ulv eller lamm,
låt vara det djuriskt låga,
men akta dock ej som förspillda
det lammlika, tåliga, milda,
det ulvhärdigt starka, fast vilda,
som kanske likt byggande tåga
haft del i den höga stam,
av vilken som krona du själv gått fram!

De djur, du i dig bär fångna
kanhända från tider gångna,
då framåt du drog över varats mark
i skalet och fällen och huden
på färden från cellen till guden,
— låt allt deras lägsta försvinna,
låt allt deras yppersta vinna
i styrka att göra dig skön och stark.

XI.

Gral är i djärvt,
Gral är i fritt,
Gral är i kärvt,
Gral är i blitt.

Gral är i glatt,
Gral är i sorgelåt,
Gral är i skratt,
Gral är i gråt.

Gral är i gott,
är det ock matt,
guld är i smått
mynt dock en del av en skatt.

Sant är dock sant,
är det ock tunt
gjutet i grant
rimmad poetisk strunt.

Något är skönt
ock i en lus,
ock i ett grönt
blad bak ett hemlighus.

Allting, som är,
inom sitt skal
en gnista bär,
som stänkt från Gral.

XII.

Vill du dock själva klenoden
finna, så våga ej rädas
färden, som når över floden
ängderna, vilka beträdas
blott av de dödes fjät,
våga ej rädas att sväva
högt till de högste och bäva
icke för mäktiga väsens
heliga ljusmajestät!

Våga ej rädas det svåra
prov, som allena kan kora
dig till en frihetens konung,
gällde ock provet att smaka
djupaste kval och försaka
livslyckans ljuvaste honung.

XIII.

Går ock uppåt färden,
vimlar
kanske ännu övervärlden,
när din färd begynns, av många,
allt för tama
högheter i allt för trånga
bokordshimlar,
vilka allt för små och lama

arma mänskotankar dana,
när ett högt de tro sig ana.

Går din färd till underjorden,
kanske då en sägenvorden
dödslikt domnad
forntidsvärld du ser insomnad,
vilken, om den väcks ur dvalan,
så står upp och för sin talan:
"Jag är Babel, jag är Rom,
jag är kvistad, jag är sållad,
hit i dödens dröm förtrollad,
dömd till döds i rättvis dom.

Men den skarpa kniven skar
endast det, som borde brännas,
det var skarnet sållet bar
till den eld, som är Gehennas,
se mig an, jag själv är kvar!
Se min skönhet, se min ära,
se triumftåg, hur de bära
lass och börda, lass och börda,
hem den skörd, som jag skall skörda
med den rätt, som segrar giva,
— även jag skall himmel bliva,
när jag byggt mig högt i ljus,
född på nytt, på nytt mitt hus."

XIV.

När skall han komma, den rätte,
han, som skall allting förklara,
han, som ej blott är rättfärdig,
utan ock snillrik och vis,
han, som ej blott visar smala
bergbranta stigar, men visar

kampfyllda livsäventyret,
vilket den tappre skall föra
upp till de lyckliga höjder,
där ej blott enfald och oskuld
leka som lydiga barn,
utan där ock det mångfaldigt
rika och djupa och stora
rör sig med härskarekraftens
självständigt manliga steg?

KEJSARVAL.

Cajus Caligulas strupe
skuren åt världen gapar,
ropande högt på den nye
juliske imperatorn.

Ung en centurion
träder på trappan ut:

"Romarevälde, häftigt
travar förfallet åstad,
Cæsar var härlig och gudalik,
Octavianus rik och stor,
grym och väldig Tiberius,
Cajus ett galet djur!

Vem av julierna lever än?
Claudius, heu me den lärde!
Pretorianer, ont,
är det om körsvenners lust
vagnen att styra i dag."

Centurionen sökte
genom palatset och fann
romareväldets herre,
gömd bakom en tapet.

"Höjom högt på sköld,
pretorianska elit,
här vårt nya hopp,
Claudius, Claudius vivat,
orbis terrarum rex!

Vivat, vivat Claudius,
orbis terrarum rex!"

*

Samtid, du hungrar väl ock
efter en herre, som styr,
se dig om, att du ej
finner i hörnet gömd
en, som är mindre lärd,
medan han likväl kör
spannet med otrygg hand.

Vidgar som Claudius han
med legioners hjälp
ännu sitt väldes gräns,
är icke allt förbi
ännu, du sjuka tid!

FRÅGANDE SVAR OCH OBESVARADE FRÅGOR
OM ONT OCH GOTT.

I.

Är jag ett frö,
bestämt att ej dö
i evigt oändliga tider?
Kanhända ett val mellan växa och dö
är ställt för vart levande frö
och medlet är synder och strider?

Kanhända förbleve jag frö,
oskyldigt och rent som snö,
men ännu alltjämt blott frö,
om icke jag syndar och lider?

II.

Jag vill icke tro, fastän manerna
mig tvingat i dröm och visioner,
att drift, som är sund, ej är bud,
vill tro såsom förr att titanerna
likt helgonen ock äro toner
i livsalltets helenhetsljud.

Vill tänka mig vilsegångsvägarne
som ovanda jaktäventyren
i skogar, dem ingen beträtt,
vill tro att de villade jägarne
från irrfärd i svekfulla myren
till sist vandra hemvägen rätt.

Men hitta de ej på förvirrande
stråt, vill jag tro att de dödas
av hunger och matthet rätt snart,
jag vill icke tro, att de irrande,
än levande, evigt förödas
som pinat och vanvettigt stirrande
väsen av djävlars art.

III.

Om jag alltid blev kvar
där mitt hemmavid var,
inom gränsen av yttersta logen
— kanhända jag hade ej lärt mig jakt,
ej lärt mig att kringströva oförsagt
och stängts från det vida av skogen.

IV.

Går mig också illa,
bär det ock till döden,
när jag blint går vill,
— kanske utan villa
kan jag dock förspilla
mina framtidsöden,
när jag blott står still.

V.

De, som vilse vandra,
nya stigar leta,
varav sedan andra
hava gagn att veta.
Där i gångna dagar

fäder vilse irrat,
nu på stigar kända
deras barn kanhända
gå och återvända
tryggt och oförvirrat
som i hemmets hagar.

VI.

Det onda är icke att sökas,
som vore det gott att finnas,
som vore ett ont ett gott
— ont är att övervinnas,
så att det goda ökas
genom det prov det bestått.

VII.

Är månne ont en makt
levande själv som det godas,
lever och växer och frodas
såsom ett livsfrö i jorden lagt?
Är så ock skrivet och sagt,
så icke jag ville skriva,
tanken ingiver mig: Skriv:
ont till det goda är blott
ejet, det negativa,
ont är ett icke-liv,
ont är ett icke-gott,
ont är ett "dö",
icke ett "växa ur frö".

VIII.

Feghet är brist på mod,
grymhet kanhända är
endast ett njutningsbegär,
vilket ej innebär
längre av kärlek en skymt av en återstod.

Feghet är alltså blott
sist dock ett icke-gott,
njutningsbegär är ett gott,
bristen på kärlek dess brott,
sökare, säg, har jag sanningen rätt förstått?

IX.

Ett själviskt är gott i sig självt,
om lycka för mig det med själviskt menas.
Men uppstår ej ont, när min lycka ej enas
med det att min nästa får ock sin hälft?

X.

Dock beständigt vetet växt i agnar,
— när en självisk man vill vara stor
och går ut att vinna makt och ära,
halvtnedtystad än min aning tror,
att den själviskt stores storhet gagnar,
att hans segers säd ock andra skära.

XI.

När ur vardagslivets många hundra
uti vilka ringa ondhet är,

en vi välja ut att högt beundra,
en vi välja ut att hålla kär,
fast halvt ond vi misstro honom vara,
kanske är det då det onda bara
i vårt eget jag, som står och prutar
med rättfärdighetens krav och mutar
oss att se den onde som han vore
denne ädle, denne sköne, store?

Händer det dock ej, när ont som gift
smugit in hos någon verklig heros
och förgiftat halvt hans livs bedrift,
att av stort och gott han ännu ger oss?
— Är det icke då den store anden,
den i djupet sjunkne gudasonen,
kämpande och lidande i banden,
som vi älska ännu i demonen?

XII.

Syns oss ej tigern god,
därför att han på lur
efter sin arts natur
törstar efter vårt blod,
gömd i en djungle vid Ganges' flod
— god är han dock för sig,
god för hona och ungar,
god är han ock för dig,
du som på jägarstig
spjutet mot honom slungar,
dig gör han vaksam och vig,
manlig och stark med sitt djunglekrig —

Kommer du hem en kväll,
sedan vid Ganges' brädd
nyss du har slagit en tiger,

präktig är tigerns fäll
då till en hustrus bädd,
hennes som just ur ditt tjäll
vänlig och undrande stiger.

XIII.

Men om jag ombads besvara
jenseitsmoralen med ja eller nej,
skulle jag tveka och sinna:
"ont är ett icke — gott är ett vara,
är det ett gott jag vill vinna,
vet jag min väg,
vandrar den ej,
stannar i lättjans förbidan
hemma bland vänner på gille
eller så litet förstår och förmår,
att jag dock går
dit jag i grunden ej ville,
alltså ej når
det, som jag eftertrår,
samtida, säg:
finns då en väg
ärligt och rätt förstått,
vilken om ont och gott
är på den andra sidan?

XIV.

Dock kunde det ske att den lättjefulle
blott samkade kval såsom lättjefull
och således just för sin lättjas skull
blev tvungen att gå dit han skulle.

XV.

Dock kunde det ske, om jag ginge
åt motsatt håll mot ett ämnat,
att detta så bittert sig hämnat,
att, hur jag än ville, jag finge
mig vända och gå dit jag ämnat.
Kanhända är så att förstå
hur jenseits om ont och gott vi gå!

XVI.

Den kloke, som ägnar sin dyrkan
åt självskhet enbart, han känner
att enslighet tär och förbränner
och vet: utan kärlek ej vänner
— förlamar han därmed ej styrkan?

Den starke, som ägnar sin dyrkan
åt självskhet enbart, förlorar
han då ej vart stöd och förstorar
ej fiendskap fiendestyrkan?

Du vise som vet, är då svaret så:
förgäves i längden förspillda
de äro förutan det milda,
all klokhet och styrka — det milda
må med att de två må bestå?

XVII.

Dock är mildhet stundom skenbart hård,
skenbart alltför hård att kunna bäras,
när med knivar vissna grenar skäras

från de träd som av en sjukdom täras
i en miltomhuldad apelgård.

XVIII.

När nu ejet frätt det milda bort
klokt och starkt — om länge eller kort
än de leva kvar — så länge än de verka,
verkan god ännu av dem vi märka.

Till att vinna vinsterna den vann,
födde omild klokhet ej metoder,
varmed efteråt den milde kan
göra ädelt gagn åt vän och broder?

Omild styrka prövar kraften stark
hos en mild att stå emot och lida
i den brottning om att vinna mark,
varom omildhet och mildhet strida.

Men när klokheten och styrkan dö
blir ej själva självviskheten slö,
och när intet gott till stöd det har,
var är makten hos det onda, var?

Vad är grymhet, stödd av oförmåga,
kan den pina utan makt att tvinga
på en marterbänk ett offer ned,
vad är feghet utan kraft att springa
— är det ej som utan veke låga,
är det ej som flamma utan ved?

Om ej grymhet utan styrkans stöd
hos den grymme snart är död,
säg: förintas ej den grymme själv?
Ochnär feghet, som ej flykta kan,

ändå hos den fege ej försvann,
säg, förintas ej den fege själv?

XIX.

Om resten av gott ur en ond kan försvinna,
den enbart onde, vi då kunde finna
i djupet av Hades, i eldens Gehenna,
väl icke sig själv såsom ond kunde känna,
ty det att sig själv såsom ond ha förstått
väl kräver, om också i litet mått
en känsla, en vetskap av gott.

Och gives det väsen av detta slag,
ha då de ej mistat sitt människojag
och tvingats av lagen i allnaturen
att bliva till verkliga djur ibland djuren
att oskyldigt lida och skada som de
och ej känna ångerns och tvivlets ve?

Är detta det äntliga slutet sist
för den, som all gåva till bättring mist,
förintelse, kommande sent eller snart
eller återgång till en lägre art?
Och kanske på nytt väckes livet, som flytt,
och kanske det sjunkna kan stiga på nytt?

Men måste jag tro på oändligt mått
av ont hos de ondes skara,
oändlig pina, oändligt brott,
och aldrig upphörande vara
— jag kräver av eder, som så haven sagt,
ett bättre bevis än I hittills bragt!

XX.

Det som kallas gott
är ej alltid gott,
det som kallas ont
är ej alltid ont.
Gode äro icke alltid
enbart gode,
onde äro icke alltid
enbart onde.
Månne icke gode göra
utan vilja stundom ont?
Månne icke onde göra
utan vilja stundom gott?

Att ur varats vida
allt av onde bida
som av gode gott,
att av godes lida
som av ondes brott,
när vid ondes sida
så de gode strida
så för ont som gott
— är ej sent och tida
så vårt varas lott?

XXI.

Kommer ej ont av det motstånd
livets frön under livet möta,
verkningar, stora och små,
— växten att skava och nöta,
växten att trycka och stöta,
växten att torka och röta
— vilka allt starkare härda

därmed det levnadsvärda
eller föröda vad ej kan bestå?

XXII.

Är det onda månne evigt till
såsom alltid på nytt uppstående,
i vart särskilt väsen alltid döende
eller dödande
varelsen, det är i,
när den ej kan bestå mot
branden, som förtär den
— evigt till såsom renande
slagguppblandade
malmen av ursprungsgott,
alltid skedande
användbart från ej användbart
eller förbrännande
det som ej uthärdar eld
— evigt till såsom renande,
eller förbrännande eld?
Alltså ej till som evigt ont
hos evige onde?

XXIII.

Är månne missljudet till
blott för att lösas i välljud?
Krävas för livsalltets helharmoni
disharmonier som uppstå
helvetestjutlikt ur luften
vinande, piskande vågorna
bitskt och hätskt, tills i stormens
växande väldiga välljud

missljuden äntligen själva
måste som välljud försvinna?

Bleve den alltför stilla
livsalltets eviga frid,
gåve ej livsalltets sköte
evigt med flödande säden
upphovet ock till den eviga strid,
vilken kanhända skall uppstå,
stillna och uppstå och stillna,
växlande ständigt oändligt i evigt
                     framflytande tid?

XXIV.

Att naturen utan skoning slår
det som ej dess egna lagar följer
ej kan bruka och ej rätt förstår,
ses av storm, som över havet går
och med spillror havets kuster höljer.

Men när livets utgestalt har krossats
som ett skeppsvrak, slungat mot en strand,
simmar livet, när var fog har lossats,
i en annan värld alltjämt i land?

Och i världen, dit de döde draga,
leves om igen blott samma saga
— segla ut i storm och spillror strö
vid den nya obekanta ö,
dit vi simmande för livet hinna,
eller finns det liv, som kan försvinna,
kunna väsen helt och hållet dö?

Kan på levnadsvrak, som sönderslås
mot en dödskust, dess besättning mista

sist sin sista rest och så dess sista
överblivna glimt av liv förgås?

XXV.

Om för varje liv en sista stund
sätts, när det av brist på liv försmäktar,
är, fast hårt, dock detta en miskund,
det att släcka, vad ej leva mäktar.

Men om någon gud förutbestämt
någons liv att sjukna och förtvina
och förgås, ett annat att alltjämt
ondskefullt och pinat andras pina,
varför har han så förutbestämt?

GUD?

I.

Om Gud är till, vad är han?
den vetande give mig svar.
Det samma namnet bär han
som fordomdags han bar.
Mig synes dock,
fast samma namn vi stamma,
att samma rock
ej alltid täckt detsamma.

II.

Ett vara är ej en gestaltgud
med mänskligt personliga drag,
en Herre ej alltid en Alltgud
och ande ej alltid ett jag.

III.

Om Gud är ett allväsenjag,
säg: är i ett bud, som är skrivet,
Guds vilja mer stark eller svag
än uti all livets lag
inom honom själv och i livet?

IV.

Är Gud i allt, han lider
i själars tusental
oändligt i eviga tider
väl helvetets eviga kval?

Och slöte den evige döden
för någon all helvetets glöd,
väl Gud led själanöden
att dö en evig död?

V.

Eller är Gud blott i gode,
då, om jag rätt det förstode,
Gud ur vart väsen försvunne
alltsom dess goda förbrunne.

Ännu en fråga jag fråga vill:
finnes som ondhet det onda till
utom hos god, som känner,
hur ondhet hans goda förbränner?

Och är icke Gud i djuren,
växterna, allt i naturen,
för vilket ej ont som hos människan
som ondhet kännas kan?

Sist vill en fråga jag våga:
finns något alls utan spår av gott,
bliver ej allting till sist dock gott?
Ingen kan svara, vi fråga,
fråga och fråga och fråga blott.

VI.

Är månne Gud en evigt vardande,
— växande fram ur ett frö och evigt
ökande
synen, beseendet,
hörseln, talandet,
kärleken, kärleksvinnandet,
kraften, kraftmottagandet
tills de varda alltmera
allsyn, allbeseende,
allhörsel, alltalande,
allkärlek, allkärleksvinnande,
allkraft, allkraftmottagande
— likväl aldrig nående
oändlig allhet i allt
— eller är han av evigt
allfullkomlig?
Kan det oändliga,
vilkets gräns är onåelig,

fyllas av någon
vore han ock en oändlig?
Gives ett Alljag,
evigt oändligt?
Eller blott livsallt,
all-ande?

PAN OCH ZEBAOTH[1].

I.

Pan sade till mig: "Låt sova
i jorden de gamle judar,
stig upp, min son, och lova
de unga alltets gudar,
som tagit i allt gestalt
och ropa: 'Tag allt, giv allt!' "

O Pan, de gamle judar,
dem ville jag icke dyrka,
men dina unga gudar
av skönhet och frihet och styrka,
som tagit i allt gestalt,
dem ville jag dyrka i allt.

Men manernas makt mig tuktar
till träl ifrån titan
och Jehovah jag fruktar
mer djupt än jag kär har Pan!

---

[1] Skrivet före det föregående stycket — därav dess möjliga oöverensstämmelse med den där uttalade tankegången.

II.

Väl vill Jehovah jag smäda:
"Hej, Jehovah, heh äh!"
men knappt jag hunnit häda,
ja'g sjunker ned på knä.

Om Zebaoth är den rätte,
mitt knäfall har gjort bot
— om Pan, så minns, jag trätte,
o Pan, med Zebaoth!

III.

Säg, är du ej, o Zebaoth,
i själva hädelsens vanvettsrop
och i förtvivlans hat och knot
mot dig och allt, du skop?

När livet, du skop, går snett och vint
och själv i det livet du lever än,
är det ej du själv, som då slår blint
och vanvettsvilt igen?

IV.

Vid hav och sol och vild orkan
mig säg, o Zebaoth,
är djupast ned i varats rot
du själv ej guden Pan?

Och giv mig ett ärligt svar, o, Pan,
var du ej med i lagens hot
på Sinai berg, där Zebaoth
för välde och kraft bröt ban?

CALIBARIEL.

I.

Jag är ej Ariel, ej Caliban,
jag är ej människa och icke man,
ej djävul, icke gud.
Men något litet är jag detta allt
än gud, än dämon, alf och faungestalt
med bockfot och djurlik hud.

Var kväll och morgon jag ömsar hamn
och Calibariel är mitt namn.

II.

Jag älskar de rena,
i kvällen sena
min väg till torpet jag tager,
där dottern i kammaren kläder
sig av i oskuld och träder
till spegeln och tycker sig fager.

Då ville jag vara det barnets hydda
det barnet att värna och skydda,
men djupt i mitt hjärta det gnager.
Det faller en misstro mig in med ett,
mir biick har åt henne ett gift berett,
då biter den till med ett giftigt bett
och sorgsen till skogen jag drager.

EN KÄRLEKSVISA.

Jag köpte min kärlek för pengar,
för mig var ej annan att få,
sjung vackert, I skorrande strängar,
sjung vackert om kärlek ändå.

Den drömmen, som aldrig besannats,
som dröm var den vacker att få,
för den, som ur Eden förbannats,
är Eden ett Eden ändå.

LÄTTSINNET.

Den unge sade:

Med lättsinne mente jag: göra
vadhelst mig behagar,
jag trodde på hemliga lagar
som, lever mitt övermod
hur nyckfullt det vill alla dagar,
ändå skulle mäkta att föra
därhän, att all följd bliver god.

"När hanliljan", tänkte jag ofta,
"vill växa och blomma och dofta
och låta sitt frömjöl få flyga
hur planlöst som helst för att finna
den första och närmaste lilja,
dit slumpen med vinden det för,
och ändå ej något förstör,
vi skulle då jag icke vilja
detsamma och vi icke smyga

till första och närmaste kvinna
och göra som hanliljan gör."

Men nu har jag bördor att bära
av hustrurs besudlade ära
och skulden för skökvordna mör,
och själv är jag döendet nära
av lustan, som tär och förstör,
mig synes, att lögn var min lära,
men, säg mig, du gamle, varför?

Den gamle svarade:

Icke alla unga viljor
äro friska, rena liljor,
ont de göra, ont de lukta,
när de dofta och befrukta
i de vita liljors ring,
och när lustigt de sig tycka
med sitt frömjöl sprida lycka
sprida de blott pestfrö kring.

MASKIN I OLAG.

Fabel.

Vår vilja den är centrum,
vår lust periferin:
"Gå runtom, gå runtom
din axel, turbin!"

Vår vilja vill förlustas
och säger: "Kära lust du,

kom låt oss dricka vin,
gå runtom, gå runtom
ditt centrum, turbin!"

Först vill ej lusten dricka
och säger: "I är för fin
att dricka med en tjänare
av ert förnäma vin!"
Men viljan säger: "Runtom,
gå runtom, turbin!"

Rätt ofta sedan viljan
och lusten sutto samman
och smorde sin maskin,
och viljan drack brorskål
med lusten i vin:
"Bror centrum, bror runtom,
bror axel, bror turbin!"
Och snart begynte lusten
att tro sig vara centrum
och sade: "Hopp, hej lustelig
gå runtom, ditt svin!"

När viljan sade: "Lust du,
nu stopp, ej mera vin!"
Då sade lusten: "Vilja du,
håll käft, jag är centrum
och du periferin,
gå centrum, du runtum,
du rundtrum, du centrom,
gå centrum, turbin!"
Med brak flög i styckjom
var del av maskin.

FRIHETEN.

Ej blir viljan frigjord av att färdas
mjukt på dynor, ej att fritt i lastens
famntag lata sig en levnad lång,
fri blir viljan först, när den fått härdas
från en veklings ragling till gymnastens
genom självtvång fria hjältesprång.

Men när viljans gång är stolt manhaftig
och när viljans alla senor spänna
muskelkraft i järnhård fjädersvikt,
skall ändå dess arm ej frisk och kraftig
famna livets välbehag, blott känna
tvångets tyngd med ständigt större vikt?

DEN VISE SADE:

"Var vaksam, min son, och var avundsjuk
om makten åt ovan och nedan
— vill någon dig störta alltredan,
sök göra medtävlaren mjuk,
den icke är konungens like,
må vara vasall i hans rike.

Och lyder han endast med knot dig,
så håll med din kraft honom neder,
men mäktar han dock stå emot dig,
tills ärligt han vunnit sin heder
att vara i allting din like,
så dela med honom ditt rike,
det reder sig präktigt, ty du som han
i längden kan

ej avundas den, som är likeman,
ej yppare tanke jag fann
att tillknyta broderbandet
än: vi två de främste i landet.

*

Men har han ändå icke nöjt sig
men börjar för enväldet krig,
slå igen, slå igen, tills han höjt sig
till en överman över dig.
och efter du ej är hans like
så bliv en vasall i hans rike.
En starkare vän
än vasallen du mist
i er tävlingstvist,
än den likeman
som i kriget försvann,
i din hövding du vinner igen."

Så talte till prinsen den vise,
och sant kanske talade han,
dock känner och vet varje man
att hela den vishet, vi prise
hos vise, ej alltid är sann.

LEVNADSFÄRDEN.

Adam, Eva,
man och kvinna,
ständigt sträva
att varandra
kära vinna,
vänligt vårda,
genomvandra

med varandra
öden blida,
genomlida
öden hårda,
taga, giva,
livas, liva,
famnas, föda,
rikt av kärlek överflöda
och till sist av ålder böjda
av allt livets rika flöden
mätta, nöjda
gå i döden
— är ej så, du vise, är den
icke så, den oss beskärda
enda goda levnadsvärda
levnadsfärden?

Eller är den
att försaka
allt vad denna arma världen
man och kvinna
gav att smaka
av varandra,
för att finna
i den andra
allt tillbaka?

LIVETS VÄRDE.

Än tycks det mig just i de stormande,
brottande lidelsers krig
är just det byggande framtidsformande
för allting, som lever, och mig.

Än tycks det mig just, att det leende
världslivet just som det är
med frittglada ögonen seende
inom sig all himmelen bär.

Då komma de mörka förkrossande
dödsdystra tankarnas flöden
med budet: "det enda förlossande
för livets lycka är döden".

"I paradisängden förtorkar ej
det liv, som evinnerligt grönskar",
— då svarar jag: "längta jag orkar ej
till det jag ej känner och önskar!"

EFTER DÖDEN.

Icke, när jag död är vorden,
sprids mitt väsen väl i jorden
blott som fosforljus,
element i jordens vara,
fukt och flyktigt irrljus bara,
icke mer ett jag?

Men jag skall kanhända sova
i en dröm av mörka, dova
halvmedvetna hågkomstljud,
ljud likt forsars brus mot hallar,
tills en stämma högljutt kallar
mig till liv en dag.

Eller skall jag tungsamt höja
mig ur gravens mull och töja
på mitt väsens band som knöt

mig vid jordens tyngd och häva
mig till rymd, där jag kan sväva
full av kraft och fri?

Eller skall jag syndbelastad,
djupt i dämonsriket kastad,
i eonisk tid,
själv betvingande betvungen,
ständigt stingande och stungen,
vältra om i hat?

Eller kan jag genombida,
genomstrida, genomlida
detta allt och kan
jag förflyktigas och enas,
sjunka, stiga, sudlas, renas
eller helt förgås?

HIMLAR.

I.

Jag avskyr Gud betraktad såsom pater,
och hatar tanken, att ditovan hunna,
ej man och kvinna mer, men munk och nunna,
vi skola sjunga eviga kantater.

Jag avskyr änglar, om med stela later
de träda mot mig kyliga och tunna
likt dessa Dygder, som i tider svunna
gjorts till personer på en klerkteater.

Är saligheten blott den benradslike
avhållsamheten, skild från livets krafter,
ej underligt, om himlarna bli tomma,

ej underligt, du arma himmelrike,
att mer vi älska jordens friska safter
med han- och hon-frö, frukt och barn och blomma.

II.

Jag älskar ej en himmel lik en kyrka
och klostersalighet mig kvittar lika,
jag vill se himlen full av jordens rika
och starka liv med ännu större styrka.

Från mina livskrav ej jag ämnar vika,
om också himlens alla helgon yrka
som idealmål för mitt hopp att dyrka,
ej blott som medel, att på kors mig spika.

Giv mig, o Gud, ett säkert hopp i döden
att möta livets friska mänskovimmel,
där mannen är en man och kvinnan kvinna!

Giv mig en uppåtfärd av rika öden,
där jag kan slag förlora eller vinna,
så kan jag kanske längta till din himmel!

III.

Kanhända kämpar väldighet mot troner
ännu i himlens allra högsta zoner,
likt bragd och äventyr i jordens krig,
kanhända blandas i de helga toner,
o Gud, om du är till, som ägnas dig,

410

från skog och äng i himmeltemplens närhet,
likt jordens ljud, men fylld av himmelsk skärhet,
en kärleksvisa öm och innerlig?

Kanhända där för varje man och kvinna,
var stam, vart folk är salighet att vinna
av just den egenart, som är för dem?
För Hellas lysa ljust Elysiens lunder,
för Israel med ädelstenar under
sin jaspismur ett nytt Jerusalem.

Sin sälla jaktmark uppnår indianen,
till houribäddens vila går sultanen
på segrar nöjd, men onöjd skandinaven
går djärvt ännu på andra sidan graven
med egen kraft till stöd på vikingfärd,
— en var skall finna, trälen som titanen,
om född i öknen eller under granen,
av det han önskat det, som han är värd.

VARIATIO.

Det vetebrödsvita och gudsängelrena
med Herren-vare-lov och Gudsfrid
— de hava väl ock litet rätt, som mena,
att slikt smakar gott för en tid.

Dock finns det en smak av det sillsaltbittra
rätt god, om ock icke så ljuv
— den länge hört småfågel pipvackert kvittra,
vill gärna höra tjutet av uv.

Men blir det för mycket "uhu" och "klävitt",
då börjar vårt huvud att värka,

411

då vilja vi åter bli kvälltjutet kvitt
och längta till morgonens lärka.

TAL I FÅVITSKO.

"I veten det, bröder och vänner,
min mandom har lärt mig försaka
den jord, där min ungdom slog rötter
och bar sina gröna förstlingsblad.
Dock ännu mitt hjärta känner
en längtan att färdas tillbaka
till tiden jag satt vid Gamaliels fötter
ungdomligt allvarlig och även glad.

Jag talade barnsligt, jag var ju ett barn,
fast höglärd i allt, som är skrivet,
mitt sinne var fullt av de gycklets flarn,
som tillhöra ungdomslivet.
Och gav mig Gamaliel då en visdomsskrift,
och flitigt jag låddes i rullarne läsa,
jag ritade av med mitt arga stift
i kanten Gamaliels långa näsa.

Och lönligt ibland, när det led emot natt
— jag vill icke mycket min vishet prisa —
vid Gamaliels dotters fötter jag satt
och läste med henne i fädernas Höga Visa.
Vad talar jag, talar jag oförnuft,
tillgiven mig det, låten orden fara
och hållen det allt såsom vind och luft
och tagen eder för fåvitska ord till vara!"

Ja, så har jag tänkt mig apostelns tal
en kväll i den gästfrie Gaji sal,

men har han ej så kunnat uttala sig,
fall, fåvitska, då över mig!

LIVSÄVENTYRET.

Ett tema i två variationer.

I.

Ditt liv, det är livsäventyret,
du sitter som gosse vid styret
av livsäventyrets julle
med säckar till segel på fjärden
och låtsas att runt omkring världen
på Phileas-Fogg-färd du skulle.

Då händer det dig att du driver
till havs, och till verklighet bliver
din lek, när en storm börjar vina
och jullen går runt och du föres
ombord på ett barkskepp och göres
till jungman och strandar i Kina.

II.

Jag sökte min faders åsnor,
jag lette, jag sporde mig fram:
"Har I sett min faders åsnor,
I fränder av Benjamins stam?"

Jag mötte i vägen en vis profet
och frågade: "Säg, vad tror du och vet
om denna resans ända?"

413

Då svarade han: "Kanhända,
o Saul, son av Kis,
att du skall tomhänt vända
ifrån din åsnefärd,
dock kunde det även hända,
o Saul, son av Kis,
att resan slöte på annat vis
med en tron och ett fall på svärd,
om sådan en färd du var värd."

EN ARIERS VÅRVISA.

Sänd, sol, din hulda gåva
av värme om nysprungna blad,
du regn, jag vill dig lova
ditt friska befuktande bad!

Du ök, var starkt i bogen,
giv säden dess växtkraft, du mull,
och riktigt framför plogen
fall, gödsel, du lantmannens gull!

Bered, att allting dignar
av livskraft, du liv, och bered
att all din rikdom signar
min unga hustrus kved.

EN ARIERS HUSTRUVISA.

Min hustrus lockar mjuka,
de äro mitt behag,

mig gjorda till att bruka
till ögonlust var dag.

Min hustrus ögon klara
behaga mig ock väl,
mig gjorda att besvara
med själ min egen själ.

Min hustrus läppar fina
de räcka fram en god
och ädel dryck till mina,
därav jag dricker mod.

Och djupt mig äro ljuva
min unga hustrus bröst,
den livets ädla druva
min son till mat och tröst.

Och som ett vårregn bliver
till fröjd för landets mark,
min hustrus famntag giver
mig vällust, ljuv och stark.

EN VÅRVINTERVISA.

"Smält min is,
låt min snö
gå i tö",
suckade vintern till våren.

"Kanhända, kanhända om solen vill,
vi vänta väl ännu en månad till,
så kanske det sker", sjöng våren.

ÖVERSÄTTNINGAR

HÖST.

(Efter Nicolaus Lenau.)

Av hösten redan bokarna klätts röda,
som på en sjuk, vars blod av helsot härjas,
den bleka kinden stundom flyktigt färgas
— men det är rosor, vilka snart förblöda.

Hör, bäcken smygande och stillsamt strömmar
i dalen ned, hans sorl blir knappt förnummet.
Så smyger tyst en vän i dödsbäddsrummet
att icke störa livets sista drömmar.

Här för den sorgsne är det gott att vara,
naturen själv har sett sin sommar mulna
och sett sin glädje frysa bort och gulna
och kan den klagande med klagan svara.

OVÄDER.

(Efter Adelbert v. Chamisso.)

Från tinnarna av borgen
den gamla kungen såg
utöver det mörknande landet
med mörknande sorgsen håg.

Ett oväder drog sig tillsamman
och började tungt sin färd,
han höll den högra handen
på fästet av sitt svärd.

Den gyllne härskarspiran,
han i den vänstra bar,
han släppte för att hålla
sin kungakrona kvar.

Hans unga älskarinna
försagt i manteln drog:
"Du älskar mig ej mera,
jag vet, jag ser det nog."

"Mitt vackra barn, låt vara
med älskog och lust och smek!
Se ovädret nalkas och stormen
har börjat sin vilda lek!

Jag är ej en mäktig konung
häruppe i stormens dån,
men tunga och hårda tiders
vanmäktige fruktande son.

Mitt vackra barn, låt vara
med älskog och med smek!
Se ovädret nalkas och stormen
har börjat sin vilda lek!"

AHASVERUS.

(Efter Adelbert v. Chamisso.)

Minnes du vår ungdoms hägring,
hur vi höllo av varandra,
hur vi skulle samfällt vandra
i den värld, som låg förtrollad
framför oss i Edens fägring —
och omätlig, stjärnesållad
såsom eterhavet drömde
vi vår framtid — minnes du?
Nej, ni glömde, nej, ni glömde
       det, min fru.

Ja, ni glömde det! och matta
fraser skola alltså gälla
nu som minne, föreställa
att ni täckes er förbarma
över mig som andra arma,
vilkas sorg ni ej kan fatta
— sorgens sorg, den sammanbitna
bakom läppar, slutna hårt!
Mot mitt liv, det sönderslitna,
       bröt du svårt!

I en bok från gångna tider
har jag läst en sällsam saga
om hur Ahasverus lider,
han som ej skall dö, men jaga
rastlöst genom sekler alla,
tills en dag basuner kalla
de förmultnade ur graven
och han själv sitt domsord får;
och han vandrar, stödd mot staven,
       går och går.

Framåt över jordens yta
utan ro den trötte ilar,
låter världshistorien flyta,
ser hur våg i våg sig gjuter,
mänskoåldrar bli minuter
för hans blick och tiden vilar.
I sitt gamla bröst han döljer
smärtans tagg och kvalets tand.
Obeveklig honom följer
      ödets hand.

Men var gång ett sekel tändes,
vaknar mäktig den eländes
längtan att till Salem vandra.
Folkslag bröto fram och trängdes
hårdhänt undan av varandra,
romarnes palatser sprängdes,
Islams stolta murar bräcktes,
floder togo nya lopp,
språk förgingos och det väcktes
      nya opp.

Bland ruinerna han sörjer
och det gamla bröstet häves,
främmande är alltings stämpel
och han söker och han spörjer
efter Salems fallna tempel,
söker, spörjer blott förgäves.
Och kring hjärtat skalet tjocknar
marmorhårt, men innanför
är ett rum, där eld ej slocknar,
      matk ej dör.

Jag är juden, evigt går jag!
— se ej på mig så förvirrat!
Det är Salem jag begråter!
Och när jag ett sekel irrat,

bland de öde murar står jag,
frågar, söker — frågar åter.
Men förgäves skall jag spörja
— intet svar ger återskall,
stenanleten se mig sörja
        Salems fall.

HEDSTÄMNING.

(Efter Nicolaus Lenau.)

På himlens anlet vandrar tung en tanke,
en molnstod, kopparkantad, grå och vit,
och snåren vrida sig, som själakranke
på plågans bädd, i vinden hit och dit.

Som ögat blinkar, stridande med tåren,
så lyser matt en ljungeld då och då
ur skyarna, de dunkla ögonhåren,
med dämpat svårmod höres dundret gå.

Hän över kärren mörkare det skymmer,
i töcken sjunker horisontens rand,
där himlen, grubblande på tungt bekymmer,
lät tankspridd solen falla ur sin hand.

STANZER.

(Efter Lord Byron.)

I.

Fick kärlek följa
sitt lopp och skölja
som stormfri bölja
mot livets strand,
den högsta lycka
ett liv kan smycka
ej skulle trycka
som ok och band;
men den fick vara
bevingad bara
— så låt den fara
sin flykt i frid,
och tänk därvid blott:
en liten tid blott
det var, men tiden var vårens tid.

II.

När två, som tvista,
varandra mista,
vill hjärtat brista
och hoppet dö.
De mötas sedan
och då har svedan
förmildrats redan
av årens snö.
Men om man tvingar
den gud, som svingar
sig lätt på vingar

från strid till strid,
att bli beständig,
blir gles, eländig
hans vingeskrud ifrån vårens tid.

III.

Han älskar dater,
han välter stater,
men av traktater
förkvävs hans makt.
Åt lugnets gränder,
åt vilans länder
han ryggen vänder
med kallt förakt.
Från fredens vanor
på nya banor
hans stolta fanor
gå ut på färd.
Ej ro han aktar,
ej eftertraktar
en tron, som ej är hans välde värd.

IV.

Och varför dröja
tills drömmens slöja
rycks av att röja
att kärlek flytt?
Varann bevaka
och snålt rannsaka
för ej tillbaka
hans eld på nytt.
Låt den ej hinna
se år förrinna

och trögt förbrinna
och flämta matt.
Försök ej härma
förgången värma,
men säg farväl med en väns: god natt.

V.

Ej slikt ett minne
gör mörkt vårt sinne,
det står därinne
med ljusa drag.
Vi sluppo tämjas
med tvång att sämjas
och mätte vämjas
åt allt en dag.
Och än står fager
den ungdomsdager,
ej tid förtager,
kring det som var.
Och till det sista
var än en gnista
av smeksam ömhet i ögat kvar.

VI.

Att lös oss rycka,
när än vår lycka
är ung, vi tycka
en bitter kur.
Men om vi stannat,
vad blev det annat
än hjärtat fann att
det satts i bur.
När år stämt ner oss,

han överger oss,
den gossen Eros,
de unges gäst.
Fast djärv och vågsam,
fast skarp och plågsam,
den bittra kuren kurerar bäst.

FARVÄL.[1]

(Efter Lord Byron.)

De voro trogna vänner förr,
men världen lyss vid lögnens dörr;
och tro är falsk; och liv är tungt;
och ungdomsblod är hett och ungt;
och strid med den man håller kär
som galenskap och feber är.

Men ingen fanns som kunde mäkla
försoningen och skänka trösten;
de stodo där med ärr i brösten
likt brustna block av berg som rämnat,
och brottsjön skilde dem till slut,
men spåren forna dagar lämnat
ej frost, ej våg, ej stormens tjut
fullkomligt kunde plåna ut.

Ur "Christabel" av Coleridge.

Så farväl! och om för livet,
fare du i livet väl!

[1] Till Lady Byron.

Var i hat ditt slag ock givet,
hat är biltogt i min själ.

Låg det öppnat, detta bröst som
du så ofta slumrat vid,
där du fann den ro och tröst som
du försmått för evig tid.

Låg mitt hela väsen blottat,
blottad varje tankevrå,
kanske fann du stynget måttat
likväl alltför hätskt ändå.

Må de slösa bifall på dig,
höja lovets smickersång,
smickret självt skall förebrå dig
för en annans undergång.

Har jag felsteg ock bakom mig,
fanns då ingen annan arm,
än den arm, som lindats om mig,
att ge hugget åt min barm?

Och du själv! Tro ej en nyck blott
gör en ungvarm kärlek slö,
tro ej hjärtan med ett ryck blott
kunna slitas ut och dö!

Länge skola de pulsera,
blöda länge bägge två,
de som aldrig, aldrig mera
vänligt mot varandra slå.

Tyngre sorg är så att sakna
än en sorg vid gravens brädd —
bägge leva, bägge vakna
i för alltid enslig bädd!

Dig skall dock den tröst hugsvala,
som från mig så kallt man skar —
när den lilla börjar tala,
vill du lära henne: "Far"?

När hon lutar sig intill dig,
när du hennes läppar kysst,
tänk på den, som ännu vill dig
allting gott och sörjer tyst!

När du ser naturen välva
hennes anlets drag likt mitt,
tör en snyftning kanske skälva
ändå någon gång i ditt.

Felen såg du, såg så månget
kvalets djup du ej förstår —
allt mitt hopp med dig är gånget,
är hos dig varhelst du går.

All min kraft är bräckt och bruten;
stolthet, som ej världen bröt —
böjd för dig, av dig förskjuten —
sist min egen själ försköt.

Men vart ord är ju förgäves,
helst från mig — det är ju slut!
Tanken binds dock ej — den häves,
vidgas, växer och vill ut.

Så farväl! I landsflykt driven
ifrån allt jag hoppats på,
härjad, skövlad, övergiven,
kan jag dö mer helt än så?

HYMN TILL DEN SJÄLISKA SKÖNHETEN.

(Efter Shelley.)

En okänd andekrafts fördolda ham
är mitt ibland oss, trolsk och aningsrik,
och luftig lik en vind och blomdoft lik
och lik den bleka glimt, som skymtar fram,
av månsken bakom bergens furutäckta kam,
den ger ett flyktigt, skirt behag
åt själar och åt anletsdrag.
Den är oss kär som minnet av musik,
som kvällens skimmer, nattens sus
och skyars färd i stjärneljus,
ej blott för ljuvhets skull, men kär
för allting underbart den innebär.

Du skönhetsande, vilken helgar allt
i mänsklig form och tanke, som har fått
ett återsken av dig, vart har du gått?
Vi sågs du blott i flyende gestalt
från denna sorgens dal, där allt är tomt och kallt?
Spörj, vi en regnbågsbild, som flytt,
när solen skymts — ej tänds på nytt,
vi livets syner släckts som stjärneskott,
vi födelsen och döden kom,
vi ljus och skugga växla om
i livets som i dygnets lopp,
vi hat och kärlek finns och sorg och hopp!

Men ingen röst från ovan ger ett svar
åt skald och siare, som spörja så,
och namnen Himmel, Dämon, Ande stå
som minnen av en olöst fråga kvar,
blott ljud, som lockat oss, men ej tytt gåtan klar.

Ty vad är allt den vise vet
— fåfänglighet, förgänglighet!
Likt bergens töcken är det svar vi få,
likt ett ackord, i natten hört,
från strängar, vilka vinden rört
likt månljus på en nattmörk ström,
en skymt av sant och skönt i livets dröm.

Vår självtillit, vårt hopp, vår kärlek går
och kommer likt en sky, som flyr förbi.
Odödlighet och allmakt ägde vi,
om, höge ande, du som allt förmår
i all din härlighet, blev ständig gäst i vår.
Du sympatiens sändebud
från blick till blick hos man och brud,
du element, som tankar klarna i
som ljus i natten, dröj och giv
dig helt åt oss i död som liv,
ty utan dig är liv som död
av mörker fullt och skräck och själanöd!

Som barn jag sökte andar och jag sprang
att finna dem, när stjärnor lyste tyst
i skog, i skumt gemak, där byst vid byst
av hädansovne skymtade — jag tvang
min röst att ropa namn av hemsk och sällsam klang.
Ej ljud vart hört, ej svar jag fick,
men när i drömmar sänkt jag gick
en vår, då allt, av milda vindar kysst,
slog ut i knopp och väcktes opp
till sång och doft och sommarhopp,
med ens din närhet jag förnam,
då skrek jag till — i salighet jag sam.

Har jag ej ägnat allt min makt förmår
åt dig, du Majestätiska Behag?
Fantomer nu som då frammanar jag,

mitt öga fuktas och mitt hjärta slår,
när bävande och rörd med dem jag går
i slott, av trolska syner byggt,
och lyss till höga tankars flykt.
Spörj dem, om hopp har lyst i mina drag,
som ej förbands med svärmeri
att du skall lösa världen fri
ur träldomens och mörkrets famn
och bringa oss allt ljuvt, som ej har namn!

Mot aftonen blir dagern mera blid
och allvarsam, det är en harmoni
i allt vi se, när sommarn är förbi,
ett klarblått ljus i skyn, en höstens frid,
som icke hörts och setts och känts i sommartid.
Så låt din kraft, som djup och rik,
naturens egen sanning lik,
steg ned i mig som ung, med åren bli
en fridens stilla kraft i mig,
som älskar dig och som av dig,
du ljusa ande, lärt och lär
att sky mig själv och älska allt, som är!

MIN HUSTRU.

(Efter Burns.)

Och alltid har hon dängt mig,
på dörren har hon slängt mig;
när kvinnfolk fått sin vilja fram,
har hänt att karlar hängt sig.

Jag tänkte: Öl vid egen ugn,
mens hustrun styr och ställer!

När en blir gift, så får en lugn
— jo lugn fick fanken heller!

Min sista tröst är nu: "Må tro
när i min grav jag sänks, ni,
på vedermödan evig ro
i himmelen mig skänks, ni?"

Och alltid har hon dängt mig,
på dörren har hon slängt mig;
när kvinnfolk fått sin vilja fram,
har hänt att karlar hängt sig.

VEM STÅR PÅ LUR VID DÖRRN?

(Efter Burns.)

Vem står på lur vid dörrn? Vem där?
"Å, det är bara Findlay!"
Så gå er väg, I bor ej här!
"Är på besök", sa Findlay.
I kanske är en tjuv? Vem vet?
"Kom ut och se", sa Findlay.
I vill bestämt nå'n dålighet.
"Det händer allt", sa Findlay.

Men om jag nu lät opp för er
— "Låt opp, låt opp", sa Findlay —
så fick jag ingen nattro mer.
"Det händer allt", sa Findlay.
För I, I gick väl inte strax?
"Jag stannar kvar", sa Findlay.
I blev nog kvar till gryningsdags.
"Ja visst, ja visst", sa Findlay.

Men slapp I in — så om och men
— "Släpp mig in", sa Findlay —
I kanske snart kom hit igen.
"Ja visst, ja visst", sa Findlay.
Men om nå't sker, I hör jag ber,
— "Låt det ske", sa Findlay —
var tyst som murn, med allt, som sker
"Är tyst som murn", sa Findlay.

KOPTISK SÅNG.

(Efter Goethe.)

Låten de lärde i eviga strider
gå mot varandra i stridsdans fram,
alla de vise i eviga tider
le åt pedanternas lärdomsdamm:
dårskap att dårar för dårskap bevara,
klokhetens barn, låt det narrspelet fara,
narren få vara den narren han är!

Merlin den gamle i tusenårsdvala
har jag som yngling ur graven hört tala,
mumlande drömtungt och dovt så här:
dårskap att dårar för dårskap bevara,
klokhetens barn, låt det narrspelet fara,
narren få vara den narren han är!

Och i brahminernas heliga skrifter,
djupt in i djup av egyptiska grifter
lärde jag läran som här jag lär:
dårskap att dårar för dårskap bevara,
klokhetens barn, låt det narrspelet fara,
narren få vara den narren han är!

TALISMANER.

(Efter Goethe.)

Guds är Orienten!
Guds är Occidenten!
Nordens länder, Söderns länder
vila fridstryggt i hans händer.

RÄGGLER
Å PASCHASER

PÅ VÅRAT MÅL
TÅ
EN BONNE

Min goe vän,

Annersch Jansa i Bråtane, Brônske,

tillägner ja diss här rägglan å paschasan te tack för all di gla stunner ja hatt tå hanses berättningskônst.

BOEN.

BOKA NUMRA ETT

FÖROLA.

Di mäst tå di här rägglan å paschasan skrivd ja först ôt Kallstatininga, för dä bönnra i Varmlann töckt dä va rolitt te läs tocke. Å atte ja nu gir ut dôm i e bok, d'är bar för te förtjän litt pänga, för pänga behövver en så mö en kan få.

D'ä int ja sôm ha hett på allt, utta ja ha hört dä mäst tå ann fôlk, men ja ha satt ihopp'et, satt dä skull gå an i Kallstatininga. Te äxämpel dätt här ôm Skenerkutt, dä ha ja hört tå Annersch Jansa.

Sômma töcker fäll att dä int ä dä rätt måle, vasken rekti frissdalsk äll jösshärsk, för se ja ha vôr bå i Frissdaln å Jösshär å annastans åg, satt ja blanner ihopp.

Men dä får di fäll orsäckt.

För räxten går sockenmåla bort nu å dä blir ett blannmål tå alltihopp. Å så har di dä här skollärermåle, sôm ä sôm e tröckt bok å dä fördarver allt va mål hetter. Om trätti år ä dä ingen i hel Varmlann sôm begriper ett ol tå vårat mål — satt d'ä allt bäst te skriv å läs på't, mennas ti ä.

BOEN.

GAMLE STRUTT Å SKENERKUTT.

Dä va en gutt, di kall Skenerkutt,
i Västre Bogen i skogen.
Dä va en bonngôbb, di kall för Strutt,
där öst i Löcka i Bogen.
Å där va ingen så rik sôm Strutt,
å ingen fattir än Skenerkutt.

Men Skenerkutt va den varst te kutt
å skutt å kappränn på jola,
å engang kutt'en te gamle Strutt,
sôm satt å ok bål i sola.
"Hôll inne kampen din, fader Strutt,
å hör på rolitt", sa Skenerkutt.

"Se dä ä tocken att ja ha fått
ett ög te dotra di, Lena.
Fäll ä ja fatti å bar å blott,
men ja ä dockti i bena,
å tockna värktyger, fader Strutt,
en kommer langt mä", sa Skenerkutt.

"Dä va på dôm, sôm ho stog å glutt
i jåns ve lea ve Löcka,
da kutt ja fram", töckte Skenerkutt,
"å bynnt å klapp'a å tröck'a,
först sa ho: släpp mä! sen sa ho: hutt!
sen ga ho jaol te Skenerkutt."

Å Strutten môrr fäll å ment tro på,
att va'n så dockti i bena
å va'n så modi, så skull'en få
bå halve gårn hans å Lena,
men bar på så vis, att Skenerkutt
hannt försten fram, töckte gamle Strutt.

Å Strutten dängde å slog sin kamp
å Skenerkutten han gnodde,
dä va ett ränn å dä va ett tramp,
de vren i väg satt dä snodde.
"Du blir allt ätter", sa gamle Strutt.
"Hå, vänta bare", sa Skenerkutt.

Å gjord så lätt sôm ett litte agn
å gjord små hôpp, sôm en utter
å gjord en dans ikring Struttens vagn.
— "Dä va da skam, va du kutter,
dä går ikringkring för mäj", sa Strutt.
"Åh jojo men", töckte Skenerkutt.

Å Skenerkutten han la på täng
å Strutten smacka å rappa.
Når Löcka syntes ve näste sväng,
stog dotra hanses på trappa
å hang ôm halsen på Skenerkutt.
"Du får fäll ta'a", sa gamle Strutt.

DUMT FÔLK.

Å gubevars för dumt fôlk!
Att en annan, sôm inga lärdom har, int allti ä sôm en ska,
d'ä inga unner, men når di, sôm ska var för mer, int ä klar
i bokstaveringskônsta en gang, d'ä lett.

Te äxämpel dä va en söndassmôra, sôm ja geck å spanklér på landsvägen. Da kommer dä en harrkär gånass mä glasyger för yga å smal å vesen va'n, tocken sôm tocker ä.

"Gudagen, min goda man", sa'n. "Vet han, vart ja ska gå för te komma te prästgårn", töckte'n.

"Håja, nock vet ja dä", sa ja. "D'ä inga kônst te komm dit. Når han ha gått ett litt stöck länger, kommer han te en väg te vänster, men den ska'n int gå, utta bar fortsätt tess han kommer te näst vägskel, där dä tar å te höger, där ska'n gå."

"Mä se", sa harrkärsillänne å såg fundersam ut änna sôm dä int skull var klar grejer. "Mä se, inte te vänster, men te höger. Nå vidare da."

"Jo, når'n da ha gått ett stöck te, så kommer'n te e å, å i åa ä e ö."

"Vasa", sa'n.

"Å i åa ä e ö", sa ja.

"Men va i all ti ä dä ni säjer, a, o?" sa'n.

"D'ä e å, vett ja", skrek ja, för ja ble rasen, "å i åa ä e ö, hörer han lite, d'ä e å, å i åa ä e ö."

"A, o, ö", sa'n å dämmä geck'en.

Jo, den va nôe te dum den.

ILLACKT FÔLK.

Boen satt å åt,
kärnga satt å gråt,
barna ränte
sôm möss ikring,
dä va ett stort illände
för ingenting.

Boen gräla å gnall:
"dra för fanken i vall,
tvi ett tocke läte,

443

en får inga ro te äte!"
  Kärnga va blek,
barna skrek,
trättinga tog te,
o, ack å ve,
men vafför i all väla
di larma å gräla
å rett ôpp sä alltmer
å vänd ôpp å ner
på allt mälla take å gôlve,
dä vesst di int sjôlve,
men hele sockna vet,
att dä va illackhet,
för når allt kommer kring
di illacke trätter för ingenting.

NILS UTTERMANS HARRGÅRSFAL.

Nils Utterman va änn sôm rektit bra te spel på dragspels-
instrumänt å på fejol. Ve all potatisdansan å ann rolihet,
gôsan å jäntan i sockna hadd, va'n mä å hjälfft te, satt dä int
skull bli lessamt. Han hadd mang sôrts låt i speldone sett,
bå tocken därn sali låt å tocken därn kopstôlli. Te å mä
harrkäran var rogat tå te hör'n spel, når'n satt å gnall mä
piglocken bål i hagan å skogbackan.
  Hällers va'n nock litt veli å unnli på mang di vis. Han bodd
int i hus sôm ann fôlk, utta va hemm på landsvägen. Ôm
sômmern sôv'en i skogen, ôm vintern feck'en sôv bål ve ba-
kommen i stôgan, men allri sôv'en mer än e natt på samm
ställ. Var'en kom feck'en ett mål mat, för dä att han kunn
spel å för dä att fôlk töckt dä va sönn om en tocken veli krake.
Pänga hadd di int te gi'n å Nils vell int ha tock häller för dä
att han trodd att Den Ful sjôl va i slantan. Men tobak å
brännvin töckt'en ôm å dä tog'en imot, når'n ble bjudd.

En kunn se på uttaskrefta att'en int va rekti. Han geck för dä mäst barfoten å på hôvv hadd'en en gammel körkhatt, sôm hadd vôr svart, men den va blidd grön å va bra nock teknocklat bå framte å bakte. Di sa, att Nils hadd stôl'en frå e fôggelskrämma, men ja tror att'en hadd fått'en tå gamle prosten. Hällers hadd'en på sä en lang uttarock, sôm va hart täjen tå vär å vinn, å den brukt'en bå dag å natt å vinter å sômmar å den va bå skafferi å kappsäck ôt'en, för han hadd sprätt ôpp fecksömman, satt hel rocken ble sôm e feck. Å där förvart'en alt han ägd tå löst å fast.

I syna va'n alt så tämmli uttäck te se. Skägg hans å hår hans hang vilt i kring'en å svart va'n sôm en tatter å titt gjorl'en unner lugg å kôrt å kônsti va'n bå í tal å i vänninger. Dä va mang sôm ble liksôm litt ängschli når di mött'en i skogen, men hällers va'n beskeli å vell int gär nôa männisch förnär.

Dä va en gang ja kom te bruke en krestihimmelsfärsda, når dä le imot kväel. Da satt Nils Utterman på broräcke ve kvarndammen, å spelt mä klaver sett. Dä va den låten han allti brukt å spel når'n va esammen. Den va gjord ätter en gammel skôjertrall, sôm bynt så här:

> "Å hör I gôssor, å hör I gôssor,
> vafför ä I så gemen."

Ja neck ôt'en å satt mä på räcke mett imot för te ly på'n. Da kom unga patron gånass.

"Gudagen, Nils", sa'n, "dä va vackert dädära."

"Hå skäli fal", sa Nils å titt ôt ett ann hôll — "fell kan'a mang fler låter tå bätter schlag." Å dämmä bynt'en på mä "Blomsterklädd kulle satt Hjalmar å kvad".

"Ja, dä va bra dä", sa patron, "da kan Nils gärna gå mä ôpp te harrgårn å spela litet för ôss. Dä ä nåra unga fröknar, sôm har hört talas om Nils å gärna skull vell höra ett stöcke", sa'n.

Allri ol sa Nils, men stack spelvark sett unner armen å förd mä. Han brukt int å nek, når han ble bedd te spel. Ja geck ätter för ja tänkt att Nils skull gär nô kopett, satt han behövd hjälp.

Nu vet en valls herrskapsfôlk ä. Di har int varst mö te gär å däfför ä di rogat å te se tock sôm ä kônstitt äll på ann sätt uvant.

Å når en fatti stacker ä stôlli äll ha gjort nô ont äll ä unnli på nô ann vis, da ä de e ren gläj för tock fôlk te titt på en å skôj mä en å lätt främmat fôlk se hocka kônsti sak di har å förevis. Å så läng en ä uvanli nock, ä di beskeli ve'en, men når den varste unnliheta ä övver kör di ut'en. Sjôl ha ja vôr mä på't en gang å på samm sätt geck dä för Nils Utterman.

För mä däsamm vi kom fram te fröknan i trägårn å patron talt ôm att dä va Nils Utterman sjôl han hadd mässä, bynt di slô sä på knäa å fliss å gi sä levnass övver. Å patron ga'n ett glas kunjak å ba'n sätt sä, å fröknan bynt å fråg ut'en, var han va iffrå å va far hans å mor hans hett å valls han hadd lärt sä å spel.

"Va di hetter dä vet di på are sia tjärna å sjôl bor ja där räven går", sa'n. "Spel mett ha ja lärt mä tå gamle Skrömt i Blåbärsåsen, så nu vet I dä", töckt'en å såg fali unnli ut. Dä va mang sôm trodd att Nils int va så stôlli, sôm'en gjord sä å att'en talt tocke jål bar på môn.

Fröknan di fliss å flin å titt på hôrann å patron han sa: "dä ä gôtt ômgäng du har, Nils", sa'n.

"Ja d'ä dä", töckt Nils han — "dä ill herrskap hel kånka-rången", sa'n.

"Ja skull vill mål' åtå'n i färg", sa den en frökna — "han ä bra ie modell", sa'o.

"Håja, men da behövd'en alt kamm sä litt bätter", sa patron.

"Nä, just tocken skulle han vara", sa frökna, "men spel nu, Nils, sa'o — "dä vackersta du kan", töckt'o.

Da tog Nils fram piglocken å bynt å trampolér mä fôttran å drillér på spelvarke mä lange finulie låter änn sôm når klockern speler förspel i körka. Å sänna drog'en sta mä "Gullmann i fôle" å "Kung Kal den unga hjälte" å mang tocker herrskapslåter.

"Ja, d'ä nock bra, Nils", sa patron, "men dä där har du in t lärt dä tå gamle Skrömt i Blåbärsåsen — tock där ha vi hört fôr, kom mä nô sôm ä frå are sia tjärna."

Da vänd Nils sä bort iffrå dôm, änn sôm han skull skämms, å spelt e gammel vis, ja ha hört mor mi sjong mang ganger, ôm e prinsess, sôm va esammen i dä främmande lann å sörd sä fördarva. Ja töckt dä lät änna kaf fint å vackert, men fröknan å patron di skratt satt tåran rann, för dä att di va uvant te hör tock på hannklavér.

"När sola går ner, blir uvan gla", sa Nils Utterman. Han hadd alti olspråk teress, men dä va allri rekti olspråk, utta tocka han sjôl hadd lag te.

Men patron å fröknan flin bar varrer ända, för dä att di såg att Nils va rasen.

Da slog'en te mä e jösshärspolsk, satt dä vischa å vren å så helt'en tvart ôpp å lag sä te å gå.

"Vänt litt, Nils", sa patron å geck fram te fröknan mä hatten sin å ba dôm sal ihop te en skänkadus ôt spelmaen. Di tog ôpp vansin tiöring å så la patron dit en åg å räckt hatten te Nils. Men han bar vänd sä ôm å sa asch.

"Ja tror du ä höckfärdi", sa patron — "se här, ta't du", sa'n å nödde'n mä hatten, men Nils slog te hatten, satt slantan flög, å dämmä stack'en spelevarke unner armen å geck sin väg.

"Hutt, drummel", sa patron, å senna vänd'en sä te fröknan å sa: "Ja där kan en se valls dä går når en vill var vännli mot tocke fôlk."

Men når ja kom ner te broa igän satt Nils Utterman på räcke å spelt sin gamle låt.

Ja frågt'en vafför han int vell ta slantan, han sôm va så fatti, å sa te'n att'en hadd bôr sä uhöffsa ôt.

"Den sôm tar slant för spel ä såld te den Fule", sa Nils Utterman å mä däsamm spelt'en ôpp igän:

> "Å hör i gôssor, å hör I gôssor,
> vaffför ä I så gemen."

Men nôa harrgårsfal ha'n allri gjort senna dess.

NILS-UTTERMANS-RÄGGLA.

Mi mor bor i Åvävvlaland bål i väst,
min far bor i berga där nol,
ja har inte släkta i trakta härnäst,
ja ä sôm en gäst,
den jänta ja liker sôm bäst
bor västa för måne å östa för sol.
Min gamle fejol ä min häst,
sôm för mä dit östa för sol,
te Åvävvlaland bål i väst
å lang nol i nolerste nol.

ROT-JOHAN.

Ja minns Rot-Johan.

Han va rothjon i Klaknäs å flött iffrå den en gårn te den anner hel åre runt — på dä vis att han va längst ti på di stor gålan å minner ti på di små. På sômma ställ va'n bar i fjortan dar å inga stans kunn en säj att han va hem när säj.

För dä mäst feck'en bo i den varst vråa di kunn let ôpp ôt'en — för han va för uttäck å lorti te var iblann fôlk. Näggu ja ha sett en skröplier skrôtt. Han va en litten skack å vinn kär, sne i ryggen å kroki i bena. Hôvv hans va vre på sne, näsa va lang å bre, yga titt i fyrskaft å unnerkäften va stôr å firkanti. Arman hang langt ner ôm knäa å nävan va sôm ett par stallskôvler.

En kunn int säj just att'en va mö lik e männisch — han va mer lik en tocken där gammel snevren granstôbb mä môs på. Å te själa va'n fell int så fali mer langt kommen än en gammel veli varg, sôm int mer dôger nô te.

En vesst int va en skull tänk ôm'en, når en först gangen såg'en komm gånass ätter landsvägen. En kunn mäst töck att dä va gamle Skrömt sjôl. Lapp hang ve lapp på'n ätter ryggen å bena — han knek å vre sä vint ve vart steg han tog. Di lang vit hårtestan hang ner övver yga å käkan på'n å dä rann ilänn tå tobaken kring mun på'n.

Ôm en da hälst på'n, så vänd'en sä ôt anner sia å spôtt tå ilskenhet. En kunn hör valls han geck å spôtt å las ulöck övver en, så läng han trodd att en kunn hör'en. Tocken va'n.

Itnô gang kunn'en häller gär för föa han feck — å int vell'en häller bju te. Når'n va ong, hadd di slag'en mä käpp för te få'n te arbett. Dä hjalp såppas att di feck'en te hogg litt ve, så läng de va nôn sôm såg på, men mä ett han ble esam slängd han öxa iffrå sä å geck på höränn å la sä å sôv. Satt all stryken han feck den gjord'en bar fôlkilsk å fôlkskygg — lik lat å istadi va'n å ble'n sôm fôr.

Dä enda han töckt va nô tess, dä va mat — gröt å mjôlk å joläppeldôp dä va dä högst han känd te här i vala. Men gunåda gröten ifall han va vebränd — da slängd'en grötfat sett bål ätter gôlve å bynt å spôtt å svär. Dessuttamä va'n begiven på te stäl å snatt alt han kom ôt å te gär ugang bar tå illackhet.

Dä va mang, sôm töckt att en tocken int va värd te få mat — en tocken bol int få lev, töckt di. Allri sa'n sä mö sôm tack för alt fôlk gjord för'en, å alt sôm va i'n va dä illackt å avensjukt.

Men ja ha tänkt dä, att når en alt iffrå början ä snevren å teknocklat bå te krôpp å själ, så ä dä näggu int så gôtt å var fôlk. Kanski att Rot-Johan va dä bäst han kunn bli i all fall. D'ä för mö begärt att den sôm ä blinn ska se, den döv ska hör å den lam ska gå — å da ä dä fell åg urimmlit att den, sôm ä född illack, ska var go.

För räxten hadd nock Rot-Johan nôa gohet i sä, å en vän hadd'en da här i vala, fast att dä bar va en gammel fôlkonn dalbohunn, sôm ränd ikring i Västre Klaknäs. All männischer skälld'en på, å kom han ôt bet'en alt åg — men Rot-Johan å han, di va go vänner di. Gôbben stal gobeter ôt hun å hun va te sällskap å gläjje ôt gôbben — di va sôm två brör.

Mang ganger ha ja sett di bägg lat kräka ligg å sôv si om si mä hôrann bål i en skogsback — å ja töckt att dä lik bra

kunn var ett par gamle utsparka å ill mäkomne dalbohunner
sôm ett par gamle varkbrôtne rotgôbber. Di va int hemm nôa
stans på jola nôen tå dôm å fôlkonn va di bägg två på hel
vala å däffôr tydd di sä tesamma.

E BESKELI JÄNTE.

Dä ä så mört för mäj i vala nu, käre du,
som i a hôle, käre du.
— "Men käre söte goe lelle du, käre du,
va ä dä vôle, käre du?" —

Ja ä i tocka stora gromma nö, käre du!
— "Å kôrs i all mi ti, käre du!" —
Ja tror ja går å slôr mä dö, käre du!
— "Ahnä, lätt bli, käre du!" —

För dä di sier du vell ha en ann, käre du!
— "Di kanske lög, käre du!" —
Å att ja ä för dåli te gå an, käre du!
— "Du kanske dög, käre du!" —

Men ôm ja ba dä ôm en tocken där, käre du?
— "Frest på å be, käre du!" —
En tocken där, di kallar plocke bär, käre du?
— " Nå så köss te, käre du!" —

Men ôm ja kom te stôga di härnäst, käre du?
— "Så slapp du in, käre du!" —
Å ba dä följe mä te näste präst, käre du?
— "Så kör i vinn, käre du!" —

HALLIDAJEN.

D'ä fäll int varst rolitt te var doktare, men int ä dä fäll häller så hemtrevli te ha en rasen doktare in i stôga, sôm svär å skrämmer vete tå gamle männischer. Men dä kan di fäll int hjälp. Di ä fäll tocken.

Mang doktare ha ja sett å all så ha di vôr tocken där "bit-å" å "dra-i-väg", når en kommer in å ställer sä te berätt å lägg ut för dôm, valls sjuka ha kom ôpp å valls dä käns. Dä enda, di har te säj ä: "räck ut tonga" äll "klä åddä".

Men den aller varste doktare te var rasen, dä va en di kall Hallidaj ve Björkstafôrs. Hallidajen han va int fôlklik.

Hår hans dä stog rätt ôpp på'n sôm bôrst, tätt å grått va dä sôm en stôbbåcker, ygbryna di stack rätt ut å yga va sôm en kvekell bak bål mä en bôske. Stor tjock muntaser hadd'en å stort tjockt pulsångskägg ve öra, å alltihop va dä grått på'n, klära va grå å hatten va grå å skinne i syna va grått, dä mä. Jaggu kunn en mäst bli grå sjôl, når Hallidajen kom in.

Men dä, sôm va aller varst på dokter Hallidaj, dä va käften. Fint rakat å slät va unnerläpen å haka på'n, men mun va sôm en kniv i en hackelsemaskin. "Knips" sa dä var gang Hallidajen sa nô å dä va änn sôm en blidd åkleppt ätter halsen.

All männischer va di rädd för'n. Te å mä kvennfôlka helt sä unna för'n, fast att Hallidajen va ugeft. Han knep fäll å dôm, når di kom å gjord sä söt för'n.

Sjôl geck ja allt hälst unna för Hallidajen, ja åg, å hadd ja ont i magen, så geck ja allt häller te gamle Kvast-Kersti i Kastrulltôrpe.

Men så va dä en gang att mor mi blidd så ill illänni tå rosen, satt ja va pockat å gå ôpp te Hallidajen, fast att dä stog hart ôt. Dä va mang kraker, sôm satt uttaför å vänt på te bli insläfft å blek va di, för di vesst int valls dä skull gå mä dôm därinn när doktarn.

Rässôm dä va geck dôra ôpp å en fatti stacker kom ut.

"Nästaman", röt dä te därinnafrå, satt dä skvatt te i hel väntsal uttaför.

Når dä ble min tur å ja skull in, så jämt rakt slant dä ur mä, dä ja skull säj, dä va rent väck för mä.

"Jag skull be få fråga doktarn" — nä, dä va int di rätt ola — "ôm atte ja nu ba doktarn gå mä" — nä, dä störtna å för mä den gangen åg — "doktarn kan fäll int var så innli golit beskeli" —

"Va vill du?" skrek Hallidajen å klefft te mä mä munkniven å stack te mä mä yga.

"Mor mi har rosen i syna", rann dä ôpp ur mä mä ett tag. "Jaså, var bor ho?" sa Hallidajen.

Den gangen töckt ja att dä va litt glaer i yga på'n å däfför tog ja mo te mä å bynt beskriv vägen för'n.

"Håja, d'ä tämli langt — mäsé, ôm en räcktner iffrå den stor lönna ve bruke, så kan dä fäll var — mäsé — e hallmil å en åttendel äll så, men ifall att'en räcktner frå såga, så —"

"Va hetter ställe, där kärnga bor?" röt Hallidajen te.

"Hulte i Västre Klaknäs", spelt dä ôpp i mä mä en enda gang, för når en ä rädd, ä dä ännsôm att dä taler ur en, hocke en vell äll int.

"Hämt mä klocka fem i afton mä karjol", sa Hallidajen.

Men dä va just int meninga att vi skull ha Hallidajen ända hem å ja hadd tänkt att'en bar skull ornér saker te'a, satt jag stog fäll kvar å febbla å klådd mä i nacken. Da peckt'en bar på dôra å såg på mä å jaggu va dä sôm e usynli hann hadd tag å vänt mä å hatt ut mä.

"Nästaman", röt Hallidajen te.

Int för att ja hadd nôn karjol å dä kan en fäll int begär häller tå en fatti stater, men ättersôm att ja hörd unner bruke, så feck ja allt bå häst å åkdon tå stalldrängen ôpp ve harrgårn.

Mällerti ble dä fäll litt övver fem, når ja helt mä karjol uttaför doktarns — en åtte ti minuter, dä va fäll int så falitt.

Doktar Hallidaj stog allt långe i dôra han å hadd klocka i näven.

"Klocka fem, sa ja", sa'n och dämmä steg'en ôpp i karjol.

"Ta hit", sa'n sänna å tog fatt tömman å sänna vren dä i väg, ska ja säj er, för Hallidajen va int den, sôm sparte på en kamp.

Int ett enda ol sa'n på hel vägen uttôm att'en sa: "ligger ho?" — en gang.

"Ja, dä gär ho, å blårö ä ho i syna tå utslag", sa ja.

Nu va dä mällerti så att gamle Kvast-Kersti i Kastrulltôrpe hadd blidd tekallat te mor mi, mennas ja va ätter doktarn å ho stog just å smord ôlj mä pepper i syna på mor mi, når ja å Hallidajen kom in.

Mor mi ôja å illsvidd sä, för dä sve fäll, når dä kom pepper i yga på'a.

"Dra åt hällvette, förbannade spåkäring", sa Hallidajen å Kvast-Kersti sack ihopp sôm en tomsäck.

"Ta hit vatten", sa'n sänna å ja feck ôpp e skop mä vatten ur vassån te'n. Sänna tvätt'en sjôl peppern å ôlja ur yga på mor mi å bynt fråg ut'a ôm sjuken.

"Ja vi ska se te, vi ska se te", sa'n å ble ännsôm litt blier, når'en såg så bekömra mor mi va. "Har I nô papper", frågt'en å såg sä ômkring på all dåliheta i stôga vånn. Ja, ja feck fäll fram baken tå ett gammelt brev iffrå bror min i Amerka, för dä va ing ann papper testärs.

Ja, Hallidajen satt sä te rit ihop sett resäft, men på bole låg dä allt en gammel gröt, sôm Kersti hadd lag te te ômslag ôt mor mi, å doktarn feck armen i't. Mä ett for'n ôpp å ga Kersti ett nytt illblängen, men så satt'en sä igän å feck unna gröten, satt'en kunn skriv. Sänna tog'en ôpp en tvåreksdaler å la på bole.

"Se här", sa'n, "dä här ä te medcin, ajö." Å dämmä lag'en sä te å gå å vell rackt int hör på all mor mis tackninger. "Äh prat, äh prat", sa'n.

Dähär va fäll bar snällt tå Hallidajen å alltihop hadd fäll fått slute väl, ôm int dä här ävie kråke Kersti hadd töckt att nu skull ho trä fram å gär sett te, sôm tocka kärnger bruker.

"Se, ja ska nog hjälp te, för litt betalning", sa'o — "se, ja ska nock få stönner å titt hit rässom dä ä, för litt pänga", töckt'o — "se, ja ska nock se te'a iblann för litt pänga", geck ho på.

"Håll mun, käring — om du stecker dej hit mä din peppar, så ska ja smörj dej mä peppar ja, ska du få se", sa Hallidajen

å slog dôra igän, satt dä sang i stôga å mor mi helt på te
ge ôpp aen.

Sänna steg'en ôpp i karjol å ja bakanpå ätter'n å sen vren
de iväg sôm en ellraket.

Nä, ja töckt int ill om Hallidajen å dä va inga sönn ôm
Kvast-Kersti, för ho förtjänt int bätter, å nock va de bra
tå'n att'en gjord mor mi så halvtämli bra tå rosen, men dä
hang på ett hår att'en hadd skrämt ihjäl'a, å dä va fäll int så
bra för'a kanski.

TRE KÄRINGER I EN BACKE.

Dä satt tre käringer i en backe,
å di va vinne å di va skacke,
di peckte finger, di sträckte nacke
å smala geck satt på alle tre:
"å kôrs i jemini, kôrs i jemini, kôrs i je!"

"Å se på hômmen, å se på henne,
han hissar ôpp'a på lagårsränne,
å kôrs i je, tocke stort illänne,
han klapper henne, o je, nä se,
å kôrs i jemini, kôrs i jemini, kôrs i je!"

"Dä här ska ut över hele sockna,
att ho ha gitt sä å han ha lock'na,
å guschelôv, att vi int ä tockna,
nu kösst'en henne, o je, nä se,
å kôrs i jemini, kôrs i jemini, kôrs i je!"

"Jo, di ä söte, jo, di ä ömme,
ôm tocka fal skull int vi kunn drömme."
— "I ä för gamle, I ä för grömme",

mä ett ur skogen dä vrôla te.
"Å kôrs i jemini, kôrs i jemini, kôrs i je!"

GAMLE JOHANNES.

Når ja tjänt ve bruke te Björkstafôrs, hadd di en gammel gôbb där, sôm di kall Gamle Johannes. Han hadd vôr där sänna lang ti tebakas å hadd fäll vôr den bäst kärn di nônstiner ha hatt där, ätter var ja kunn hör tå di gamle ve bruke.

Dä fanns int e sak, sôm int gamle Johannes kunn gär, når'n va ong, sa di. Int nock mä att'en va varsten i allt va utarbett hett, slôing å plöjing å köring å allt, men han hadd ett tock förstånn på all årninger mä fôlke å mä hel lantbrukation, satt bå förvaltern å patron la rå mä'n iblann å atte han feck gå å rättrér sôm rätter når int den rätte rättern va testärs.

Va belanger häster, va'n en överman, sa di, å mang ä dä hikstorier ja hat hört ôm, valls han ha betvöng rasne hingster å valls han ha kört rätt mä skenske kamper. Frua va falitt rädd te kör å når ho skull in te Kallsta för te gär ôppköp, va dä allri vart att dä va nôn aen på kuskbocken än Johannes. Han va säker, töckt ho — di are va int så rektit te lit på. Å däsamm töckt brukspatron, satt når'n rest in te stan mä pänga, hadd'en allti Johannes mä sä, för dä va tryggerst te ha en tocken stö kär ve sia, ifall dä kunn bli nôa ufre bål ve Krôppkärrsskogen äll Svinbäcken, där landstrykran höll te fôr i vala, når di va på väg te Nôrget.

Men dessuttamä lär han ha vôr en jäger å fisker utta make på denne jola. Han lär ha vôr ett rennt äxämpel te få räven i skôthôll å abbern te napp, sa di, å däfför kan en fäll förstå att dä va Johannes, sôm va genralmajor, når harrkäran ga sä ut på jakt å feske.

Men dä va int nock mä dä, utta Johannes lär ha vôr en tocken där'n mangkônstmäster, sôm sômma ä iblann. Han kunn kitt ihop postelin, kunn han, han kunn lage klocker, kunn han. Svarv svarvsaker sôm en svarver, sneckre å smi, va'n lik utmästrat i å ble dä nô fel mä pejano hos patrons; kom småmansellan å ba sin gullsöt lell Johannes te lage't ôt dôm å dä feck var e fali sjukdom mä spelvarke, ifall att int Johannes doktra ihop'et.

En skull fäll tänk att en tocken betrodd kär kunn kom te stig i gradra ätter lang tjänst, ôm int fôr, men hur dä va, så va int Johannes go te å kom länger ôpp än te gårsdräng. Di sa, att dä kom an på att'en va för stursk, satt'en int vell tal för sä sjôl. Han ment, att tock skull int han tal ôm, di skull vet te ôppvärdér hans värderning ända, för han hadd allt gräjer på att'en va den'en va. Å så va dä dä att förvaltern la sä imot'en.

Se, dä va den egenheta mä Johannes, att'en va litt storakti övver sin mang kônster. Kom di mä nôa sak, han allri hadd sett, så ble'n just allri nô förunnra äll förhäpna, å dä enda han sa va, att han skull se på saka, dä skull fäll bli bra mä den. Å når'n hadd fått e rekti kônsti sak lagat, kunn'en fäll int hjälp att de änsôm sken i yga på'n å småskratt ikring mungipan på'n, för han va allt höckfärdi övver att'en va en tocken schenjör.

Nu va mällerti di ong bokhôllran på kantore rogat å te å gå å titt i värkstan, där Johannes stog å mästra mä sin kônster, å te å ret'en mä att dä int va rätt gjort, dä han hadd gjort. Å da ble'n allti sur å grini å titt ont unner lugg ôt dôm, men dä end han sa va: "gär't, gär't sjôl, får I se!"

Da va dä en gang sôm förvaltern hadd en go vän på besök å för te bju'n på nô särskilt, fant'en på te ret Johannes onn. Å når di kom in te värkstan hos Johannes å Johannes såg att han skull bli gjort te narr inför en främmat, bleka dä fäll te i yga på'n, för han va vesst inge gla den dan.

"Hör nu, Johannes", sa förvaltern, "den här postelinsbrecka ha du allt kitt ihop snett. Se här, d'ä ju alldeles snett", sa'n å visst brecka för kamraten sin.

Johannes sa itnô, utta bare fila på sin mässingsljusstaker äll va dä va han kunn hôll på mä.

"Jaja, Johannes får fäll gär ôm'et, häll också får vi fäll skeck'et te Kallsta, så blir dä fäll bätter", sa förvaltern. "Men se här ä e anna sak — jaså den här elltanga ha Johannes lött ihop. Dä va en fali knöl dä här, ska dä var tocken, tro, Johannes?"

Men Johannes han svart int ett enda ol — han bare slängd staken iffrå sä å ännsôm vell stig ôpp å gå. Gamle Stall-Ola, sôm va mä därinne den gangen, sa att Johannes va grå i syna tå rasenhet, men så satt'en sä igän å tog ôpp arbet mä staken.

Förvaltern stack tonga i käken ôt sin go vän, sôm va mä, å bägg två smågren di ôt Johannes.

Ifall di nu hadd gått sin väg, hadd dä fäll int ble nô tå dä hel. Men förvaltern töckt dä va så rolitt, satt han kunn int lätt bli å ta ôpp mä den dåli löinga igän.

"Ja, jaggu va dä här en rekti knöl dä, Johannes, tänk va frua ska unner, når ho får se den här knöl'n — jaså, dä här ska var e löing dä. Se här, dä här ä hopalött", sa förvaltern å den andre harrkärn lôddes sôm han skull unner mö övver den store knöln, han mä.

"Gär't, gär't", sa Johannes å försökt å hôll sä still, fastän att dä va en rykenass ell i'n te far ôpp och gi förvaltern däng. "Gär't, gär't, harrkärer", sa'n.

Men dä va just di ola förvaltern hadd stått å vänt på att'en skull säj, för dä va di sôm hadd blitt olspråk ve bruke — "gär't, gär't, sa Johannes" — å han hadd gitt sä fasingen på att Johannes skull säj'et en gang te.

"Ånänä, d'ä fäll int så lätt häller te lö ihop e elltang — men lämmä se staken du har där — hå kôrs i all vala, va ha du gjort ve staken", sa förvaltern å röckt staken te sä.

Mä ett flög Johannes ôpp å feck tag i kragen på förvaltern å kast'en hannlösst imot dôra, satt dôra geck ôpp å förvaltern kom ut på gårn, mä hôvv före. "Gär't bätter sjôl, dett rôtne svin", skrek'en å mä dä samm bynt'en storgråt.

"Han kan gå, han åg", sa'n te den are harrkärn å når'n feck se att Stall-Ola stog kvar, sa'n: "Ja, du, Ola, kan gå, du åg, ja ôrker int hôll imot!"

Ätter dätt här kan en fäll förstå att dä va närpå att Johannes feck flött sin väg, men patron töckt int han kunn åvar'en å däfför feck'en bli kvar sänna han bett förvaltern ôm orsäckt.

Men förvaltern kunn allri förlåt'en att han hadd blitt utkasta tå'n. Jämt la'n sä imot'en, var gang dä ble tal ôm att Johannes skull bli rätter äll teminstingens stalldräng. Å når förvaltern en gang i tia flött iffrå bruke, va Johannes så gammel, satt dä int va te tänk te gär'n te nô ann än dä han va. Å så feck'en gå där å slit å dra sôm gårsdräng i all si ti.

Ve den tia, sôm ja kom te Björkstafôrs, va'n övver di åtteti å va langsänna ur tjänsta. Han hadd fått sä e litta stôg ner ve såga å där levd'en på tocka smôler, han kunn få ôppiffrå harrgårn å på di öxskaftan han gjord.

För se öxskaft dä va dä end han kunn gär på gammeldagan, för yga ble dåli på'n på slute. Men den gamle kônstmästern satt i'n än, å dä fanns ingen på hel bruke, sôm kunn gär bätter öxskaft än gôbben Johannes. Dä va ett sving å en fason på di öxskaftan, satt dä va e gläj te se dôm, å dä kom fôlk iffrå lang hôll för te beställ öxskaft tå Johannes.

Johannes va allt åg litt stôlt övver di här berömd öxskaftan sin å han töckt int dä va rolitt te hör kritiserning övver dôm. Dä vesst nu vi dränger å däfför så töckt vi dä va livat å gå te'n, där'n satt ut mä stôgvägga, å ställ ôss sôm vi gärn vell köp ett öxskaft tå'n — å så tog vi ôpp än dä en än dä are tå dôm å gjord all möjli anmärktning på svingen å värke å va dä nu kunn var.

"Må dä här skaft kan var rektitt, d'ä bestämt vint, titt här, du Erk", sa vi å gjord ôss så misstänksam vi kunn övver Johanneses öxskaft.

Da bynt dä ännsôm å sprätt å röck i gamle Johannes å hännra bynt å skak på'n. Men ju varrer rasen han ble, dess varrer gjord vi ôss te mä att öxskafta int dôgd nô te — för pôjker har inge vet, dä vet'en fäll.

Da kunn dä hänn iblann att Johannes högg tag i ett skaft, sôm ôm han kunn ha go lust te vis ôss att dä teminstingens dôgd te gi illack pôjker däng mä. Men så känd'en fäll att'en int hadd den gamle krafta kvar å så slängd'en bort skafte å strackla sä i väg mä sin kroki knä å sin kroki rygg.

"Gär't, gär't", sa'n helt beskeli mä dä samm han geck in.

Nu ä allt gamle Johannes dö, men än i da har di mang

458

hikstorier ôm'en å når d'ä nôn, sôm kommer å gär sä stor å dålier ner nô, sôm ä bra gjort, ha dä blitt än sôm ett stäv te säj: "gär't, gär't, sa gamle Johannes".

PATRON.

Fäll taler di ille ôm patron, men d'ä itnô te rätt sä ätter.

Nock ä de fäll sannt, att han va ett rennt rykränn ätter kvennfôlk, satt dä va falitt för jäntan te gå på vägen, når patron va i sockna. D'ä nock sannt.

Söp gjord'en, d'ä åg sannt.

Å int va'n just så gömmenheli i affärder nô. En vet'el valls han va immot handelsharrkäran i Götebôrg, når di féck allt dä rôtne byggnationsverke tå'n. Å att'en klådd bönnra å sög ut stattôrpan, dä neker'a int häller för. Ett hällvätt va dä ve bruke, d'ä fäll sannt mä.

Å fäll kan dä var nôa sanning i att han plåg ihjäl frua si, för ja såg sjôl, når'n ga'a en sinkadus, å att dotra ble veli tå hanses årninger mä'a, d'ä fäll mä sannt.

Men på dä hel tage va patron en go å rejäll kär. En kunn int komm te'n på kantore, utta att en feck en sup äller två tå'n, å allti hadd'en nô rolitt te säj ôm jänter å friing. Nä, kunjak dä spard'en allri på, å lessen dä va'n allri. Nä', satt patron va ingen dåli kär, d'ä sönn te säj.

RIKSDASSBÖNNRAS MARSCH.

Se här kommer bönnra,
spannmålstönnra
d'ä di sôm har makta i rike å lann.
Va vill I, go vänner,
I härremänner,

vi har inte stönnra,
d'ä vi, sôm ä bönnra,
d'ä vi, sôm ska styre mä rike å lann!
D'ä vi, sôm ä bönnra,
d'ä Anderssönnra å Johanssönnra,
d'ä spannmålstönnra,
d'ä di sôm ä harrer i Svergets lann!

PRÄSTEN BODENIUS.

Ja han ä allt dö nu. Men dä va int mang år sänna han geck ikring mä pôsen på ryggen å käppen i näven å tocken hadd'en fäll gått i femti år.

Dä fanns int en i hel Varmlann, sôm int känd prästen Bodenius, för han geck å geck år ut å år in iffrå socken te socken, iffrå gål te gål. Å var han kom bjö han ut sin snusdoser tå nävver å sin bôrster tå svinbôrst å taggel. Å var han kom, vell'en ha brännvin — iblann feck han, iblann int, allt ätter som fôlk va te. Men go ol å mat dä feck'en, ifall han int va för ill söpen, för dä va en beskeli å morosam kär, som int gjord nôa förtret. Hällers kunn'en nock se fali bekömra ut iblann, men så sträv å slet han, tess han feck ett kvarter brännvin i sä å da geck dä övver.

Att han hadd vôr präst dä kunn da inga männisch se. Nock kunn en förstå att'en hadd hatt ett vackert å fint ansekt å ett bra målföre, men når ja såg'en va'n ôppsvôllen"å rö tå brännvin å hes å skrôvli va'n i halsen. Int häller sa'n nô ôm Guss ol å int kunn en hör nô på'n att'en va studert, anna än når'n va rektitt på kneka. För da drog'en fram sin gamle blåruti näsduk å helt'en i hanna sôm en alterpräst å sänna så mäss å predikt'en satt dä va hett ôm öra på di sôm stog ikring'en. "Du huggormars avföda", sa'n, "du ser grandet i bror dins öga, men icke bjälken i ditt egit." Å så la'n ut täxta mä exempel. Å så söp han å så grät han å mä ett bl'en fräjdi igän å drog te mä nô frivågent skôjerol te jäntan.

Tocken hadd ja sett'en mang ganger å allti hadd'en den samm täxta. Dä va änn sôm dä gussole hadd bet sä fast i'n å blitt kvar, når'n hadd glömt allt ann. Å allti söp'en å grät'en övapå. Valls en präst kan bli tocken, d'ä int gôtt te säj, men nock ha ja hört e kônsti paschas ôm prästen Bodenius å d'ä mang sôm ha hört'a, satt d'ä inga påhett tå mäj.

Di säjer dä att fôr i vala va dä mö varrer ilänn i Finnmarka än dä ä nu. Finnan slogs å stal å stack ihjäl hôrann mä kniv, satt dä va ett rent hällvett därôpp. Dessuttamä va dä svält å skröpplihet tå all slags å den end gläja di hadd där va brännvin, för da va bränninga fri än.

Nu va prästen Bodenius ve den tia ansedd för te va en dunnerhogger te präst, en sôm hadd bå vet i skael å mål i muen å kraft i själa. Å däffôr skeck di ôpp'en te Finnmarka å gjord'en te kaplan i Bogen, för att han skull lär finnan kristendom å morialibus.

Ja Bodenius han lag sä te å gär unnervärka han va utsett te. Han dômdér å skrek iffrå prädikstoln, han skeck ätter länsman å feck mang dömd te fästning — di are dömd'en sjôl te dä röhet, ni vet. Dä va int en tå finnan som skull slepp unna fördömmelsen, sa'n. Varst regjord'en mot supinga, för den skull bort först, tänkt'en. Han pisk å slog finnan te lätt bli, han las ell å svaggel övver dôm, han satt dôm i stocken.

Men finnan di ble bar varrer. Sômma ble som stôlli tå skräck för hällvett, di kröp ihop som sparkate hunner, å di are ble åg iffrå vete, men dä va tå ilskenhet imot prästen, sôm vell gär dôm te tam husdjur i ställ för di villdjura di va. För te bar försök å hjälp ôpp å försök få fôlk te förstå, dä felt ingen präst in ve den tia. Di mäst lätt allting gå som dä vell, bar di sjôl hadd'et gôtt, sômma levd på samm sätt, sôm di are publikanan, å sômma brukt sôm sagt va hällvett te skrämm vet i fôlk — å ur fôlk mä för den del.

Da va dä en gang sôm prästen Bodenius skull hôll e ny domdagspredicktning imot supinga å kom gånass te körka mä bibbla unner armen. Dä va mang full finner på körkbacken å di kast skällsol ätter'n sôm di bruka, men ingen tord gär nô ve'n, för han såg hard ut.

Men fram ve körkdôra stog e finnkäring i stocken å dä va Bodenius, sôm hadd ställt att ho kom dit. Dä va e gammel — gammel — käring langt ôpp iffrå di aller nolerste finnskogan. Ho va känd för te kunn trôll å för si suping va ho åg känd å en sönnda hadd ho trätt ôpp i körka i fylla å villa å hôll e motpredicktning mot Bodenius å åkallt den Onn, satt prästen hadd allt orsak te få'a dömd te stocken.

Di are finnan hadd gitt'a brännvin, satt ho va allt tämli på snôrka, där ho stog å hang ve stocken.

Når nu prästen geck fram te dôra för te gå in i körka, hävd finnkäringa ôpp sin illacke låt å bynt å förbann'en:

"Förbannat vare du, Bodenius, te ävi ti", skrek ho — "förbannat, förbannat, förbannat! Full ä ja, fatti å trasi ä ja å te hällvett kommer ja — men like tocken sôm ja här står, ska du stå en dag, Bodenius — tvi!"

Bodenius sa ingenting, men han va blek som en döing, når han kom ôpp i predickstoln å skalv på måle, når'n predickte.

Nu kommer dätte mä trôllinga, sôm ingen vet ôm d'ä sannt äll falskt. Men säkert ä, att når Bodenius den dagen va på hemvägen iffrå körka, bynt dä hogg i e tann på'n å dä kom e tocka tannvark övver'n, satt'en vre sä å ôja sä. Å når'n kom hem te prästgår'n va'n pocka te ta in brännvin för te bedöv sä. Först ett glas. Sänna ett te. Sänna ett te å ett än en gang.

Dä hjalp e litta stunn, men strax ätter tog dä te varrer ända.

Måndan kom å bare varrer ble tannvarken. Bodenius va pocka te sup brännvin igän. Först en sup, sänna en sup te å sänna di mange supan.

Tisdan kom å tannvarken tog bare te å supinga ho tog te, ho åg. Å hele den vecka låg prästen Bodenius å söp sôm en fylltratt för te bli å mä den förtrôllade varken han hadd. Han försökt iblann lätt bli, men finnkärngas kraft va störrer än hans å Bodenius va pocka å sup å sup da ätter da, veck ätter vecke.

Sist, når en sex vecker hadd gått, geck tannvarken bort, men den sôm int geck bort, dä va brännvinstörsta. Bodenius ôrk int var utta brännvin ens i körka. Han hadd pôtäel stånass i sackerstia å tog sä en bra klonk, inna han geck te alters.

Å hem när säj hadd'en en kutting liggnass unner sänga å söp unner natta mä mun för kuttinghôle.

Mennas skulle han da hôll ôpp tjänsta å hôll styr på finnan. Å dä gjord'en da som en kär te en början. Ha predickt å rest ikring å slogs mä finnan för te få dôm te bli fôlk. Sjuk va'n, söp gjord'en, men tocka kraft va dä i'n, satt han va go te å lôss sôm att han int söp. Ingen hadd'en te tal mä, var'en såg va dä bar ilsk å villsint fôlk, som bar agg te'n. Dä va int så gôtt te hôll sä ôpp i e tocka trakt.

Men når'n va hemm när säj, da bark hel ilänne lös — där behövd'en int förställ sä å där regjord brännvine i hôriveli vrå. Han ble svår imot frua å barna, satt te sist va di pocka å res sin väg iffrå'n.

Da först ble prästen Bodenius knäckt. Han bynt å töck att alltihop gjord däsamm, finnan feck lev som di vell, sjôl brydd'en sä int ôm att fôlk såg på, når'n söp, å te sist låg han full bål i stôgan som ett ann vrak. Iblann va'n så ill däran ve tjänsta, satt'en las bakfram ur boka å felt ner ur predikstoln. Da feck di mang uvännan han hadd vatten på kvarna. Han ble anmäld för kônstorium å avsätt.

Ja, sänna feck'en sôm sagt va gå å släng i femti år ätter landsvägen, inna han dödd. Dä ä ännsóm vår harre skull ha bevart liv i'n för te var sôm e levnass predikning för fôlk att di int skull förhäv sä, int en gang ôm di ä en präst å ann fôlk bar ä fatti stacker, sôm super brännvin. Å int ska en fäll förhäv sä övver prästen Bodenius häller, för d'ä ingen sôm vet, valls dä hadd gått en sjôl, ifall en hadd blitt sätt te gär fôlk tå finnan för en sexti sjötti år sänna.

JON I GÖSTHULTSMON.

Når Jon ble vräckt frå stôga si,
för dä han int lätt bli
te stäle ve ve vinterti,
da spjärna Jon imot

å satte klacken i,
dä hjalp int lämper, dä hjalp int hot,
da tog di Jon i hans bakskinnbot
å sa: ohej, ohi!
sen hiva di Jon iffrå Gösthultsmon,
— "ja kommer igän", sa Jon.

Di drog i Jon, di slet i Jon,
di bôtta å sparka Jon
— "ja går inte än,
ja kommer igän,
för stôga ä mi", sa Jon.
Da tog di å bar'n iffrå Gösthultsmon,
— "ja kommer igän", sa Jon.

Men Jon han geck te brukspatron
å sa: "herr brukspatron,
dä här kan väl allri bli rätt ändå,
att jag ska gå iffrå
mi ega stôge ve Gösthultsmon?"
"Vet hut och gå ut", skrek brukspatron
— "ja kommer igän", sa Jon,
sen geck han i sjön — ve Gösthultsmon
flöt like i lann tå Gösthults-Jon,
"ja kommer igän", sa Jon.

SVAMPINJONER.

Dä va en gang en messômmer ja kom tesammen i Sunn
mä stalldrängen på Öjervik. Vi hadd vôr läskamrater å töckt
dä va rent änn sôm litt rolitt å råkes.

Vi geck in på ett ställ, där di hadd kaffi te sälj å där satt vi
ôss te å stôrm ôm den gamle tia. Erk hadd brännvin mässä i en
knatting å sjôl hadd ja ett hallstop kunjak å vi hälld i ullvaller å

tog klarsuper å töckt att jola va ett bra ställ å lev på.

Men nu vet en valls en ä, når en ha fått litt i hatten. Da blir en storakti å kärakti och töcker att en ska gär nô rektitt rejällt, va dä nu hällers ä — gär kônster äll slôss äll ann tock där. Men int ha ja vôr mä på besönnlier sak än den gangen i Sunn mä Erk ve Öjervik.

Rässom ja satt där flôg dä immä att vi bol ät nô rektitt uvant finnt te meddan.

"Erk, du, vi bol gå te hortelle å ät nô rektitt uvant finnt te meddan", töckt ja. "D'ä int messômmer mer än en gang ôm åre!"

"Kôrs ja, tänk dä", sa Erk å lät int uhôga. "Men va ska vi ät?" sa'n.

"Hå, nô tock där di har ve bröllôp å barndop när herrskapsfôlk", sa ja. "Va vet ja — buljongspa å homlätt å glasst å tock där."

"Nä da vet ja bätter", sa Erk. "För når dä ska va rektitt storkalas när patrons på Öjervik, da skecker di mäj sta' te abbeteke i Sunn för te köp e sak di kaller svampinjoner. Dä ska var dä finest på hel jola, sa köksa."

"Ja dä blir bätter dä", töckte ja. "Da behövver vi int gå te hortelle da, utta da tar vi svampinjonera mä ôss å äter på hemvägen å super te", sa ja.

Ja Erk å ja vi geck sta te abbeteke å Erk köfft en stor bôrk mä svampinjoner.

Å så stack Erk knattingen unner armen å ja tog vara på bôrken å så lerk vi ôss sta hemmate.

Va dä nu le så töckt vi dä bynt bli på tia att vi skull ät meddan å så satt vi ôss ner utmä dikeskanten å tog fram bôrken mä svampinjonra.

Ja ôpp mä fällkniven, förståss, å feck hôl på lôke å så tog vi en redi sup å så skull vi da ät svampinjoner.

Di va änn sôm träknapper å så fali rart såg dä fäll int ut. Men finnt ä finnt, tänkt ja å stack en svampinjon i muen å bynt å tugg å tugg allt ja ôrk.

Hart å segt å uttäckt va dä å tännran mådd int väl just. Men ja skämdes å tänkt dä va bäst å hôll ut.

Erk han satt å titt på mä å såg änn sôm frågvis ut.

"Nå, valls ä dä", sa'n — "ä dä finnt?"

"Håja, nock ä dä finnt", töckt ja. "Men int ä dä just som ja hadd tänkt mä. Smak sjôl, får du se!"

Ja Erk han tog en svampinjon, han åg, å bynt å tugg, han mä. Å så satt vi mett imot hôrann å tugg å rätt som dä va så stann vi mä tugginga å titt hôrann i yga, men sa itnô.

Int ska ja bli den först te gi mä, tänkt ja å hälld i mä en sup å tog en svampinjon te.

Men Erk han ble alltmer sur i syna å rätt va de va så spôtt'en ut hell illänne å skrek: "tvi hällvett, dä sôpp!"

"Ä dä sôpp?" sa ja å känd mä int varst tefress. Ja tog ut skröppliheta mä näven å spôtt fler ganger för te bli å mä den uttäcke smaka.

"Vesst sjöttan ä dä sôpp", sa Erk — "tocker där små fnaschel ä dä fullt bål mä hulta. Tock ä ôt svina", töckt Erk han å spark te svampinjonbôrken.

"Ja tock kan var ôt svin å herrskap", sa ja. "D'ä sist gangen ja äter svampinjoner!"

Å dä va dä, för allt sen den gangen ha ja allri ät ann än fôlkmat.

DEN FRÄMMATE JÄNTA.

Dä kom e jänt te sockna,
di kall'a Julia,
ho va så fin, satt tockna
finns knafft i Kallsta sta.

Ho svängd å ho fansér sä
på mang finuli sätt
å geck å promenér sä
å rök på segarrätt.

Ho pek mä fingre ôt mä
å sa: "nä, se på den!"
satt ja ble Gu förlôt mä
för flat te pek igän.

Å mett is skogen skrek ho:
"säj, får ja bröllôp snart!"
Å jaggu svarte eko
på stunn: "ja bröllôp snart!"

Å den sôm allt ble stôlli
tå allt dä här va ja,
för dä va skrömt å trôll i
den härna Julia.

Men ja ä bar en bonnsôn
å ho ä långe fäst
ve en di kaller Jonssôn,
sôm läser te bli präst.

FLECK-FREDREK.

Allri ha ja hört nô ann navn på'n än Fleck-Fredrek. Dä
feck han hett för dä han hadd så möa kälek te all flecker han
såg.

Dä va en slätkammat, finnt rö å vesen gôsse, söt i syna
sôm e mansell, så nog va'n vän te se på. Å dä gjord nu all
jänter i sockna, för dä att Fredrek hadd en stor gål ätter far sin
å pänga i banken hadd han åg.

Å Fredrek han titt igän, för jänter dä töckt'en ôm. Men te
säj nô, dä vill'en int, för dä va'n för bly te å te bestämm sä
för nôa särskilt dä komm'en så allri sta mä, för han va lik
kär i allihop, varst i den han sist såg.

Va Fleck-Fredrek esammen mä e jänt, så satt han ve sia

467

tå'a å bar moltitt på'a å sa itnô. Men iblann kunn dä fäll hämn, att han sträckt ut armen litt å tog ett vese tag i sia på jänta.

Kom dä sänna e ny jänt in å satt sä mett imot'en ble'n änn sôm illsvin å uroli, för han vesst in på hocka jänt han skull titt mäst. Gla va'n i den ene å lika gla va'n i den are.

Varst va de når dä va rektitt mang jänter ikring'en — te äxämpel på körkbacken ôm söndan. Når da Fleck-Fredrek geck av å ann på körkbacken i sin grann harrkärsklär tå finnt kôderôj, da geck jäntan runt ikring'en å snodd sä så tätt te'n di kunn, når di geck förbi'n å ga'n di ljuvlianste yg, di kunn gi. Å de ble Fredrek mäst sôm ellbränd, dä spratt å röckt i'n å yga hans vrängd sä ôt all hôll för te ta ôpp all jäntyga, sôm sköt på'n.

Men valls dä nu va, så va dä inga jänt, sôm va go te å få Fleck-Fredrek te fri te sä. Te få'n te glys kälitt in i yga på dôm å te å mä te få'n å ta sä i sia, dä va inga kônst för hocka jänt sôm hälst, men te få'n å fri te sä, dä va blankt ugörli.

Da va dä e jänt, di kall Maja. Ho va ett stort grannt kvenn-fôlk å så tämli ägenass va ho åg, satt dä va mang sôm fridd te'a. Men ho hadd gitt sä fasingen på att ho skull ha Fleck-Fredrek å den store gårn hans.

Å så va dä en gang en ättermedda, sôm Fleck-Fredrek geck esammen å grunna på landsvägen. Da mött'en Maja.

Maja vänd tvart ôm'å slog följ mä'n, för ho vesst, att dä int va vart te vis sä skygg å tebakashôlt mä Fleck-Fredrek. Å så bynt ho å sladder ôm allt möjli för te få ôpp mun på'n.

Fleck-Fredrek han bar teg å såg på'a mä sin kärvännli yger. Men så kom Maja da te var så när inpå'n satt han int kunn lätt var å sträck ut den vesne näven sin å ta ett beskelitt tag i sia på'a.

Nu ä stunna kommen, tänkt Maja ho, å mä däsamm han tog'a i sia, felt ho'en ôm halsen å tydd sä te'n å klämd'en mä all kraft, e tocka stor stö jänt sôm ho kunn ha övver en tocken vesen perk sôm han.

Å jaggu va ho krôpp kär te få såppas mö liv i'n satt'en feck ôpp näven te käken på'a, satt'en kunn klapp'a. "Vänden lella", sa'n å så mö ha'n allri sagt, vasken fôr äll sänna.

Maja ho trodd fäll, att nu lell va allt Fleck-Fredrek fast. Men just i däsamm kom Väst-Tomta-Britta ut iffrå skogsvägen å mä ett kom dä änn sôm en ny ell i Fleck-Fredrek. Han töckt nog ôm att Maja helt ikring'en å han vell allt gärn ha'a, men han kunn int lätt bli å vri å vänn sä ätter Väst-Tomta-Britta å titt ätter'a övver akschla på Maja.

"Asch, du ä ett jål", sa Maja å boffla te'n å geck iffrå'n.

Dan ätter hadd ho gitt ja ôt Erk ve Kvarna.

Nä, dä va ugörli te få Fleck-Fredrek te fri te sä. Di va för mang å allihop vell'en ha. Fredrek ä ugeft än i da.

SKRÖMT.

Här fråger di va Skrömt ä!
Va Skrömt ä? Va Skrömt ä?
Dä ä te fråge dumt:
Ja, vell I se va Skrömt ä,
va Skrömt ä, va Skrömt ä,
så vänt te dä blir skumt!

För än ä dä små gôbber,
som feschler bak mä stôbber,
dä söker gömt, gömt, gömt!
Å än bakôm en bôske
ett kvennfôlk mä a rôske
te rygg, dä ä Skrömt, dä ä Skrömt.

Å än ä dä ett skimten,
ett flämten, ett glimten,
dä lyser vitt, vitt, vitt,
dä ä små vite töser,
som danser bak mä röser,
di titter ut, titt, titt.

Å än så ser en syner
tå horn å tå tryner,
dä grömter grömt, grömt, grömt.
Men en ska inte titt nô,
för da så blir dä itnô,
nä inte dä minste tå Skrömt.

Va Skrömt ä, va Skrömt ä?
Jo dä ä allt, sôm dömt ä,
ja allt sôm Gu ha dömt,
ja allt, sôm Gu ha dömt te
å skrömte å skrömte
i ävie tier, ä Skrömt!

"PLUGGEN."

Sômma ä allt bra jåli. Ve Björkstafôrs hadd di fôr i vala
en spektor sôm just int va mä' når krute fanns ôpp, å mang
ganger grin vi ôt'en satt vi helt på å dö.
Te äxämpel "dövvling" dä kallt'en för "plugg".
Dä va en gang vi skull slô ihop e trätrapp ôt'en å vi hadd just
lagt stockan ihop å bôrr bôrrhôl mä bôre å ut hôle, satt dä
skull pass te dövvlingen.
Da kommer spektorn förstås gånass mä tomann i västarm-
hôlan för te se te, valls arbete geck. Va förstår tocker!
"Den här pluggen ä för grov te hôlet", sa'n å tog tag i dövv-
lingen. "Dövvling" dä kallt'en "plugg". Å dämmä geck'en sin
väg å pust å klev å töckt att han hadd gjort si sak bra.
Vi kärer vi titt på hôrann å vesst int, va vi skull tro. Men
rässôm dä va ga vi te ett grin. Va innôt nittan hadd dä flög i'n
att dövvling hett plugg! Men tocken va'n.
Iffrå den stunna feck'en hett "Pluggen" i all sin dar. Å sänna
gjord vi på môn å kallt dövvlingen för plugg tå illakhet. Å jaggu
ä ja nu så van ve stôlliheta, satt ja allri säjer ann än plugg sjôl.

E FIN VISE.

Det var en unger bonddräng, han gick sig en gång
till kyrkan en morgon, han sjöng sig en sång
så gladelig, så gladelig,
det var så vackert väder,
han hade nya kläder,
han sjöng sig sin visa: "hon väntar på mig,
min jänta, hon väntar på mig!"

Där gick sig en jänta, hon såg sig omkring,
hon såg åt alla väder, hon såg på alla ting
så gladelig, så gladelig,
men mäst på bonddrängen
— vid Olsbackasvängen,
den jäntan, den gossen, de råkade sig,
de tego, de stannade sig.

"Min jänta, min jänta, vi stannar du dig,
vi vilja gå tillsammans på livets långa stig
så gladelig, så gladelig,
och här har du ringen,
och mjölet i bingen
och kakorna i taket de samla väl sig,
de samla, de samla väl sig."

Och jäntan hon lade sin hand uti hans,
de gingo framåt vägen, de gingo som till dans
så gladelig, så gladelig,
— "min kära, min fina,
må solskenet skina,
må solskenet skina på mig och på dig,
må solskenet skina på dig!"

Fröken på-Slorbôrg

*tillägner ja diss här rägglan å paschasan, för ho ha
vôr beskeli ve mä å på ett vis vôr mä te
hjälp ve decktinga.*

BOEN.

BOKA NUMRA TVÅ

FÖROLA.

Di mäst tå di här rägglan å paschasan ha vôr tröckɪ fôr i
Kallstatininga, di åg, å di ä allt på unjfär samm fason sôm di
are. Satt nô nytt ä dä int å e litta uschli bok ä dä. Men bokhann-
ler Bonnier ha lôv mä, att ja ska få tämli bra betart för'a, satt
d'ä mer sôm en affärd. Hällers ha ja allt bynnt bli le ve den
här skrivinga, å d'ä fäll mäst sist gangen ja ä ut på räggling
å paschasing. För ja är för gammel å d'ä mäst bar ôm fôr i
vala ja kan skriv, å dä blir int likt, sôm dä ä nu för tia, satt ja
får fäll si farväll te allmänheta nu å lätt di ny skrivran skriv ôm
di ny sakan, sôm di förstår bätter än ja.

BOEN.

FREDREK PÅ RANSÄTT.

Den låta Ransätts-Fredrek sang
ho hadde allt si ega klang,
når utta ok å utta tvang,
där tall å gran tog vinn i fang,
sôm geta lätt ho sprang.

På logera ho flög ikring
mä hôpp å tramp i sväng å spring,
dä va e fart, dä va ett sving,
e takt, sôm hällers ingenting
på hele jolas ring.

Kring stôgera ho flög sôm bi,
för ho va lätt sôm di,
e fin bevingat melodi
mä sol å sôrr å hônning i
å dôft tå sômmerti.

Ho gjord en gôtt sôm sômmern gär,
å hele Varmlann helt'a kär
sôm skogen sjôl når sômmern klär
hôr skogsbacksäng mä blômst å bär
å sol å vackert vär.

Ä DU MÄ PÅ DÄ?

Mi jänte ho hadde sôm jäntera plä
två yger tå sol å ett hjarte tå trä,

474

ja låg där å kve sôm ett kräk på knä
å sa: "vell du ta mä, så uschli ja ä?
Ä du mä på dä, ä du mä på dä?"
— å tänkte, att jänta va mä.

Ho las i e bok å ho bynte å blä
å va sôm ho rakt inte alls va mä.
Ja töla, ja ba: "ja vell fö, ja vell klä
mi käre lelle tös mä dä bäste, sôm ä,
— ä du mä på dä, ä du mä på dä?"
Da flint'ho, da sa ho: "nähä!"

"Nä allri, nä allri, nä ni ganger nä,
förr tog ja fäll bäsen, sôm jämt sier bä,
än kräke, sôm jämt sier mä på dä,
ä du mä på dä, ä du mä på dä,
ä du mä på dä, ä du mä på dä,
nä ni ganger, ni ganger nä."

O gôsser, I alle, sôm faller på knä,
I vet fäll, I hör fäll, valls jäntera ä,
ä yga tå sol, så ä hjarte tå trä,
lätt jäntera gå, ä I mä på dä,
ä I mä på dä, ä I mä på dä?
— ja tänker, ja tror I ä mä!

NÅR JA FRIDD TE ANNA LEK.

De va e lang ti ja int vell lägg två tôrkate strå i kôrs för e jäntsmôle mer, för ja töckt dä bar ble smälek tå't.

Men manfôlk ä manfôlk, å utta kvennfôlk kan en int li sä på jola. Ja ble sôm uroli i kôppen tå te gå emsammen utta jäntfölj.

Da va dä e ti ja kôm te na min väg förbi Lekens tôrp — han

va seldat, Leken — å iblann feck'a se ett skymten tå Anna, dotra hans, når ho geck te laggårn för te ställ mä konna äll bål ôt källa ätter vatten. Dä va e grann jänt, ska ja säj er. Ho va bli i yga å dä va ett sving i'a når ho geck, satt dä va sôm ett seglande skepp.

Vi hadd int tal mö mä hôrann ut i bögda, å allri kom dä te, att ja kom te stann å tal mä'a, når ja geck ôm. För ja va jäntsky den tia. Men glaninga kunn ja int lätt var. Ja glan ôt jänta å jänta glan igän, satt de ble änn sôm e maskpi mälla ôss i all fall. D'ä mäst i yga käleken setter å d'ä mä dôm en sier iffrå, att en ä gla i hôrann.

Nu va dä en da, sôm ja geck förbi Lekens å kast en titt bål kring knutan för te se, ôm Anna va där — nä dä va inga Anna där, bar gôbben Lek, sôm stog där å slifft öxa si. Ja kan int nek, att ja ble litt surmodi.

Men pår ja hadd hunn ett stöck länger bort på vägen, så va dä nô, sôm sang bål i bärga. Hocken kan dä var, sôm sjonger så ljuverliga, tänkt ja.

Jo, dä feck ja snart vet, för rässôm dä va kom e stor grann jänt ut på vägen ett bra stöck länger fram. Ja känd igän'a på ryggsia att dä va Anna Lek.

Om jänta hadd sett mä, dä vet int ja. Men en kunn se på'a att ho vesst, att då va en sôm va bakôm'a. Iblann sang ho en litten trall å iblann så böjd ho sä ner å rep tessä en näv kröser ve vägkanten.

"Ska ja? — ska ja int? — ska ja? — ska ja int?" Tocken geck'a å överla för mä sjôl. Men dä ble sôm dä va, jänta geck för å ja kôm ätter å lik langt va å förble dä mälla ôss.

D'ä dä kônsti mä jänter, att di kan titt mä nacken. För nock såg Anna att ja ble ätter, å nock va dä änn sôm ho skull blett vesen å int kunn gå så fort sôm fôr. Ho bynnt å titt ôpp ôt talltôppan för te se, ôm där var nôn ickre, å senna feck ho lôv å knyt kängbanna, å allt dä där tog ti, ska ja säj, satt hock ja vell äll int, så hannt ja allt ôpp jänta å ble gånass si ôm si mä'a.

Fäll töckt ja att ja bol säj nô te'a, men dä hek imot, satt ja int feck ol fram. Da ga ho mä ett bleg, satt dä klack te immä.

"D'ä en bra nock väg te gå på, den här", sa ja. Senna hek dä fast igän.

"Åja, d'ä ingen dåli väg", sa jänta å ga mä ett siglante, satt ja ble rö i syna.

Senna geck vi e bra stönn å sa itnô, nôn tå ôss. Men så töckt ja fäll att ja bol säj nô ol igän.

"D'ä bra nock mä kröser bål mä hulta", sa ja.

"Å ja", sa jänta — "å môltera ha häller int vôr uschli i år."

"Ja, d'ä gôtt ôm bär", sa ja å så hek de fast. Men nu lell ska ja fram mä't tänkt ja å stannt mett för Anna. Hon ble rö ända ôpp i yga.

Ja så skull ja da dra te å säj, att ja så gärn vell ha'a. Men näe, dä vell int gå.

Allt ja feck fram va: "ha Anna sett, ôm älgen går ôm ve erat?"

"Jo, dä geck allt e ko mä e kalv ôm när ôss i förgårs", sa Anna ho.

Senna bynnt vi gå igän. Anna såg lessen ut å ja tänkt, att ho töckt fäll att ja va ett nöt.

Å så geck vi å geck igän e stönn. Å rässôm dä va försöckt ja kom fram mä friersaka, men dä hek imot. I ställ kom ja te tal ôm årvägen.

Ja, te sist kôm vi da te vägskele å dä va inga anna rå än vi feck skers ve.

"Ajö, Anna", sa ja å tröckt'a hart i hanna.

"Ajö, Agust", sa Anna å tröckt hart igän.

Men når ho hadd hônn ett stöck iffrå mä, va dä änn sôm dä hadd komm e stor svårmodihet övver mä, å ja kunn int stå imot länger utta vänd mä ôm å sa:

"Vell du ha mä, Anna lelle?"

Da vänd Anna sä ôm ho mä å bynnt å nyp på fôrklä sett å titt på foten sin å så sa ho:

"Åja, dä kunn kansch int var så domt häller."

NYPENROSA.

Fin sôm nypenrosa står
tili, tili, når dä dagger
selverdrôp å blaa vagger
lent där môraväre går.

Int just lik e trägårsros,
int så stôlt å mett i sola,
int så grann å stor i ola,
mer litt bly å mer te tros.

Tocken stog mi Anna Lek,
ljus i håre, rö i kläe,
"rosa stecker", sa di, näe,
Anna mi va utta svek.

Hennas tagg va lätt te se,
are roser, are flecker
gär sä lene, når di stecker,
Anna gjord sä allri te.

Harrgårsplan mä roser i
gjord mä itnô kälekshôga,
nypenrosa bål ve stôga
dä va rosa rosa mi.

RAMMELBULJÅNGEN I BACKA.

Se dä va så, att gamle Jan i Backa skull ha bröllôp för dotra
si. Nu ha Backafôlke allti vôr storgo tå sä, å når di hadd kolifäj
da va allt brännvinspegasen itänt varrer än på nô ann ställ.
Ja va bjudd, ja åg, å Anna Lek ho va allt bjudd ho mä, för

478

ho hadd gått fram för prästen på samm gang sôm brura.

Ja, ja klev fäll in, ja. Dä va mö fôlk där, bå insocknes å utsocknes. Å dä va mang storkärer mä, bå Annersch Annerscha i Otterstan å Selver-Pär i Tranås, å nämnkärn i Blaxere — d'ä hômmen di kaller Leveransen, för dä att han lever å regärer så mö sôm'en gär. Mang pôjker å jänter va dä åg å gunås va allt di varst bråkstakan mä åg — en di kall Kalle Gla å en di kall för Lars i Hôsera å Däng-Jan va allt mä, han åg. Å längst bål i stôga satt Anna Lek breve gamle Leken. Ja kast yga bål ôt Anna te, men ja tords int gå fram, utta helt mä ner ve dôra iblant di are tôrperpôjkan. Å brura å brugummen di satt fram ve bole sôm ett par målate träbocker å sa allri ol. Men gamle Jan han geck ikring å persvadér ôss te dreck brännvin, å dä va ingen, sôm sa näj te dä. Vi tog bå en å två super, inna nôn hant te säj mock. Ja va int van ve brännvin ve den tia, så ja bynnt å bli veli mä däsamm.

Nu va dä så, att dä här skull var ett rektitt finnt bröllôp å däfför hadd di fått e, sôm hadd vôr köks hos major Frykmark te komm dit å kok mat å årn mä alltihop. Å på bole va dä ett grannt ôppställ mä tallrecker å bonker, å i vråa så hadd di ställt ôpp ett så kallt smörgåssbol å där va allt möjlitt framsätt å mang, mang brännvinsputäler.

Mällerti hadd prästen blitt ätter ve körka å dä dröjd fali länge, inna att han kom. Å mennas va dä ingen, sôm tords rör ve maten, å vi stog där bar å glodd ôt hôrann å va ännsôm litt andäckti.

"Ja, mennas så tar vi en klonk", sa gamle Jan allt imälla å hälld i glasa. Å så tog vi ôss en klonk.

D'ä int så gôtt å stå tocken där å bar bälj issä brännvin å hôll käfft å int få mat te. Hôlls dä va, så bynnt dä kok hett immä, satt ja gärn vell gär nô stôllit, å ja såg att dä va på samm vis mä di are pôjkan å käran. Di lysst rött i syna å ble besönnli i knäveka å en kunn se på dôm, att di hälst vell dans rilen äll gär hallingkast. Men dä va ingen, sôm tords rör en lem, för vi vänt var stönn, att prästen skull komm in, men valls dä nu va, så dröjd dä allt mä prästen.

"Ja, mennas så tar vi ôss fäll en klonk", sa gamle Jan han å

tonga slang allt litt för'n, för persvaderinga bynnt å ta övver-
hanna mä'n. Å så tog vi en klonk å ställd ôss te titt rackt fram
å va still igän.

Ja kännd påmmä att dä kom ännsôm e rasenhet immä bar
tå brännvin å för dä att ja int feck rör mä. Ifall bar att nôn
hadd stött vemmä mä armbôgen, så skull ja tvart ha kast
rocken tåmmä å dängt'en. Dä vesst'a å däfför kröp ja unna, så
langt ja kunn.

Da feck'a se Selver-Pär å Leveransen stå å bläng på hôrann
å dä va just itnô himmelrik i yga på dôm. Di va int vider
vänner, för Leveransen hadd lur Selver-Pär på en skogsaffärd,
å di sa att Selver-Pär hadd pinnt pänga ur Leveransen på ett
fintlitt kuntrakt.

Di hadd komm å stå brevé hôrann å ja kunn se att di tôk
sä bort, för dä att di int skull tramp hôrann på liktonan.

"Ja, mennas så tar vi ôss fäll en klonk te", sa gamle Jan å
heck te ett tag. Men i däsamm kôm allt prästen.

"Nu börjer den rätt finheta", va de en, sôm sa. Men så
fali finnt ble de fäll int, för vi va int recktitt stadi på bena, å den
möne andackta va blidd ännsôm e rasen elektrisstet i ôss.

Å så kom da ho, sôm hadd vôr köks när Frykmarks, in mä
buljången å så skull den fin härrskappsmäddan bynn på.

"Dä va en go buljång de här", sa Leveransen te prästen, för
han töckt fäll att han skull vis, att han förstog sä på tock där
han. Men da händ den ulöcka att han i däsamm kôm te snör
te Selver-Pär mä armbôgen, satt Selver-Pär feck dä het spa i
syna å ner imälla västen.

"Hutt", skrek Pär å ga Leveransen en boffel, satt'en kom
farnass bål i vrâa där ja va. Å i däsamm bynnt dä dask å
däng å vrôl å flyg ikring mä all möjli lösör gômmen stôga. Ja
såg, att Kalle Gla å Lars i Hôsera va fram på gôlve å hôpp
baglängs å tjoa å skrek. Jäntan å käringan bynnt å grât å antur
sä. "Still där", röt prästen te, men dä va allt försennt te säl nô,
sôm kunn var te nôa nötte.

Sjôl ränd'a å slog ikring mä ôt all hôll mä bägg knytnävan.
Vafför ja slogs, vet int ja, men ja kunn int lätt bli, för bränn-
vinspegasen va immä. Dä va en gammel bonn där, sôm int

dä ja vet hadd gjort mä ett kofén te urätt, men ja feck tag i
kärn å slängd'en bål övver en bänk sôm en skinnfäll. "Häj",
skrek'a å skull just gär samm res mä en aen gôbbstacker, men
da va dä nô, sôm hang sä fast i armen påmmå. "Släpp mä",
skrek'a å dängd'et i vägga. Da feck'a se att dä va Anna Lek,
jänta mi, sôm ja hadd gjort så ill ve, å da klack dä te immä å
ja ble sôm en skensk häst. Va sôm senna skedd, dä vet ja int,
för ja va blankt iffrå mä.

Men når ja kom te mä igän, låg'a långt ut på jale å grät.
Yga va igänmurat påmmä, skael va sönnersläjen å näsa va
ôppflôga sôm e väl jäsat brölimp.

Men tänk på di jäntan, d'ä allt nô unlitt mä dôm. För räs-
sôm ja låg där, så satt Anna brevé mä å grät, ho åg, å tôrk
blogen ur syna påmmä mä förklä.

"Gå dänna", sa ja, "ja ha slag dä fördarva — ja ä den varst
lömmel, sôm finns i hel vala — ta Nils, du — han ä ingen
fylltratt, han."

Men da grät ho bar varrer å sa, att ja int skull tal så styggt
te'a. "Du ä söpen, nu, Agust lelle", sa ho, "men dä ska nock
bli bra igän, ska du få se å försök å gå nu, så ska ja hjälpt
dä te mor di", sa Anna ho.

Ja, så strackla vi ôss allt iväg — ja geck å hängd mä armen
ôm halsen på jänta å stortöt hel vägen ända hem. Å mor mi
å Anna feck hjälp mä å mä klära och lägg ner mä i sänga å så
dôrma ja å iffrå allt ilänn på den här jola för den gangen.

D'ä fäll int vart te säj mö ôm valls dä ble senna. Vi pôjker,
sôm hadd vôr mä, kom inför härasrätten — sômma va in på
näckte i Kallsta, å sjôl feck'a svi läng å väl för pleckta, sôm
ja feck betal. Å valls dä nu va, så kom ja allt liksôm te räcktnes
mä te di där bråkstakan, sôm va di varst utskrekne i hel
sockna. Å di kall bröllôpe i Backa för den stor rammelbul-
jången i Backa, å hôr en kom så kast di fram nô ôm, att dä
va gôtt te få buljång å att dä skull bli ätterrätt ätter.

Men för allt dä le ja ha litt för den buljången, så vell ja int
att den vôr ogjord, för gômmen den feck'a se va gôtt dä kan
finns i ett kvennfôlk å dä ä ännsôm att den buljången skull
hôll ihopp Anna å mäj, satt dä int ha blitt nôa ufre hemm i

stôga hemm när ôss, sôm dä allt hällers plär kunn bli mälla
gefte.

GÅ PÅ DOMPEN.

Å Däng-Jan sa te Kvennfôlks-Pälle:
"Du Pälle, vi går te ett anna ställe,
dä här, dä ä lessamt dä,
nu går vi på dompen te Finnbacka-jänta,
ta brännvine mäddä, å Pälle du, vänta,
vänta!
vi tar allt klavére mä!"

Di gjord en musik ner i vägaskele
å spelt så kärvännli på piglocksspele,
men Britta ho kom inte ut,
di perka på Brittas lås mä en pinne,
å ställd sä ve fönstre å sa: "ä du inne,
Britta!"
men Britta ho kom inte ut.

Sen veska di finnt: "ä du ängschli för mor di?"
dä halp inte möe, da skrek di å svor di,
men Britta ho kom inte ut.
Da tog di ôpp sten å i vägga di donka,
på fönstra di banka, på dôra di ronka
å skrek: "gi dä ut!"
å da kom Britta ut.

Mä gamlingens gamle gevär i näven
geck Britta å smög bak mä knuta sôm räven
å huka sä ner å kröp.
Sen fyra ho tå bak mä halmen i stacken
å Däng-Jan han domp som en mjölsäck i backen.

han slog sä i nacken,
å Kvennfôlks-Pälle han stöp.

Di dig å stog ôpp, di ble skenske i bena,
di tängde, di gne, satt dä ella tå stena,
för skôte va bare tå krut.
Å senna ä Däng-Jan å Kvennfôlks-Pälle
just itnô så rogat te gå te nô ställe
å donke små jäntoger ut.

Å Britta ho satt sä på jola å skratta,
å vre sä å va sôm en sjuke fått fatt'a,
kröp senna i sänga igän,
men langt bål i Eda å langt bål i Köla
geck eko tå skôte i bärga å töla
å langt bål i Nôrge
geck skratte å går fälle än.

BOLAGGSVINSTA.

Te rep ihopp så mö en kan ôt sä sjôl å barna å ställ dä
klokerst en kan för framtia, dä gär fäll hôriveli männisch, sôm
har nô vet i skael. Ja, dä gär te å mä sômma tå djura, sôm
itnô vet har.

Men d'ä sômma, sôm ä kloker än di are å te dôm hör sôm-
ma tå brukskäran. Te äxämpel når ja va stater unner Björk-
stafôrs, så hadd vi en fôrvalter, sôm va så övverhôvvlianste
klok, satt vi bruksfôlk ble jämt skamnôm för'n.

Nu vet en valls dä ä, når dä ska bli tocka där bolaggsvinst.
Dä går te på dä vis, att en tar så mö arbett ur arbeterskrôttan,
sôm står te, å gir så litta lön, som kan dras ihopp. Dä sôm
da blir övver åttå dä di vell gi för di sakan, arbetran ha gjort,
når di drar den minst möjli löna iffrå, å dä fôrvaltern å kôn-
torshärran ska ha å unnerhôllinga tå bruke å ann tock där,

d'ä bolaggsvinsta.

Men nu va dä tocken ve Björkstafôrs, att där ågd bruke ôm mäst hel sockna å allt fôlk, sôm va, så va di född å ôppföde på brukes mark. Nu tänkt bruksfôrvaltern sôm så — "ôn atte ja slôr tå tjufem ör på löna, så blir dä litt mer pänga å ifall atte sågran å smean mocker, så sier ja bar, att di kan få flött sin väg, ôm att di int kan li sä i stôga di har tå bruke — å senna får vi se, valls di gär", ment'en.

Ja, di ôppstinnér sä fäll e ti, men valls dä nu va, så feck d allt gi mässä, för di töckt dä va för lett te gå iffrå stôga å d tänkt fäll att di skull dra sä fram i all fall. Når en da la tehop pers tjufem ör på hôr kär å hôrt dagsverk för ett år, så ble dä e litta bra bolaggsvinst, dä åg.

Men fôrvaltern va alt kloker än så. Han satt ôpp e handelsbo för han sa att vi fôlk skull ha't litt bekvämer, satt vi int be- hövd gå så lang väg, når vi skull köp mjöl å kaffi. Han skull bar dra å på löna, sa'n, för hôr gang vi kôfft nô. Å så gjord'en ett kuntrakt mä ôss, att vi int skull ha handel på nô ann ställ — den, sôm dä hadd, skull bli ôppsagd, sa'n.

På dä vis feck'en mä en gang mäst hel sockna te köp allt di behövd i bolaggsboa. Dä ble e ny bolaggsvinst.

Men fôrvaltern va int nöjd ända han. Han satt ôpp prisa mä ett ör mer per skålpunn än di hadd hällers i handelsboan, å på dä vis feck statran å sågran betal mer för sett husbehov mä minner lön än ann fôlk. Dä ble åg e bolaggsvinst.

Ja, fôrvaltern hadd fäll allt mang fler sätt te gär bolaggsvinst; å sågran bynnt allt å flött iffrå bruke å far te Amerka. Å når dä le på, så gjord allt bolagge kôllbôtt, fastän att en skull töck, att mä ett tock rejment å tocka go bolaggsvinst skull dä allt gå bra. Mällerti va int just fôrvaltern nô fatti, når'n flött iffrå Björkstafôrs, men han hadd fäll funn på nôa snudi metod ôt sä — för te gär ny metoder dä va just fôrvalterns sak dä, å en övverhôvvlianste klok kär va'n, dä va int en ve Björkstafôrs, sôm vell nek för dä, fast att di int hadd just nôn fördel t'åt.

EN SOM VA LANGHÖRT Å HÖGTÄNKT.

Dä va en gôbb sôm va langhört å högtänkt hemm i sockna, där ja va. Han hörd te dôm, sôm int kan lätt bli te tänk högt, fast att di tror, att d'ä invartes å töst, di tänker. Å så va dä dä unnli mä'n, att'en kunn hör på langt hôll dä ann fôlk tänkt å sa ôm'en.

Mä däsamm gôbben feck se en, bynnt'en på å mommel te äxämpel så här, ifall dä te äxämpel va ja, sôm mött'en: "Håja den där ha ja allt sett fôr — d'ä vesst en tå di lömmlan där väst — han vet'el ing, han vet'el ing — valls skull den kunn vet nô — han va fäll int född den gangen fäll."

Allti va dä nô ôm nô en int skull vet. Men en feck allt vet ända, va dä va, för dä tart'en allt ôm sjôl.

"Nä, dä kan fäll ingen vet", sa'n, "för d'ä för langsenna — å int kan ja tro att dä va nôn, sôm såg'e häller — mässé, klocka kunn var åtta på kväel å da ä fôlk för dä mäst hemm å äter aftan — men nock kan dä fäll gå fôlk ômkring å stryk ända ve den tia, å jänta skrek allt, dä gjord ho allt — men ätter dä inge tal ble ôm'et, så tror ja vi kan lätt den saka få var sôm ho ä — å int va dä fäll häller så jävvlitt te gär tocken mä'a häller, fast nock va ho imot'e — å nock sa di senna att ho hadd gått i sjögen — men dä va fäll för ongen ho hadd, å den ä fäll int så innlitt evitt sanningans sagt, att dä va min — fast nock stämd dä fäll nôglunda på tia, mässé, åja nock stämd dä allti — men d'ä langsenna å dä ä fäll kansch ingen sôm mins'e, ifall så skull var, att jänta int ôrk hôll käfft mä't — ja tror att vi kan lätt saka var sôm ho ä, ja", sa gôbben å geck å neck å titt ôt sia å gjord miner för sä sjôl.

Dä va ännsôm han skull vell rå å övertal sä sjôl att dä inge va te ha bekômmer för, å så frest'en fäll å karsk ôpp sä, men så kom dä allt tebakas igän dä där mä jänta å så bynnt'en å mommel igän ôm att dä va langsenna å ingen sôm i all fall vesst å't äll kunn mins'e.

Men når att en slog sä i tal mä'n, va'n i förstninga sôm e anna männisch å sa tock sôm ann fôlk sier. Men rässôm dä va, kunn dä händ, att'en ännsôm sack ihopp å ble sôm'en skull var esam. Å han stog ännsôm å lydd invartes å så bynnt'en å mommel för sä sjôl: "mässé, jo ve tvärvägen ôt Skoga", sa'n — "dä kan fäll int var länsman sôm sa't — åjo dä kan fäll allt var länsman i all fall — å den are kan fäll möjlivis var prästen — hm, hm, hm, så di taler — dä här kan vesst bli lett för mäj dä — hm, hm, hm, töcker länsman dä — å nännä — ånä d'ä för langsenna."

Å så vacktn'en ôpp å bynnt tal sôm ann fôlk igän. Men når en hadd gått iffrå'en ett stöck, kunn en allt hör att'en geck å grönna, ôm att'en hadd gjort nô sôm kunn förfall te var misstänkt. "Må tro pôjken kunn märk nô — ånä, dä kan fäll int sess uttapå så här langt ätter — för d'ä mang, mang år senna nu", sa'n — "langsenna, langsenna, d'ä för langsenna", môttra dä e lang stönn iffrå gôbben, senna en hadd skerts ve'n.

Att gôbben hadd gjort nô ont fôr i vala, dä trodd all männischer, för vafför skull'en hällers gå å säj tocken för sä sjôl å int ôrk lätt bli. Men dä va ingen sôm vell gär nô ve't, för di töckt att gôbben va för gammel.

I all fall ä dä unnlitt mä di här, sôm ä langhört å högtänkt. D'ä sômma, sôm tror att en blir tocken, ôm att en ha gjort nô ont å int ha komm te stå för't. Dä ä sôm dä onn skull vell gi sä ut ännsôm ett utslag i en sjuke å sôm att di, sôm ha ont gjort, skull få straff, gômmen dä att di ä pocka te hör invartes allt ont, sôm ä sagt ôm onnheta derses äll bol ha blitt sagt, ôm ho hadd vôr bekant.

FRIMURERAN.

Ôm att d'ä sant nu för tia, dä vet int ja. Men på far mins ti va dä allt si sôm så mä frimureran.

Far min va ingen rädd kär, men nog ble'n unnli, når de ble tal ôm den tia han va gårsdräng när källmäster Lunngren ve Låsen i Kallsta.

Skrömt å ilänn lär dä ha vôr för jämman därôpp i frimurste-hôlla i Låsen. Far min va pocka te gå ôpp på vien iblann å da feck'en lôv te gå förbi di utäck dôran sôm va därôpp. Dä tass å tass å host å skrömtulér sä därinn, sa'n, för jämnan, å en gang sa dä "Jan" te'n iffrå e dörr. "Akt dä, Jan", töckt'en dä sa.

Å tocka liklockt, sôm dä va. Men varst va dä, når frimure-ran skull ha storkalas, för da kom dä tock i dai:en, sôm int kan utsäjs av en kristen mans tonge.

Men valls han först feck nys ôm barnätinga, dä ôrk'en int hôll töst mä.

Dä va en gang di hadd en tocken där stor kanaljation där-ôpp. Dä hadd komm storfôlk dit iffrå Örbro å Stockhôlm — å tjock å bre va di, sa'n — å fäll vet en va den välmåga kom iffrå, välgödd onger ä inga fattimanskôst. Di, sôm ha bynnt på mä den matårninga, kan fäll int lätt bli, men urätt ä å förblir dä te ät barn.

Far min feck förståss spring te källern ätter putäler — kônsti putäler va dä, sa'n, gammel å nersmord va di, å far min trodd att dä va svavelsyr å ammoniak i dôm, sa'n, för tocker vinpu-täler hadd'en för sin del allri sett.

Men så kom Lunngren å sa te'n, att'en skull tull fram en kagg, sôm stog bål i a vrå. "Tull fram den där kaggen", sa Lunngren han. "D'ä litt salta fårkött — frimureran ska allti ha salta fårkött, da hör te frimurerlagen." Kônsti lag, tänkt far min han, men han sa itnô, utta han tull fram kaggen, sôm han va tesagt.

Men da händ dä int bätter än att den en bôtten valt iffrå å da rann dä ut armer å ben tå små barn.

Va'ke dä dä ja tänkt, tänkt far min han, men sa itnô den gangen häller. Men Lunngren ble vit sôm ett lakan i syna å sprang fram å feck fast bôtten igän på kaggen. "Ja ska tull in kaggen sjôl", sa'n.

"Ja, den kaggen får allt Lunngren tull in sjôl", sa far min.

"Mä tock fårkött vell int ja ha nô te skaff", sa'n.

Men senna va dä ett steken å fräsen därinn i köke, satt far min feck kvalm, når'n tänkt på va dä va di stekt. Å når tia kom, att meddan skull bli, va dä ett sôl å kakkalorum därôpp, sa far min, satt han kunn hör att frimureran hadd'et bra. Där satt förståss all diss stor matkannibalan å slök issä den en välgödd barnongen ätter den are å bälj issä all den sur svavel-syra å ammoniaken.

Tocken geck dä te när frimureran fôr i vala. Valls dä nu kan var, vet int ja.

STUDENTJAKTA.

Studentan va i trakta
når jäntan va i vall,
studentan va på jakta,
dä vren å dä small.

Dä flisa sönner tôppan,
där skôta sköt blint,
di uvôrne krôppan
sköt skackt å sköt vint.

Å ôrran å tjädran,
sôm mälla träa flög,
slapp unna, fast fjädran
kom ner sôm en snög.

Men tackan å kalvan
di va i stora nö,
di ôrk int stå för salvan,
di feck en blodi dö.

Å varst di stackers jäntan
geck krigerfala ôt,
når di åttå studentan
feck kärlekens skôt.

Di satt å töt i backan,
når jakta va förbi,
ôt kalvan å ôt tackan
å allt di sjôl feck li.

Feck li så tongt tå kälek,
sôm feck så dålitt slut,
å all den nö å smälek,
studentan hadd brett ut.

MELANGTÄRAS INTÅG I KALLSTA.

I.

MELANGTÄRA FÅR SE KALLSTA.

Se Kallsta, se Kallsta, se Kallsta sta!
Guda!
Hurra!
Se sola, se sola i Kallsta store sta!

Se högt skiner Kallstas domkörktorn
i tôpp!
Spel ôpp
ett klangsens guda! mä trompeter å horn!

Se älva, se broa, se bispens gål,
hur skön
står grön
den stôlta staden Kallstas potatis och kål!

Se fanornas vaj uti solas ljus,
hurra

för bra
å go å fin trakterning uti Kallstas fine hus!

Så fram, I tappre gössar uti lonk, lonk, lonk,
gå på
I blå,
i takt ätter donk, ätter donk, ätter donk, donk, donk.

II.

BEFÄLE.

Befäle, befäle för tam-tam-tam,
befäle mä makt drager fram.
Herr översten kumderer,
majorn han exerer
sin stôlta bataljon i den stôlta staden in,
kafftinen han ä barsker,
lyttnánten han ä karsker,
han sträcker så stôlt på den stôlta ryggen sin.

Ån fanjonkerbaken, för bom-bom-bom,
sig breder så granner å grom,
säschanten gör sig raker,
han kan allt sine saker,
det vet herr säschanten allt av,
korpralen gör sig bister
och bär i sin tornister
en generalfältmarskalkstav.

III.

VI.

Så följa vi kafftinera å lyttnantera,
vi dra

i ra
att Värmland bevara,
för hej tranterara,
med vassa bajonetter, för tjong hej trantera!

Ve hörna dä lyser tå jäntkjolera,
vi ser
på Er
I fine kjoler alla,
I fine kjoler alla,
mä tacksamhet för vackerlek, för hej, tjoh-lera!

Dä drar ôss, dä drar ôss i skosulera
te gå
å få
en köss bak mä knuta
på truta, på truta,
för ptuttu, för ptuttu, för ptutulera!

Ve husa står civilera, di trinnskallera,
på lur
mä sur
å le å better galla,
för domses fästmör alla,
för domses fästmör alla
gir kärleken åt kongliga armén, trallera!

Se dombom ve dombom står dombommera,
jojo,
må tro
dä känns i en dombom
tå bombom på bombom
på bombom, på bombom, på bombommera.

Å JASSÅ, MÅ DÄ?

Dä va en gammel säger ve bruke, sôm hett Annersch, å han va tocken, att inge bet på'n. "Å jasså" äll "å må dä" va allt han sa, hur ill dä än va för'n.

Når di fôr i vala kom te'n å sa, att koléra hadd komm te sockna, sa'n bar "jasså, må dä, ha ho dä?"

"Ja, men ho ä allt i granngårn när släkta di", sa di.

"Å jasså", sa Annersch han.

"Ja, bror din ä allt när ve te dö han, Annersch", sa di.

"Å jasså", sa Annersch han.

Å "jasså, må dä" feck'en allt hett åg. Men når di tart ôm för'n att di kall'en "jasså, må dä", tog'en allt åssä mössa å rev sä i skael.

"Å jasså, må dä", sa'n.

Da va dä en gang, att Annersch kom unner ett bräras, satt di feck lôv å han in'en te lasarätte i Kallsta, å dä va allt ja sôm feck frakt in en.

Dä va int mö liv kvar i Annersch. En öre va åslet ätter rota på'n å hang mä nö fast. Hôvvsvårn va te hällta åveren å i halsen bakte va dä a stor grop.

"D'ä allt slut mäddä nu, Annersch", tänkt ja, för Annersch låg sôm han va dö. Men dä va int fritt att ja int tänkt, att Annersch skull res sä ôpp å säj: "å jasså".

Ja så kom vi te lasarätte å feck ôpp Annersch i sael, där di skull bese'n, ôm dä va nô te gär ve'n. Å så la vi Annersch på ett bol, å lasarättskvennfôlka kom in mä all lavmanger å varktyg å bôrker mä ôljer, sôm di skull begagn på Annersch.

Mällerti bynnt allt doktarn vräng ôpp ärman å ställ mä bôrkan å klepp å lev mä Annersch, å da bynnt allt Annersch å vackten ôpp.

"Hur står dä te mä gôbben, har gôbben mö plåger?" frågt doktarn.

"Ånä", sa Annersch han — "fast nock känns dä litt unlitt."

"Ja, ja ska allt säj gôbben, att dä ä allt allvarlitt dä här", sa doktarn. "Han har ett stort hôl i hôvve å hôvvesvårn ä allt mäst åsleten den på'n".

"Å jasså?" sa Annersch han å drog allt på't.

"Å ena örat ä åsletet", sa doktarn.

"Å jasså, ä dä dä, ja dä va allt kônstitt", sa Annersch han.

"Å en kan se in i svalje på'n gömmen nacken."

"Ja dä va allt besönnli, hocken skall ha trott tocke", sa Annersch han.

"Å d'ä allt frågan, ôm gôbben kan bli bra", sa doktarn.

"Vi vet int ôm dä int kan te å mä bli dön."

"Å jasså", sa Annersch han å gjord ett litt fresten te få ôpp näven te nacken. "Ja dä blir allt varst för kärnga dä", la'n te, når'n hadd grönn ätter e stönn.

"Men ja ska allt gär ett försök te lapp ihop gôbben ja", sa doktarn, för han ble änn sôm rasen för dä, att inge bet på Annersch, å så bynnt'en sy å plåstre på'n igän.

Å han lapp allt ihop Annersch, å Annersch han lever allt än han å ä ve go häls, fast att han ser allt litt skarvat å lagat ut.

Men når han blir dö en gang å kommer te hemmel å änglan sier te'n: "nu ä du allt sali, Annersch", så ä dä int fritt att ja int tror att Annersch sier: "å jasså, ä ja dä, hocken skull ha trott tocke!"

E GÖKVIS.

Så môrk va mi stôge
å hemmalens bôge
i väst langt i skyan va rö,
da hörde ja nôge,
som skrek bål i haga: ko dö!

Da sa ja: "du västgök
ä bästgök,
va spår du för löcke?"

— käpp å kröcke,
ont ôm brö!

Sen spord ja: "du östgök
ä tröstgök,
så si, hôr ä tröst, du?"
— natt å höst, du,
svält å nö!

Da sa ja: "I ljuger, ja tror inte på,
va göker kan spå,
min skog å min sjög vell ja fråge om rå."
Da svara dä så:

Se, gräse dä tôrker
å lövgrönska ôrker
i hösten int länge bestå,
I fôlk ä sôm strå,
I fôlk ä sôm kôrker
på böljan di blå.

Så sang dä te svar på mi store nö,
når mörk va mi stôge
å hemmalens bôge
i väst langt i skyan va rö,
da hörde ja nôge,
sôm skrek bål i haga: ko dö, ko dö!

MÄ SJÔL.

Ja vell int var strå äll kôrk,
int hö äll vesne bla,
i blåsten på sjön, i het å tôrk
ja vell vare mä sjôl ändá.

Å fäll kan dä händ, att ja dör,
å fäll kan dä händ, att för vinn ja far,
å fäll kan dä händ att e våg mä för
å tôrken den siste krafta tar.

Men tôrken må bränn mä å blåst på sjön
hantér mä varr än ja tôl,
når live mä släpper te sist ve dön,
så vell ja hôll fast i mä sjôl.

STÔLLIHETA I VALA.

I ska vänje er å mä te skratt,
för en lever bar för te dö,
ôm dan ska en tänke på natt,
i sol ska en tänke på snö,
du ska gråte, når live ä glatt,
å int ska du vell dä du vell,
dä ä allt så stôllit, satt
en allt vell skratte lell.

E ANNA GÖKVIS.

Å môra ho kom å en aen gök
gol högt å han gol iffrå sör,
da spord ja igän på försök:
"du sörgök ä dögök, så hör:
valls blir da den nöa,
ôm vem di are gökan gol?"
"Jo", svart'en, "att föa
blir fet å möa

i boens spis å på boens bol!"
Da sa ja: "må dä å må dä!
Di gökan di gal allt bå 'ja' å 'nä',
men hocken tå dôm ska ja tro?"
Da flint dä å klocka; hoho, hoho!

HARRGÅRSTÖSA I ÄPPELAPLA.

Dä satt å sang i e äppelapel
där apeläppla hang grannt i ra,
filinkeli lät e låt i tôppen,
tilideli, trilla drilla gla.

"Va hetter du där i äppelapla
mä vackerlåta i mun?" — sa ja.
Da sang dä lideli lidelidi,
dä drilla te sôm e lärk å sa:

"Ja hetter Astri av Astrakanien,
ja hetter Lideli Lidela"
— dä titta fram sôm ett apeläpple
i apeltôpp mälla äppelbla.

Tillägg

JÄNTANES FRIERFAL.

"Ja, Erk den tog Britta å Kajsa tog Pär,
dä börjer bli traschlitt te skaff säj en kär,

men esam te sette i stôga ä lett
å dä kan en schleppe, ôm bar en har vett.

Å räcker in gôsaan i Jöshäre te,
så finns dä i Gräsmarka tockre te se,
å skulle ja gå tess ja stuper ikôll,
en kär ska ja ha, dä begriper ni fôll."

Så gnällde e jänte frå Arvika sta,
e jänte i Mangskog ho töckt dä va bra.
Så las di e bön å i skor åttå lär
di traska åsta för te skaffe säj kär.

I Gräsmarka gnodde di sockna kring
å svängd säj å vrängd säj, men feck ingenting,
för manfôlka flinnte å manfôlka sprang,
sôm sjôlve den Fule i hälaan dôm hang.

I Torsby antura å skepa di säj,
men allt va di feck för si friing va "nej",
i Sunne å Ämtervik gnall di å sang,
men manfôlka flinnte å manfôlka sprang.

Da satte di säj nerve sjölann å gråt
å gnodd säj i yga å vänta på båt.
Kaftin på Fryxell sänn förschöckt di säj på,
men han sa: "ligg dänna, lablimmäj å gå".

Sänn kom di te Frycksta å sänna te Kil,
där bliga di blitt å vre smala te smil
å vecka mä halsaan så hårflätaan slang,
men manfôlka flinnte å manfôlka sprang.

Da börja di känne att näse ble lang
å önska di väl vôre hemme en gang
hos könaan å fåraan i Jöshäre lann
å hemôt di larva mä skonna i hann.

Di kunne int ha dôm på hälane nu,
för sömmaan va spröckne å läre itu
— dä schliter ut sôler tå tjockarste lär
te traske å gå för te skaffe sej kär.

BALLÅNG-GÔBBEN.

Dä va en gang di schläfft ôpp en ballång-gôbb i Krestjanja —
en tocken där'n sôm ä gjord tå klästyg å ôppstôppa mä vär.
Dä va den sôm fell ner i sockna hemm när ôss.

Kalle, bror min, å ja, vi skull just gå te körka å ly på den ny
prästen å dä va mö fôlk på vägen, var en geck. Sola sken å
himmalen va klar, satt dä fanns int fläck.

Men rässôm ja geck där, så feck'a se änn sôm en stor svart
preck västate övver skogen. Den rörd säj å höjd säj å sänkt
säj å kom rackt imot ôss.

"Va i hällskåck ä dä där", sa ja, å grunna å fundert.

"Å, d'ä bar e kråk", sa bror min, han.

"Åja, d'ä fell e kråk" — sa ja — "men jaggu ä den kråka
stor" — töckt'a, för precken den ble störr å störr å kom far-
nass övver skogen mä redi farrt.

Å hur dä va, så bynnt bror min å grunn han åg, va i häll-
secke dä va.

"Å nä, en fôggel kan dä int var", sa'n. "D'ä för stort — dä
har ann fason. Va sjöttan ä dä", sa'n.

Men nu va vägen full tå fôlk å når di da såg, hôlls bror min
å ja stog å peckt å peckt, de vänd di snytan i väre, di åg — å
glômma å glodd å grunna, va in i novembermarken dä va.

Å jaja, besönnlitt såg dä allt ut — för dä va ingen preck
länger da, utta e stor lang, bre sak, sôm lyste rött å blått å
gult å hadd änn sôm skaft i äen. Å ju närmer dä kom, dess
störrer å grömmer ble dä — först ble dä stort sôm en häst å
sänna ble dä varrer än en illfant å te schlut va dä så uhäjlitt å
anskrämmelitt, så dä sa klack i en, når en titta ôpp. Å te allt

elänne bynnt dä schock å dä va sôm dä skull fall ner rackt på hôvv på en.

Int fell kan'a nek att ja mä töckt att dä va uttäckt å såg kônstitt ut, men tocka rädd kruk sôm di are va, dä va ja fell int ända lell. Bror min han skalv i var le å käran ble ännsôm kroki i knäveckan å kvennfôlkan tjöt å ba te Gu å ongan ôja säj å kast ikull säj mett i vägen.

Da va dä e gammel kutharli käring, sôm steg fram — di kallt'a "Kersti mä näsa" — å strackt ôpp arman i väre å skrek å antura säj å tog te å predickt sôm en präst.

"D'ä dommen", sa'o — "den yttersta dagen är kommen hart när", töckt'o — "si vilddjurets tecken i skyn, såsom skrevitt står i hibbla", sa'o.

Å kvennfôlkan te stånk å be varrer än fôr å sômma va sôm di va stôlli.

Men i däsamm kom klockern å en kunn se på'n att han int va rektitt tefress, han häller, fast han gjord säj rak å styv.

"Jagg skulle förmoda att detta föremålet är en ballång", sa'n på sett fine språksätt.

"Asch klockern", sa bror min, sôm stog breve — "ha'n sett nôn ballång, sôm har ben å kan spark?" För nu hadd saka komm så langt ner att en kunn se valls dä såg ut å all kunn se att dä va likt en kär i rock å böxer å hatt å allt.

Ja klockern han glodd ôpp e stönn å sänna ble han blek sôm ett lik å sa: "ja tror d'ä bäst å gå te prästen".

Just i däsamm fell hel dä stor spektakle te jola å bynnt å flax å tjåv i rôgen å skubb säj mot skyggårn. Å dä fräst å môttra i't å steg änn sôm en rök ur't. Int ha ja sett den onn nôn gang, men fell ser han mäst nästan tocken ut, tänker'a.

Å fôlke te ränn å skrik å gömm säj var di kunn. Å "Kersti mä näsa" las å predickt så dä va ett levanne elänne.

Rädd va ja sjôl, dä neker'a int för, men ja va på samm gang rasen. "Nä, du stanner allt, min gôsse lella", tänkt'a å bet ihop tännran. Å da såg'a hur dä stor gôbbspektakle schock ihop å ble allt mer tunnt. Å da tog'a en skyggårsstör å las "Gu sôm haver" å geck fram te gôbben å dängd te'n mett på, där han va sôm tjockarst — å kratsch, sa gôbben å dämmä sprack

han. Å da såg'a att dä bar va vär å tyg.
Nä, en ska allri var mesi.

HAN Å HO.

"Å hörnu, jänta, å var beskeli,
å var ınt stursk nu, å var int heli,
å var nu snäll, för ho vet ho kan!
Å hör nu, jänta,
å hör nu, jänta,
å hör nu, jänta mi!" — töckte han.

"Å hör på den ni, va han har bråttôm
men falska gôssor, dä finns dä gôtt ôm
å vell han ha mej så får han gno!
Å feck han fikon,
å feck han fikon,
å feck han fikon? Jo, pytt!" — sa ho.

Ho la i väg å ho ropte pyttsan!
å hej! å hoppsan! ho gjorde kytt, san,
å han te tänge, satt svetten rann.
"Dä va fäll nittan,
dä va fäll nittan,
dä va fäll nittan te tös!" — sa han.

"Å hör nu ho da, å hör nu vänta!"
— "ja tess här näst ôm ett år!" sa jänta,
men jänta tappa allt da e sko.
"Hå kôrs för ulöck,
hå kôrs för ulöck,
hå kôrs för ulöcke!" — töckte ho.

500

Å skoa tog han — dä bar int bätter,
än han kom före å ho kom ätter.
Nu va dä han som va övverman.
Han ropte pyttsan!
han gjorde kytt, san,
"å hej! å hoppsan! å tjoh!" — sa han.

"Å ä dä sanning att han vell ha mej,
så gi mej skoa igän ä ta mej!"
Å han feck jänte å ho feck sko.
"Hå käre du da,
hå käre du da,
hå käre du da!" — sa han — sa ho.

JULAFTA I HARRGÅRLSKÖKE.

Hå ja, hå ja, d'ä mang, mang år senna ja tjänt dräng ve
harrgårln nu. Hå ja, hå ja, tia går.

Onnt slet en, d'ä da vesst å sannt. Bå pateroen å Rätter-Erk
va suffräne kärer, sôm lätt fôlk vet att di va född "te äte sett
brö i sett anlätes svett", äll valls dä står i språke.

Men så va dä häller intnô knuschel ve jula. Fell ha ja sett
mö brö å mö flåsk i mi ti, men dä jag såg ve harrgårln va dä
vårst ja nônstiner ha sett. Vi va fire kärer å fire kvennfôlk i
kôsthôll å hårrskape va lik mang di, men jaggu va dä ått
ulik slag i variveli julhög å flôt å fläsk va dä så dä rann. Öl
feck en, brännvin feck en, fesk va dä å gröt feck en ät, så en
kunn spreck. Ja mat va dä så magen stog i femtan hörn ända
te tjugendaknut, som kör jula ut.

Först va dä dôp klocka tôlv — fett gôtt flôt tå den gamle
fargalten. Hel herrskapsgreja va mä ut så stack brö i kettel å
va mer gemen å minner höckfarli än hällers. Pateroen sjôl
sken sôm a sol å häld sjôl i super te ôss kärer. "Var int blyg
du Johan", sa'n, "ta't mä en gang du, dä hänner att dä blir

en te", töckt'en, "ja kanske två", sa'n.

Ånä, ja va fell int blyg utta häld ner allt sôm va å tôrk mä ôm truten för te var fârli te näst gang.

Men dä va rolitt te se Gryt-Nisch, når han tog sin. Han hadd vôr döv å stum i all si ti å va rotkär unner harrgårln. Dä enda han hadd nôn lust för va te sôv å ät, å tobak va dä bäst han vesst näst brännvin. För brännvin dä va dä högst han vesst här i live, men dä va int mang ganger han feck tå dä schlage.

Dä va i all fall unlitt mä dän här Gryt-Nisch. Så döv å uvetens han än va, så nock hadd'en årning på tia. Å når dä da bynnt å lack imot jula, da geck Gryt-Nisch å flen fôr sä sjôl, å mött'en nôn, så neck'en å gjord sôm e skål tå näven å gap å lôddes sôm'en drack. Å så neck'en å så flen'en igän för sä sjôl å klapp sä på magen, för han vesst att nu skull den go tia komm för'n. Åjaja, han hadd inga ann gläje, stackern.

Men sôm sagt va, når'n skull ta brännvin, da va'n roli te se på. Mä ett han kom in ôm dôrra, välvd'en yga bål ôt brännvinsflaska å där helt'en dôm fast, var hällers han geck äll stog. Å når da pateroen teckna ôt'en, att han skull fram, da tôka'n sä på sne fram te bole, mennas han titt rackt å styfft på supen. Å så häld'en in'en i muen å helt'en kvar e lang, lang stunn. En kunn se på'n hur sali'en va. Dä va änn sôm han skull tänk för sä sjôl: "ôj, ôj, ôj — guschetackelôv att tocka gohet finns i vala". Dä va mä knaff nö han kunn tving sä te svälj ner supen, så dyrbar va'n för'n.

Ja senna börja fläskätinga. Dä va e fali äting ska ja säj er. Herr Agust va ut å såg på, för dä töckt'en va rolitt, å han bynnt ägg ôss te ät vårrer å vårrer å gjord sä te å tal vårat mål å va kvek, fast så falia kvek va'n fell int ända. Tocker där vell allti skôj mä ôss ulärt fôlk, men jaggu ä di kopstôller sjôl. Herr Agust te exempel mä si lang näs å näsknipôgera å den huki, dåli skrôtten sin va just int all vårst grann å nock ha ja mang ganger stått bål mä knuta å grin ôt'en.

Herr Agust lôvd ôss, att den sôm åt mäst skull få e kron tå'n å vi fresst på så gôtt vi kunn. Sjôl la ja in dä mäst ja ôrk. Men dä ble allt Gryt-Nisch, sôm vannt lell. Han hadd inga årning på att han skull få e kron int, men han hadd tocka smak på fläsk, så han behövd int ha nôa pådriving.

Ja, dä va ätinga dä. Lämmä se, va va dä vi feck senna?

Jo, når dä le litt på aftan, så skull vi da ôpp i kök igän å dreck kaffi. Håja, kaffi ä gôtt dä mä, men kvennfôlka ä för svår te smål, når di ha fått en tår i sä. Kammer-Emma va da ett rennt hällskåck te smål å köksa va int sämmer ho. Fell va ja gla i jänter på mit ti, men en ska ha dôm e för e. Når fler ä tesamm blir dä lett.

Herrskap hadd mö fyr för sä därinn. Di tänd ljus i grana å dans å sang å fansér sä. Vi va fler ganger å glutt i dôra. Tocker där kan var jåli, di åg.

Nu va dä så att di bruckt å ha änn sôm en julbock sôm skull dra in all skänkasera — å den gangen va dä ja sôm va jul-bocken.

Ja feck på mä pateroens stor vargskinnspäls — å dra ôt skogen, va fliner I ôt, "får i ulvak¹är" kan I var sjôl!

Nä, ja ska säj er att dä där gjord'a änn rektitt bra. Ja la mä på fyrenfot å hôpp ôpp å ner mä bakdel å spark mä bena å når ja kom mett för hel hersskapskånkarongen, bräkt'a te å välvd ut kôrgen på gôlve. Nä, tocker där ôpptôger å tock va ja änn bra te.

Ja, senna va dä äting igän. Först lutfesk, senna gröt. Herr Agust va ut igän å satt ôpp e kron ôt den sôm åt vårst. Dä ble Gryt-Nisch den gangen åg. Han va sôm Fryken, där dä inga bôtten ä.

Men når gröten kom fram, da sa herr Agust stôpp.

"Int ett skebla", sa'n, "utta att I rimmer för gröten", töckt'en.

Hur vi vre å vänd ôss så va vi pocka sta te schlut.

Först skull rättern fram. Han gne sä i nacken å ble fali rö i syna. Men når dä le ôm, feck'en fram ett rim lell.

"Den här gröten ä kokt i gryte å int i e spann å

dämmä kliver'n ôpp i e tall",

sa'n å flen te ett slag å såg änn sôm litt skamsen ut.

"Bravo, Erk — dä där va int dålitt", sa herr Agust — "dä där va min själ rektitt poetiskt", sa'n.

Sen va dä Stall-Olles tur. Han spôtt bar ett par tag å harsk sä å sa:

"Dä här ä inte fesk men gröt,
å den sôm int rimmer bätter än Erk ä ett nöt."

Da skratt all di andre å int skull da ja vell ha vôr i Erks
klär den gangen.

Ja, så skull da ja fram, förståss. Men dum ha ja allri vôr
å dä hink int inna ja slog mä skia i borlkanten å sa:

"Den här gröten ä gjord tå gryn å int tå sten,
men jaggu ä'n tjöcker än köksas ben."

"Å, vet han inga levanne hut", sa köksa. "Va vet han, valls
ja ä skapt", töckt'o — "å skäms mässä", sa'o. Men ja bar
flin å herr Agust la ihop sä på bänken å va rennt iffrå sä tå grin.

Ja, så geck dä te fôrr i vala. D'ä nu mang mang år senna.

Håja, tia går.

ERKSÔNS SVIN.

D'ä en di kaller Erksôn å dä hetter han allt åg. Dä va han
sôm hadd mäjeri bål ve Sôrkbola, dä geck da branock för'n
te en början — fastän en gang hagg di gitt'en gredlin smörfärg,
så smör hans ble gredlinfärgat för'n. Dä feck han ät ôpp sjôl,
för dä va ingen hällers, sôm vell ha't.

I all fall skull han fell ha rett sä, ôm int svina hadd vôr.
Svina ble Erksôns ulöck.

D'ä int mang sôm kan hantér svin rätt. Sômma tror att d'ä
nock te bôtt in dôm i ett mörkt hôl å släng skôlan ätter dôm
å lätt dôm dra sä fram bäst di vell. Dä kan gå bra e ti, mins-
tingens mä hemsvin, sôm sen gammelt ä van te slit ont. Men
utlannssvin tar dön på tock. Svin ä sôm ann fôlk å behôvver
ha fresk luft å möen mat tå ulik slags, å ä dä da tocker där
herrskapssvin te, så ska di ha bå passning å ann bekvämation.

Nu hörd Erksôn te dôm, sôm int har nô vider ställ mä svin.
Han bol allri ha sett ôt svin, dä låg int för'n, å han hadd fell
int fall på't häller, ôm int den här selveriserate nämnkärn i

Vinterstabrôten hadd hatt'en te't. För han kom te Erksôn å sa att i utlann där hadd di allti svin ve mäjerian å ga dôm all mjôlka, sôm ble övver, så di ble tjock å trinn sôm proster å patroner, töckt'en.

Ja, Erksôn han vesst int bätter än att han ga sä te skriv te en svinfabrikör ätter tretti småsvin å gjord ett hus ôt dôm å gne nävan, för nu töckt'en att han va på go väg å bli meljonär.

Nu va dä så att ja iblann hadd min väg förbi Erksôns mäjeri. Å da va dä en gang Erksôn stog uttamä svinhus sett, å da ba'n mä gå mä'n in å titt på svina hans. "Så mang svin har du fell allri sett fôr på samm gang", sa'n — "d'ä tretti stöcken, å allihopp ä di tå utlänsk ras", töckt'en — "d'ä ann slag än din lell blå bokente bonngris", sa'n.

Dä först ja såg, når ja kom in, va att di int hadd gjort nôa lufthôl ôt grisan, dä ost varrer än varst. Mjôlk hadd di da hällers teräcktlitt — dä rann ôm käfften på dôm — å fet va di, satt dä sa skvack i dôm. "Känn här", sa Erksôn, å tog fatt på en smågris. Ja, ja känd förståss å jaggu va'n mjuk å fläski nock, dä va'n.

"Dä här ska bli affärd sôm hetter duga", sa Erksôn — "ti kroner stöck ha ja gitt, dä gär mä trehunnra — ôm fir måner säljer ja dôm för tretti kroner per skrôv, dä gär mä niehunnra — drar ja di trehunnra iffrå, så har'a sexhunnra kvar i ren behôllning, mjôlka räckner ja int — näst gang köper ja sexti småsvin å säljer dôm för attanhunnra å ôm ja int ä förmögen kär inna fem år så vell ja bli en nôrsk nôrs", sa'n.

Ja dä va bra för däj, tänkt ja, löcka te! Men hur dä va kunn ja int lätt bli å töck att dä va nô unnlitt mä Erksôns svin. Dä va inga gläj i dôm, di grömt å gnall itnô, når di svabb i sä mjôlka. Dä va nô mällankalkonsk mä dôm. Ni ska se att Erksôn får svi å li för di här svina, tänkt ja. Men Erksôn va så gla å stormodi, så ja töckt dä va sönn te spå onnt för'n, å allt ja sa va att han int skull gi svina för mö mjôlk. "Gi dôm int för mö mjôlk, Erksôn", töckt'a — "mjôlk ä nock bra för bå fôlk å fä, men dä kan bli för mö dä åg", sa ja. Å dänma geck ja.

Dä kunn fell var en tre vecker ätter sôm ja geck förbi igän å da stog Erksôn i svinhusdôra igän. Men den gangen va'n int just gla.

"Di förbankade svina vell int ät", sa'n. "Di töcker d'ä bätter te lägg sä å dö — femtan svin ha ja begravt å di anner ser ut sôm di hadd fått koléra", sa Erksôn å snöt sä för att ja int skull se att han gret.

"Ä må dä da", sa ja — "min lell blå bonngris, han mår sôm en prins", töckt ja, för ja töckt att Erksôn gärn kunn ha tack för sist, för dä han va så stursk.

"Ja tror dä ä nôn sôm går å förgefter dôm för mä", sa Erksôn — "ja ha gitt dôm bå ricinôlj å brännvin, men jaggu dör di ända."

"Åja, nock kan dä fell var nôn sôm förgefter dôm, hocken dä ä", sa ja å vänd mä bort iffrå'n å rev mä i nacken, för ja tänkt att ä dä nôn sôm förgefter svina, så ä dä allt min käre Erksôn sjôl mä all den möne mjôlka.

Ja geck i all fall in för te se, å eländitt va dä fell allt mä Erksôns svin. För sômma låg på ryggen å sa sin sist ol å sômma geck ikring å stulta sôm gammelt varkbröte fôlk å sômma stog å glodd på mjôlka å hang mä hôvva änn sôm di skull tänk: "ja ä så le ve mjôlka, så ja tror ja vell gi ôpp, bar ja ser på'a". Dä kunn int var mer mällankalkonskt på Kallsta lasarätt. "Ja tocken ser di ut", sa Erksôn å hang mä hôvv sett, han mä. Men mä ett flög rasenheta i'n å han högg tag i en tå di ålderdomssvag smågrisgôbban å drog'en fram te hoa ve öra. "Vell du ät, dett eländi svin", sa'n å hadd ner'n i hoa. Nä, grisen vell int ät, utta geck baklänges sôm e kräveck.

"Ät", sa Erksôn å dängd te'n mä käppen. Domp, sa grisen å stendog. Da storgret Erksôn, så gammel han va, å mä dässamm svor han ätter nämnkärn i Vinterstabrôten å sa: "anamma den nämnkärn å hans utlänsk relion på svin — dä här va mett sist hôpp — ha ja int sett å vak sôm en far övver variveli svinkräk tess di dödd — va har ja för dä — nu ä dä bäst ja går iffrå alltihop å går å hänger mä i närmste tall — svina dör ihjäl mä".

Men hängd sä gjord han i all fall int, för ve marken i Kallsta härôm sistens feck'a se'n stå å kommers bål ve en grisvangn. Han va blek å mager, så ja kunn förstå att han hadd vart mä på mang svinbegravninger sen sist ja såg'en.

"Nä, int unner förti kroner tar ja för bägg grisan", hörd ja Erksôn säj — "d'ä utlänsk ras", sa'n.

Ja handlingsman tog da grisan för förti kroner, å når Erksôn hadd stôpp ner sedlan, geck ja fram å sa: "Jaså, Erksôn ä färdi mä den stor svinaffärden nu, dä va ju fjortan kvar ända."

"Jo i hällsecke", sa Erksôn — "dä ble två övver å dôm ha ja sålt nu för tjuge kroner stôck."

"Å ôm en drar di trehunnra iffrå, sôm Erksôn ga för svina, så blir dä" — bynnt ja på, men Erksôn ble så grön i yga, så ja int tord säj ut.

"Hôll mugga på däj", sa'n, "så ska du få däj en kunjak." Han tänkt fell dä va bäst å hôll sä väl mä mä, för att ja int skull gå ikring mä di stor ola hans.

Men nu va Erksôn tocken, att når'n hadd fått en kunjak, vell'en mä pock spendér på sjampanj. Å når vi kom in på hotell, så kom Lars i Väntvika te ôss å lanthandler Johansôn ve kvarna å fler därte å all diss skull Erksôn bju på sjampanj förståss.

Dan ätter rest'en hem mä tre kroner å femti öre i fecka, dä va den store affärden hans.

Nä, meljonär ble int Erksôn på svina.

ETT DOMMKAPITTEL.

"Di kaller dôm dommkapittel, å jaggu ä di domme", sa gamle Petter i Hôvalt i vala, å sannt sa'n, å rätt hadd'en.

D'ä mang tocker dommkapittel här i Svärgets lann, dä en dommer än dä anner — ja ja skull vell säj att alltihop ä ett enda stort dommkapittel, å tocken ha dä vart för jämnan. Di stor domm grevan å baronan fôr i vala, di töckt att di va kloker än ann fôlk, däfför att di va sôn te far sin, å däfför skull

507

dä bar var di, som regjord i riksregärninga. Patronan å prästar å grôsshandlan å sjôlägerbönnran, di va int politisk mognat di va int klok nock te regär, för regärinsklokheta setter int skael, utta på vägge, där gullvapna hänger, töckt grevan di å kongen helt mä dôm e ti.

Men prästan å bönnran å di anner utbölingan, di môrr å morsk'er sä å ble allt kveker å kveker, mennas att grevan å baronan ble allt dommer å dommer. Å utbölingan di skock sä utta mä regärningshusa å hoj å skrek å schlog på dôra å ga te molhôjten. "Om ni int schläpper in ôss, så går vi in sjôl å kaster ut er", lät dä i ôra på grevan. "Ja, nu ä di vesst mognat", sa kongen. "Ja, di ä vesst dä", sa grevan, å så schläfft di in dôm. Å när da patronan å prästan å di anner utbölingan hadd komm in, så feck en se dä att di va lik bra, ôm int bätter te regär än all di stor böxgrann adelskäran.

Senna geck dä e ti, da di trätt mö i regärninga, hocken som va likerst. Klokheta te styr fôlk hang int bar på vägga nu. Sômma va regärningsklok för dä att di hadd hus i stan å sômma för dä att di feck lön tå krona. Men i skael behövd int klokheta sett nu häller.

Mällerti ble trättinga för le mälla di ulik slags klokhetan, gålsklokheta å gullvapenklokheta å all di anner, å däfför kom di ômsams att dä bar skull bli e sak, som skull gär fôlk snudi nock te regär övver svenskan å dä skull var pänga. Bar di sôm hadd så å så mang reksdaler skull bli ansedd för politisk mognat — pänga, d'ä dä som gär fôlk fint funta i hôvvknôppen. Ja da ble dä da fell så, å så ä dä än i da.

Men se nu ä dä på dä vis att dä ä sômma som int har så mang pänga att di ä regärningsklok nock — d'ä di mäst här i Svärget. Å nu ä dä di som packer på å vell in å int får.

En får fell se, valls dä går, om di int gir sä — kannhänn att harrkäran i riksdan blir var att diss utbölingan ä politisk mognat, di åg, för d'ä så att en blir så tämli klarögd å goli'li mot fôlk, når en int tör ann.

D'ä för räxten allt litt unnlitt mä den här mogninga å klokheta hos fôlk som har å fôlk som int har teräcklitt mä pänga. Ja vet en gammel bonn som ä riksdasman, för dä att han har en bra nock stor gål å för dä att han ä go vän mä allt ann fôlk, som har bra nock stor gåler. D'ä ett tock där vel, som gär ätter va ann fôlk gär. Skrivkônsta ä just int hans kônst ä i talkônsta ä'n just int mö länger kommen än den gamle pompen på gårn hans. Te å mä i lantbruksprofassion ä'n bakfram å d'ä allt drängen å kärnga, som har ställ mä alltihop. Den här drängen d'ä en redi kär dä för räxten, han ha vôr på fôlkhögskoln å ledi ä'n i mun som prästen sjôl å skriv kan han å hôvv på skaft har'n, men pänga dä har'n int, å däfför ä'n int mogen.

Å så vet'a gammel söpen länsman, sôm ha fått slag å däfför int kan gär nôn vider tjänst å int har mö vet kvar. Skrivern får gär allt i hans ställ å för dä har'n sexhunnra i lön tå'n å d'ä en rejäll kär å studert ä'n, för han ha vôr undervist ve undervistete. Men den gamle söpne å lame länsman ä den, som ä politisk mogen å som ska bruk dä förstånn, han int har, te välj riksdasman — men skriverns förstånn, som int ä lamt, dä duger int te väljing — för d'ä slantan sôm gär di uvetnas vetnas å di vetnas uvetnas.

Når ja tänker på tock å va mang fôlk tå sämste slags ja ha träff på iblann di som har pänga, å va mang klok kärer ja känner iblann di som inga har, så kan ja int lätt bli å tänk att förstånn å karaktihet int kommer iffrå förmögenheta utta iffrå naturn. Å d'ä änn som ja skull töck att en klok å veti skollär mä sexhunnra i lön, å dä finns mang tocker, ä bätter funta te välj riksdasman än en kop te patron eller ämbessman, å dä finns mang tocker mä.

Men fell kan ja ta fel å da ä fell dä här kapittle ett dommkapittel å dä kan inga männisch hjälp.

KOMÖTE.

Vi hadd komöt i sockna härôm sistens. Di stor hushôllningskäran hadd sänt bô att all kretter, sôm va nô tess, skull di kom å förvis sä ve körkbacken, så skull di få prismedal.

Nu ä dä sôm så att vi har e litta finnko, sôm ä änna bra te mjôlk, å Adelfrida, dotra mi, ä liksôm litt stôlt tå sä för den koa, sôm ho ha hatt ställ mä alltsänna di va små, bägg två.

"Far ni", sa'o, "dä kunn int var blankt umöjli att vi kunn få medal för koa, d'ä en tå di lickerste kor i hel sockna, dä vet fell ja, sôm ha mjölk'a i all mi ti."

"Hå, du taler", sa ja, "nä, tockna kärer, sôm di här stor hushôllningskäran, di vell int så mö sôm spôtt ätter ett tock litt uschlitt elänn sôm Kulla vånn. Dä ska var tockna där stor brebaki aschischkor, sôm ska bli exmerat tå kodomran."

Da satt Adelfrida ut truten å gjord sä le i syna å sa: "Int två styver vell ja gi för e mischmaschko — di har e tocka när nämmans i Klaknäs, äter gär ho, d'ä sant, tjock ä ho å bre ä ho, d'ä sant, men mjôlke dä gir ho jäsingen. E ko ska fell bli dömd ätter mjôlkinga å int ätter sin bree bak å Kulla vånn mjôlker tre å e halv kann ôm dan."

"Nu ä du allt jåli, Adelfrida", sa ja — "valls ska en kodommer kunn räckten ut va mö e ko mjôlker, når'n bar har ti te kast ett bråtitten frå svansen te horna på'a?"

"Ja, ä di tocka koper, satt di värderer kor ätter svansen å horna, ä dä varst för dôm sjôl, men te komöte ska ja mä Kulla, vôr dä int för ann, så för te titt på tocka stôller", sa Adelfrida. D'ä e kavat å påstridi jänt, ska ja säj er. Dä va allri vart för mä, utta ja va pocka te hjälp'a sta te komöte mä Kulla vånn. Ho geck för å drog, ja geck ätter å sköt på.

Dä va en helan skrälldus mä kor bål mä körkbacken. Nämman va där mä si stor aschischko å mang fler hadd stor grann kräk te förvis. Når ja såg all diss bre bakan å stinn bukan, känd ja mä allt litt skamsen för den lell kullete koa vånn. Men Adelfrida satt näsa i vär å lôdds sôm ôm vi kom dranass teminstingens mä en kröningsox.

Ja kodomran geck ikring å dömd hôräveli ko iffrå en äen te den are. Dä va int mang sôm ble framsläfft te tävlinga. Sômma va för kôrt i bakbena, are för lang. Kodomran nost dôm bå här å var å fant fel övver allt. Nämkärn stog bre å säker ve sia tå dä stor anskrämli kobelät sett å tänkt fell att här va

dä en som kunn ta den störst prismedael i hel vala. Men ko-
domran geck'en förbi å kast knafft yga ôt aschischkoa. "Ho ä
nock tå go ras, men ill hantera", sa den en kodommern.

Da glan dä te i yga på Adelfrida. "Va va dä ia sa", sa'o.
Å jaggu stann int kodomran ve Kulla å bynnt å perk å känn
på'a å pängsner'a mä pängsne. "Ho mjôlker tre å e halv kann
ôm dan", sa Adelfrida. Da gren all kodomran, men koa ble
framsläfft i all fall.

Å pris feck ho å den överste kodommern steg ôpp på
körkmurn å helt ett grant tal ôm valls kor ska var beskaffa för
te vinn pris. Å all konna bôl ôt'en änna sôm di skull vell säj:
"å hôll mun på dä, dä där begriper du int, du sôm int ä kar te
mjôlk ett kvarter mjôlk en gang!" Te slut ôrk int kodommern
hôll sä för skratt: "D'ä dåli uppfostrate kor i den här sockna",
sa'n.

Å sänna va dä slut mä den häliheta. Adelfrida å ja drog sta
hemmate. Ho geck fôr å drog, ja geck ätter å sköt på. Men ä dä
nôn sôm vell se e prisbelönt ko, ska'n kom å titt i lagårn vånn.

LERPIPER.

Allri att ja röker nô ann slags piper än lerpiper. Di taler
ôm träpiper, att dä ska var så bra, men d'ä int däsamm sôm
lerpiper, näggu dä ä't. Dä blir int vart nock å start nock å d'ä
inge bra sôg i träpiper. Di ä int så hemtrivvli. Ja tror d'ä bar
höckfal mä li här fin, förnäm träpipan, sôm ha komm i svang.

Nä, pipa ska var tå vanlitt vitt ler, e litta vanli lerpip, sôm
en får för ett ör stöck när Bergens. Dä gär intô ôm skafte blir
åsläj, oar d'ä en tom kvar tå't. Å att pipa blir svart sôm en
kôrsten å het sôm en ell, dä töcker ja bar ä sôm dä ska var.
D'ä ju meninga att dä ska smak litt start tå röken.

Å int ska dä var tocken där uschli nymodi toback, tockna
där tönn strimler, da kan vassarv var lik bra. Nä dä ska var
vanli tjock stark rejäll rulltoback, sôm ä våt tå go sås. Å en

ska int karv'en i för små beter, utta lagôm, halvstor så där, å en
ska gnugg betan mälla nävan, inna en dôtter in tobacken
i piphôvv. Ä kläm allti te tobacken mä tommen, inna I tänner
på, för hällers går den bäst dôfta bort.

Når ja ha gått i arbett hel dan å kommer hem å ha ät mä
recktitt peckmätt tå lôt ôss säj joläpple mä flôtdôp å ha dröck
mä utörsti tå go svagdreck, da tôcker ja att pipa smaker bäst.
Da sätter ja mä te i go ro framför spisen å lägger ôpp skankan
på häel å så dôtter ja i, å så tänner ja på, å så suger ja å bôl-
mer, sått dä river start å gôtt i halsen, å suger å bôlmer, suger
å bôlmer, umô umô puff, umô umô puff, d'ä förbankade gôtt.
d'ä säkert dä.

GAMLE GREVINNA PÅ GAMPERTIN.

Dä va inga roskull te vare
i tjänst när grevinna på Gampertin,
ho trätta, ho va sôm a mare
å mat feck en sämmer än svin,
för tunnkokat välling å maskfrätt palt,
å kanski iblann litte flôt va allt,
sôm gamle grevinna te mat befallt,
en svalt.

Å vällingklocka,
å vällingklocka
ho va sôm bakfram
å veckvill
å sang stôllit
å sang stôllit
om sur sill
å sur välling
å sur välling
å sur sill.

Grevinna ho satt sôm en stôlpe
så höckfarlitt stiv å förnäm på en stol,
å kom en, dä feck inte hjôlpe,
da skulle en kösse grevinnas kjol.
Å snål å bedrövli va kärnga mä,
ho svalt mest live ur fôlk å ur fä,
men tror I att kärnga va nöjd mä dä,
nähä!

För bare te glupe å arve
å spare å gni va grevinna môn,
men arv ble'a sjôl te fördarve,
grevinna feck arve sin enda sôn.
Han velle bli geft mä e fatti mansell,
men feck inga fre för grevinnas gnäll,
förrn kärnga feck se'n hänge dö i ett spjäll
en kväll.

Sen ble dä att dotra feck fel i
sitt hôve tå trätting å dåli mat.
Ho geck där å grät å va veli
å hörde på käringas ävie gnat.
Sist ble ho så svag så ho sack på knä
å dog sôm ho stog ve ett äppelträ,
men tror I att kärnga va nöjd mä dä,
nähä!

Men nu va dä ingen te svälte
å trätte ihjäl mer än kärnga sjôl,
ho svälte säj sjôl sôm en hjälte
å slet så att klära ble idel hôl.
Ho satt i sin trasie selkekjol
å räcktna sett gull på sett marmelbol
hôräveli natt, te dess tôppen gol
ôt sol.

Å allt sôm kärnga
ble varre trôll
kom vällingklocka
på stôll
å sang jämt
å sang jämt
sôm brannklämting,
sôm brannklämt.

Så satt ho den gamle grevinna
hôräveli da, hôräveli natt
å sinna å sinna å sinna
å räcktna å räcktna sin skatt.
Da kom dä en kväll sôm ett vrôl, ett vrin,
dä va sôm ett blåsenevär, ett vin,
på vin,
da öppna sä dôra, där va sôm ett grin
på en sôm såg ut sôm Den Fule.
Han sa: "se på gulle, dä gule!"
å gamle grevinna på Gampertin
tog Hin.

Å vällingklocka
tog vinn fatt
å klocka ringde
e hel natt
e själaringning
ôm sur välling
å sur sill
å först ve môra
stog klocka still.

KALLE GLA MÄ SOLA.

Gla va Lars i Hôsera,
Erk mä Mun va åg litt gla,
gla va Jan där Nola,
men den aller gla'ste va
Kalle Gla,
Kalle Kirom-lirom-la,
Kalle Gla mä Sola.

Va dä bröllôp nôastans,
va dä jäntefal å dans,
va'n den varste kär'n sôm fanns
jämt på hele jola.
Erk å Lars, kamraten hans,
feck e snudi tös te mans
e feck Jan där Nola;
brura sjôl mä ring å krans
töckte Kalle Gla va hans,
svang'a, slang'a, sang å sa:
Här är brura, här ä ja,
Kalle Gla,
brura ho vell hellre ha
Kalle Kirom-lirom-la,
Kalle Gla mä Sola,
än si ega Ola.

Ble dä sen att boen ba
gôsera
varsego gå fram å ta
dä som stog på bola.
"Ja", sa Lars i Hôsera,
Erk mä Mun feck åg fram "ja",
"ja", sa Jan där Nola
— den som aller gla'est sa:

"ja", å "tack, ska boen ha",
dä va Kalle Gla.

Ble dä däng å slôssing da,
sôm dä allt för jämnan va,
däng feck Lars i Hôsera,
Erk feck åg så tämli bra
bå tå slô å riv å dra,
däng feck Jan där Nola
— den sôm varste dängen ga,
boffla, boxa, sang å sa:
"Kirom-dirom-lirom-la",
dä va Kalle Gla.

Boen sjôl ga Kalle stut,
brura kasta Kalle ut,
ätter slängd'en Ola,
Erk å Lars sôm brör å duss
feck tehoppers samme skjuss,
ut for Jan där Nola.

Sist når stôga blankt va ren,
låg han sjôl ve närmste sten,
uttaför, där sola sken,
full å gla å gnola:
Kirom-dirom-lirom-la,
tocken bra å roli da,
tocka sol te vare gla,
trinn ä sola, trinn ä ja,
trinn å gla sôm sola.

ORDFÖRKLARING.

a — en (femin.)

'a — henne

'a — jag

abbern — abboren

aen — annan

aen (med mera slutet a-ljud
än föregående ord) — ande-
dräkten

affärd — affär

antura sä — buro sig åt

apeläpple — i Värmland lär
det ibland göras skillnad
mellan apeläpple, päräpple
och joläpple samt mellan
äppelapel och pärapel

are — andra

bakommen — bakugnen

bekömra — bekymrad

betart —betalt

betvông — betvungit

ble — blivit

bleg — bligande, stortittande

bleka te — blixtrade till

blidd — blev, bliven

blier — blidare

blogen — blodet

boffel — en knytnävsstöt

boffla te — stötte till

bol — bord

bol — borde

bôr — burit

bôrkan — burkarna

brura — bruden

bynnt — begynt, begynte

bå — både

bål — borta

bögda — bygden

da — då

derses — deras

dockti — duktig

doktra ihopp — lagade som
en doktor

dompen, gå på dompen — gå
på giljarfärd

dôger — duger

dôra — dörren

dålier ner — dåligar ner,
skämmer ut

däfför — därför

dämmä — därmed

däng — stryk

dängt'en — givit honom ett
kok stryk

'e — det

'el — väl

517

emsammen, esam esammen — ensam

en — man

'en — han

erat, ve erat — edert, hos eder

fal — färd; skäli fal — så lagom. Fal kan också betyda tillvägagångssätt

fali — farlig

fattir — fattigare

febble — fumla, tala obestämt och otydligt

felt — föll

flint — flinade

fliss — fnissade

fôr — förr

fyrskaft, titt i fyrskaft — vara vindögd

fäll — väl

förd — följde

förstninga, i förstninga — i början

glan, glaning — titt, titta, tittning

glutt — titta, tittade

glys — titta stort

gobeter — godbitar

grom — väldig, svår, farlig; gromma nö — svår nöd

grunna — fundera

gröm — ful

grönn, grönna — grunnade, funderade

gånass — gående

gär — göra, gör

gömmen — genom

gömmenheli — genomhederlig

hannt — hann

hek — hakade

helt — höll

het — hetta

hocke, hocken, hocka — vilket, vilken

hôlls — huruledes

hômmen — honom

hôr, hôrt — var, vart

hôrann — varann, varandra

hôriveli — varenda

hôvvsvårn — huvudsvålen

häll — heller

hällers — eljest

ickre — ekorre

i jåns — nyss

illblängen — en ond blick

illänn, illänne — elände

illsvidd sä — vara orolig

illsvin — orolig

immä — i mig

ing — inget

issä — i sig

itnô — inte något, ingenting

jale — gärdet

joläppeldôp — en rätt av potatis med mjölkblandat flott

jål — narr

jämnan, för jämnan — beständigt

jäntbleg — jäntbligande

518

kall — kallade

klocka — kluckade

kneka, på kneka — drucken

kôbben — stubben

kófén — det minsta lilla fjun

kopstôlli — dumt rolig, tok-
rolig

kopett — galet

kôllbôtt — kullerbytta, konkurs

krôpp kär — i stånd till

kutt — hoppa, lägga i väg

kvekell — kvickrotseld

kånkarången, hel kånkarången
— allesammans

kär — karl

lee, lea — ledet, leden

lell — likaväl, i alla fall

lerk — lirka, lirkade

levnass — levande

liker — tycker om

liklockt — liklukt

lôddes — låtsade

lôke — locket

långe — redan

låsen — logen

lög — ljög

maskpi — maskopi

mennas — medan, under tiden

môltera — hjortronen

môrr — murrade, mumlade
förargat

môs — mossa

môttra — muttrade, mumlade

mä — med

mä — mig (obetonat)

mäddä — med dig

mäj — mig (betonat)

mässé — låt mig se

mässä — med sig

mö, möe, möa — mycket, myc-
ken

mört — mörkt

nock — nog

nol — norr

nô, nôa, nôe, nôen, nôge, nôn
— något, någon

nônstiner — någonsin

når — när

när — hos

nödd'en — nödgade honom

ol — ord

ornér saker — föreskriva me-
dicin

orsäckt — ursäkta

ôja sä — jämrade sig

ômjäng — umgänge

ôppflôga — uppflugen

paschaser — något, som pas-
serat, äventyr

perk — stackare

postelin — porslin

pôtäel — buteljen

påmmä — på mig

rilen — reel, schottish

rôtne — ruttna

rykenass — rykande

räggler — historier, ibland med liten bismak av lögn

räxten — resten

sack — sjönk

sal ihopp — samla genom tillskott

satt — så att

schenjör — ingenjör

seldat — soldat

si, sier — säga, säger

siglan — sidtittande

sinkadus — hårt slag

si ôm si — sida om sida, tätt bredvid

sjôl, sjôlve — själv, själva

skack — skev

skael — skallen

skam — tusan

skamnôm — rådlös

skers — skiljas vid

skôt — skott

skrôtt — kropp

skrömt — spökeri

skänkadus — skänk

slifft — slipade

smala — munnen

smôler — smulor

snôrka, på snôrka — drucken

snudi — klipsk, påhittig

snör te — köra till

sôl — sorl

sôpp — svamp

sôrr — surr

sta — åstad

stortöt — storgrät

stôbbåcker — stubbåker

stôge, stôga — stuga, stugan

stôl — stulit

stôrm — tala högt och vitt och brett

stäl — stjäla

stö — stadig

surmodi — ledsen och missbelåten

tart, tard — talade, talat

tebakas — tillbaka

teknocklat — tillhopastukad och förvrängd

temmä — till mig

teress — tillreds

tess, var nô tess — tills, duga något till

tessä — till sig

testärs — tillstädes

tili — tidigt

tock, tocke, tocken, tocker, tockna — sådant, sådan, sådana

tôk — tåkade; flyttade

tull — rulla

tå — utav

täjen — medtagen

täng — språng

tänga — springa förtvivlat fort

töt — grät högt, tjöt

ufre — ofred

ugörli, ugörlitt — ogörlig, ogörligt, omöjlig, omöjligt

uhöfsa — ohyfsad

unna — undan

utta — utan

uvôrne — ovarsamma

vacktn'en ôpp — vaknade han
upp
vala — världen
valls — huruledes
varr, varrer — värre
vasken — varken
vassån — vattensån
vemmä — vid mig
verke — virket
vesen — vissnad
vien — vinden
vôle, va ä dä vôle? — vad är
det fatt?
vôr — varit
vrôla te — vrålade till

yg, yger, yga — öga, ögon,
ögonen

åg — också
ågd — ägde
årn — ordna
årninger — ordningar, be-
handlingssätt
åssä — av sig

äll — eller
ända, ändå — ändå
änn — ända
änna kav — riktigt
ännsôm — liksom
ätter — efter
ävi — evig

Dessutom må märkas, att i övre Värmlands folkspråk många slutändelser, även en hel del böjningsändelser, alldeles försvinna, så att man rätt ofta endast har stammen för sig. Pluraländelsen på -an har ett särskilt uttal växlande i olika trakter och i olika ord — ibland nästan som -aan, ibland som -aen — stundom följer även ett e efter — alltså -ane. För övrigt brukas numera sannolikt pluraländelsen på -ra nästan överallt i växling med den på -an och -ane.

EFTERSKÖRD

TRUBADURSÅNG.

Så mången ädel skald besjungit,
hur smärtans tagg i hjärtat stungit,
hur salarna i furstens borg
ha genljud gett åt hjärtesorg,
hur skogens valv kring torparns hydda
väl enkla hemmet kunnat skydda
mot nordanvindens kulna il,
men ej mot kvalens lömska pil.

Vad mest mig tjusade och gladde,
vad kärast jag i livet hade,
det finaste av livets doft,
det är förvandlat nu till stoft.
Vad bäst jag tänkt och skönast drömde,
den hemlighet jag gick och gömde,
mitt framtidshopps, min kärlekstros,
var illusion och är sin kos

Ren många vårregn äro gjutna
uppå min faders grav, den slutna.
Och åren svunnit sen han for
på äventyr, min yngste bror.
Han var så käck och varm i blodet
och stolt som själva hjältemodet.
Hans återkomst för oss blir ljuv!
— Han kom tillbaka, men som tjuv.

Min första kärleks sköna flicka
med mörka ögon, vilka blicka

den känsla fram, som rik och varm
har bo i hennes unga barm,
blev uti världens flärd betagen,
hon kom tillbaka, men bedragen,
med äran strödd för våg och vind
och blomman vissnad på sin kind.

Mitt eget ungdomsfriska sinne,
hur präktigt var det ej där inne.
Jag vällust drack ur livets skål
och glans och ära var mitt mål.
Men var är nu den tappre hjälten?
Var äro för hans segrar fälten?
Av egna skulden bragt i nöd,
han äter andras bittra bröd.

Men så för brottslingen som dåren
en balsam finns, som lindrar såren,
en rening i Jordanens älv,
som helar. Det är sorgen själv.
Och tjuven efter stöld begången
och flickan, när hon gav sig fången,
och rucklaren i sus och dus
blir tragiskt skön i sorgens ljus.

Mån därför I, som viljen, spörja
och svara bäst I det förmån:
Hur gick det till, var kom det från?
Men jag vill sörja, sörja, sörja.

TILL MIN PIPA VID DESS
ÅTERKOMST FRÅN MANGSKOGEN.

Av alla pipor Gud har skapat,
kring vilka mänskomund har gapat,
ej någon lyckligare finns
än du, o alla pipors prins!

Du doftat förr som andra pipor,
som hänga i studentmungipor,
men genom ödets trolleri
du doftar nu av poesi.

Du över frökenkänslor råder,
du öppnat har poetisk åder
i frökenfingrar lika lätt
som någon läkares lancett.

Och kanske dig den hulda Bertha
med ljuvt behag tryckt till sitt hjärta,
och dig har kanske Ulla tyst
med blyga rosenläppar kysst.

På dig kanske Maria luktat,
och Lillys öga kanske fuktat
ditt huvud med en känslas tår
— för min skull föll den, du förstår.

En blick som ger en glimt av himlen,
ej ofta sedd bland mänskovimlen,
blott drömd av någon lycklig bard,
du kanske fått av Hildegard.

Fredspipan lik bland indianer
du kanske bland små kyssorganer

rökblossande har gjort din rund
från rosenmund till rosenmund.

Du hör nu ej till simpla packet
av likar inom tobaksfacket;
som en juvel uti ett skrin
du döljas skall, o rökmaskin!

Och om jag ärans höjder hinner,
om adelskap jag en gång vinner,
det sköldemärke som jag fått
skall bli en enkel pipa blott.

Stamfadrens pipa sen i ätten
skall gå i arv tills sista skvätten
av Kallsonns-blodet torkat ut
— först då, o pipa, du rökt slut.

TILL G. WARODELL.

DET GAMLA ÅRET.

Kallsonn till klang av
klingande harpan
diktar ett drapa,
dallrande skönt,
känslig är Kyrkås,
kär i det sköna;
barden med bifall
blir kanske lönt.

Åldriga året,
åttiofyran,
slumrar nu sött i

seklernas grav,
friad från varats
frätande sorger,
härjande hårdhänt
herre och slav.

Matt lyser minnet,
minnet om fordom
dunstar som drömmen
döende bort.
Framfarna fröjder
frysa till smärta.
Leende lycka
lever så kort.

Stundom dock sväva
skönt för mitt öga
syner från sommarns
soliga tid.
Flinande flickor
flänga omkring mig,
flätorna flyga
fria därvid.

Ute i urskog,
— Ulla i spetsen —
trotsiga tåget
tumlar framåt.
Siri, den söta,
skrattar som skatan,
skridande fram med
Strängnäsisk ståt.

Lustiga Lillie
leende gapet
vidöppet visar
vem som vill se,

kliver så käckt på
krångliga stigen,
säker i skog som
skogarnes fe.

Skymtande synen
sakta försvinner,
bleknande minnet
blott bliver kvar,
täljande tröst för
trogne bevararn,
sjungande skönt om
soliga dar.

Åter ett år till
Valhalla åker,
tildernas timglas
har runnit ut.
Frid över fallne
frejdade drotten.
Dovt klingar drapan
— domnar till slut.

DET NYA ÅRET.

Hej, han kommer, prydd med kransar,
ungdomens och hoppets bild,
lustigt under fursten dansar
springarn fnysande och vild.

Med sin fägring ha behagen
höljt hans smidiga gestalt,
livsmod leker glatt i dragen,
blick och rörelser och allt.

Han skall alla hinder krossa,
världen vill han göra fri,
mänskorna vill han förlossa
ifrån tvång och slaveri.

Svenner har han i sitt följe,
friska viljor liksom han.
Nu må slitas lögnens hölje,
om det höljet slitas kan!

Friskt framåt går kavalkaden
under strid och larm och rop.
— Men den stolta kämperaden
smälter mer och mer ihop.

Se den ene blodig stupar
döende ur sadeln ned,
och den andre sig fördjupar
på en irrvägs falska led.

Snart skall även du, o Konung,
falla, trots din kraft, ändå,
och det land med mjölk och honung
som du sökt du ej skall nå.

Blott ett ringa steg du tagit
till det mål du strävat för,
innan sista timman slagit
och dig dödens ande rör.

Och när ny tid åter gläder
sig att leva för ett nu,
du bor glömd hos fallne fäder
svikne i sitt verk som du.

TILL J. W.

FINT PLINGPLIN OCH FLIN PÅ VIOLIN TILL FINA
FLINORINA PÅ FINADAGEN.

När dagen heter Fina
och flickan heter Fina
och hör till de fina,
det kostar ingen pina
att spela en strof på sin namnsdagsviolin,
ty flicknamnet Fina
och dagnamnet Fina
de rimma på "fina"
— man spelar bara: "Fina,
må ögonen dina
alltjämt förbliva fina
och lockarne dina
beständigt vara fina
och läpparne dina
så gladeliga flina
mot oss i alla dina
livsdagar fina
och må du alltid själv vara fin, pling plin!"

Plingplin Violino.

TILL J. W.

Slorudsborg den 2 sept. 1885.

Gullefi! Gullefinaste Fina!
Om du kan låta bli till att flina
och ej sitter och skrattar i mjugg,
skall jag dansa på versarnes lina.

Men se skrattar du, skrattar du åt mig,
ja se då tamejattan — förlåt mig,
men då dansar jag inte ett dugg!

Sirruli, firruli, firrulina!

Och nu river jag mig i min lugg
under möda och ångest och pina
att få hop något vackert åt Fina,
ty poetiska ådern är njugg
och de snillrika tankarne sina
och kritikens förfärliga hugg
äro hotande måttade åt mig.
Om jag faller, o Fina, begråtmig!
Och begiv dig till graven, o Fina,
Gullefi, gullefinaste Fina!
Ty min knotiga skalle skall grina
ett "hav tack" genom gravkammarns glugg!

HELOISA OCH ABELARD.

Nattens drott i himmelsalen
vandrar blek av sorg.
Älvor dansa genom dalen
invid Sloreborg.
Skogens furor, silverdränkta,
stå på branterna och längta
efter Gud må veta vad.
Och med daggens droppar stänkta
skimra härligt björkens blad.

Och demoniskt genom natten
ljuder ugglans skrik
över sakta krusat vatten

uti Vermelns vik.
Och en båt på vågen vaggar,
som en man med åran aggar
över vikens spegel fram.
Böljan lätt vid farten fraggar
emot båtens fina stam.

En balsamisk nattvind bringar
skogens friska doft
fram till roddaren, som svingar
åran tyst vid toft.
Men i roddarns inre härja
djupa lidelser och färga
unga, varma kinden vit
och han skådar blott mot Berga
och styr raka kosan dit.

Och emellan holmar gröna
skjuter båten in.
Roddarn under parken sköna
vilar åran sin,
lämnar båten mellan vassen,
smyger sakta till terrassen,
liksom vore han en bov
eller pantern, mjuk i tassen,
när han går och söker rov.

Till ett fönster sen han klättrar,
som det lyser ur.
Helig andakt foten fjättrar,
ty en jungfrubur
har där inom innesluten,
kanske redan drömomgjuten,
Heloisa Hildegard.
Därför stannar tyst, förskjuten,
Agust Kallsonn-Abelard.

På sitt knä han faller neder
och en ödmjuk bön
till sitt ljuva helgon beder
han, fast utan lön.
Hon går fri i slumrens riken,
njuter glad av romantiken
uti drömmens sagoland,
anar intet om besviken
kärleks hejdlöst vilda brand.

Så han varje afton plöjde
Vermelns väna vik,
steg till fönstret fram och dröjde
där, till dess en flik
utav morgonrodnan röjde
sig i öster, då han böjde
huvudet mot marken ner
för att kyssa. Sedan höjde
han sig upp och sågs ej mer.

Men en morgon, när Maria
skulle gå till skogs,
att motion ta i det fria,
hon av fasa slogs,
ty förstenad på terrassen
i rabatten mitt i krassen
livlös Agust Kallsonn stod.
Dödens panter slagit tassen
i hans bröst och tömt hans blod.

PELEGRIMEN.

En dyrbar skatt han länge sökt,
ett ting att hålla av.

Hans längtan hade sig förökt,
då han med vandringsstav
gick letande all världen kring
och jämt, alltjämt fann ingenting
som ro hans hjärta gav.

Och västanvinden lekte sval
kring stackars vandringsman
och sol belyste berg och dal,
en bäck i skuggan rann
och stämningsfullt ljöd skogens sus;
men vind och bäck och skog och ljus
dem märkte icke han.

Och stormen röt med raseri
kring enslig vandringsman
och åskan blandade däri
sin röst och blixten brann
och jorden bävade och skalv;
men bruste också himlens valv,
det märkte icke han.

Ett tornprytt, marmorsmyckat slott
sig reste för hans blick
— en läskdryck skulle smaka gott —
Champagnevin han fick
och bjöds en vilobädd med mer.
Men han blott sänkte pannan ner
och tackade och gick.

Och när till hyddans dörr han kom,
han hade samma skick
och för den arma änkan, som
så vänligt sade "drick
och vila vid min varma spis"
han bugade på samma vis
och tackade och gick.

Hans huvud sänkte sig alltmer
och glesnat blev hans hår
och pannans fåror blevo fler
och ingen vänlig tår
steg lättande i ögat opp
och nära var det, att hans hopp
förgåtts i oläkt sår.

Men sökte gjorde han alltjämt
med samma trogna håg,
och fast hans sinne var beklämt
och målet fjärran låg,
han vila nekade sin fot
och aktade ej ödets hot,
men endast framåt såg.

Och så det hände att han kom
till flickorna på Skog.
Han dröjde ej, såg ej sig om,
när dem förbi han drog.
Men en bland dessa skönas tal
hon märkte nog hans hjärtekval
och grät en tår och log.

"Se här, se här, du vandringsman",
med värma ut hon bröt,
"du skall få se att livet kan
ha lycka i sitt sköt!"
Hon öppnade små knutna fem
och rullande emellan dem
det låg en liten nöt.

Han nöten grep med ivrig hand.
Av fröjd hans anlet sken
och hjärtat tände sig i brand
och genom märg och ben
gick hälsans strömning rik och varm

och mäktig hävde sig hans barm
som frigjord från en sten.

Och han som gått all världen kring,
med utnött vandringsstav,
han hade äntligt fått ett ting,
ett ting att hålla av.
Det var ej stort, var blott en nöt,
men kärleken dem sammanslöt;
de följas åt i grav.

Hans lilla nöt var nu hans vän,
hans vän i lust och nöd.
O himmel, om han miste den,
det bleve nog hans död.
Om nöten sjunger han med makt
och kysser den vid varje takt.
Så här hans visa ljöd:

"Man prisar högt de ögon två,
en skönhet yves av.
För dem jag vill ej ge ett strå!
Min salighet jag gav
för dig min lilla söta nöt.
För dig jag gärna döden ljöt
och sjönke i min grav."

"Och sutte du där ögat satt
hos någon fager mö
alltunder lockars mörka natt
och under pannans snö,
hon skulle älskas av en prins
och varje man, i världen finns,
av kärlek skulle dö!"

"O måne, dölj dig bakom sky!
Du bleka ljus försvinn!

Jag tål ej mer din blanka hy,
o sol! Ej mera brinn!
Blir det för mörkt så har jag bot.
Jag känner till ett bättre klot
och det är nöten min."

"Ty hon lyst upp min mörka själ
och gjutit glans däri
och sorgens arme brutne träl
från bojan hon gjort fri.
Och därför är allt annat grus
och nöten är mitt enda ljus
och skall så alltid bli!"

*

Gullefi! Gullefinaste Fina!
Om du ock vore drottning av Kina
jag ej kunde få hop något mer
och för resten, o ve, äro mina
små resurser att rimma på "Fina"
nästan slut, som du själv kanske ser,
och att börja från början med "fina"
och med "lina" och "sina" med flera,
skulle endast dig locka att flina
och att det tåla längre må svina!
Gullefi, gullefinaste Fina!

Och till slut jag om hälsningar ber
till din broder och till Faster Stina
och ett hjärteligt tack ifrån Er
Agust Kallsonn
                som förr skall förtvina
än Er godhet åt glömskan han ger.

TILL PALT-ZARA.

Du ros i Kil,
ditt ljuva smil,
jag aldrig det förglömmer.
Ditt ögas glans,
din lätta dans,
om den jag ständigt drömmer.

O, Zara Palt,
mitt liv, mitt allt,
jag lider gruvlig smärta,
är kärleks (krank)?
o, varför slank,
ack, slank du i mitt hjärta.

Dock må om sorg
och hån och korg
de olyckskorpar kraxa,
som vindens il
jag vill till Kil
på kärleksvingar flaxa.

Jag faller ner
på knä och ber:
"Bliv min, bliv min, o, Zara,
för dig på tå
jag jämt skall stå,
om du blott ja vill svara."

Då, Zara Palt,
du kanske allt
dig över mig förbarmar,
ock kärlekskrank
du kanske slank
i mina öppna armar.

PÅ STÖPAFORS.

Går du i skogen vid gryningstid,
njutande svalka och morgonfrid,
lyssnar på suset i gran och tall
fåglarnes kvitter och forsens fall,
störes plötsligt din harmoni
grymt av skärande klagoskri:
"Stall-Olle, Stall-Olle!"

Ögat tyngs av behaglig blund
efter en mättande middagsstund.
Lugn, du slumrar i en berså,
drömmar komma och drömmar gå,
lycklig du är och från sorger fri.
Då far du upp vid ett klagoskri:
"Stall-Olle, Stall-Olle!"

Stolt och svärmisk och översäll
går du i parken en månskenskväll,
flickan stöder sig på din arm
skön och älskvärd och hjärtevarm,
då just mitt i ert svärmeri
ljuda de skärande klagoskri:
"Stall-Olle, Stall-Olle!"

"Vad betyda de hemska ljud?
Är det rop från bedragen brud,
irrande kring i skogens famn,
ropande trolöse älskarns namn?"
Så med bävan fråga vi.
Svaret blev endast det hemska skri:
"Stall-Olle, Stall-Olle!"

"Är det en osäll andes röst,
stigande upp ur sargat bröst?

Är det Apollyon själv som går,
slukande allt vad han sluka får?
Är du ett mänskobarn som vi,
du, som höjer det gälla skri:
Stall-Olle, Stall-Olle?!"

Innan frågaren slutat har
får han följande ord till svar:
Stall-Olle, Stall-Olle, Stall-Olle, Stall-Olle,
Stall-Olle, Stall-Olle, Stall-Olle, Stall-Olle,
Stall-Olle, Stall-Olle, Stall-Olle, Stall-Olle,
Stall-Olle, Stall-Olle, Stall-Olle, Stall-Olle,
Stall-Olle, Stall-Olle, Stall-Olle.

TILL HERRGÅRDSFRÖKNERA

från Agust i Slore.

I gångna dar en bonde
studerade till präst,
var självkär som den onde
och läste som en häst.

Från Fyrisälvens stränder
han stundom vände om,
till sina bondefränder
i ferierna han kom.

Och ömt mot honom bliga
de trinda bygdens mör,
men mot varenda piga
han var och blev en stör.

På söndagar och söcknar
han sin beundran skänkt
åt närmsta herrgårdsfröknar,
som funno det befängt.

Om söndagen i kyrkan
man kunde honom se
hembära helig dyrkan
åt Gud och fröknarne.

I veckan framåt vägen
han såg dem trippa nätt
och hälsade förlägen
på blygt och tafatt sätt.

Ibland han lät sig skicka
som bud till inspektorn
och inbjöds till att dricka
ett glas hos "herr majorn".

På konstigt sätt nu gjordes
för husets damer kur,
som logo, när de tordes,
åt denna dimfigur.

Men vers han kunde skriva,
om han ej kunde mer
och ämnade att bliva
en like till Tegnér.

Och fröknarne helt nådigt
av rimmen taga del
och fnittra överdådigt
åt dumheter och fel.

Han var ju lika rolig
som "Stoll-Erk" närapå,

men blev han mer förtrolig,
gunåde honom då.

Då blev man åter fröken
och stackaren fann bäst
att sluta med försöken
och bliva vid sin läst.

*

Mig tycks jag är en sådan
— jag kan ej hjälpa det —
ty stark är skrivarklådan,
den roll, jag spelar, slät.

Nå, Agust ifrån Slore
studerar ej till präst
och synd att säga vore,
han läste som en häst.

Men bondens levnad bär dock
mitt livs fysionomi
och bondens saga är dock
min självbiografi.

*

Av Bergapunschens dimma
min själ var mindre klar,
när jag befalltes rimma
en visa åt er var.

I galenskap och villa
jag svor att göra det,
men när mitt blod blev stilla
jag satte mig och grät.

Jag allt förtvivlat tyckte,
hur skulle det väl gå,

mitt sköna skalderykte
var nu i smulor små.

Men driven av min heder
att hålla vad jag svär,
jag likväl sänder Eder
min stackars rimkrans här!

TILL BERTHA.

Ryktet talte om en Bertha,
människors och gudars skräck,
i att lugga och att snärta
var den vilda lika käck.

Katekesens hundra frågor
slog hon i de små med kläm,
med historiens tusen plågor
hon förfärligt pinte dem.

Engelska och franska dängdes
i de armas huvudskål,
den som inte "kunde" hängdes
eller brändes uppå bål.

Blicken ur beväpnat öga
lyste lärarinnesträng,
Karl den tolfte föll till föga,
om han såge denna bläng.

Ja, jag kom med skräck i skinnet
fruktande för stryk och lugg,
och med fast beslut i sinnet
till att möta hugg med hugg.

Och jag såg — en ljuvlig kvinna
— långtifrån av hin ett hår —
som en leende herdinna
hon ibland små lammen går.

Blicken ur beväpnat öga
var ej stirrande och vild,
men jag föll ändå till föga,
ty den var så himlamild.

Hulda Bertha, ack förlåt mig,
att jag trott så styggt om dig,
fast du aldrig hyttat åt mig,
aldrig, aldrig luggat mig.

TILL HILDEGARD.

"Hildegard" betyder "fästning"
eller "krigsgudinnans slott"
— den som där vill göra gästning
slipper nog ej in så brått.

Ja, jag vet att ointaglig
är ditt hjärtas fasta mur,
fast den ligger så behaglig
i en tjusande natur.

När en fiende vill storma
— troende den saken smal —
strax försvarets led sig forma
och ge boven svar på tal.

Ögats blixtrande kanoner
lära attentatorn takt

och i talets stolta toner
klingar mördande förakt.

Men när hjärtats kung ses tåga
en gång genom slottets park,
skola glädjeeldar låga
för den älskade monark.

Garnisonen sjunger sånger,
hurrar vilt och svänger hatt
och från torn och bastionger
fladdra segerfanor glatt.

Under jubel fursten drager
in i "krigsgudinnans slott"
prydd av fredlig segers lager,
världens lyckligaste drott!

TILL MARIA.

Stark du är som sköldmör voro
fordom, tänker jag,
när som vildar fram de foro
i Bråvalla slag.

Du är fredlig, det är saken,
annars blev jag rädd,
när du ror den tunga draken
över böljans bädd.

Denna arm med muskelstRängaR,
formade av stål,
kunde ge mig värre slängar
än jag kanske tål.

För din hand, den fasta lilla,
har jag viss respekt,
för dess slag jag kunde trilla
kull med skallen spräckt.

O, Maria, starka, friska,
glada amason,
livet ock till dig skall viska
ord med sorgsen ton.

Som en lilja skall du blekna,
vackra, vilda ros,
styva muskler skola vekna,
styrkan flyr sin kos

tills han kommer, sorgbetvingarn,
som besegrat dig,
och sin amason på springarn
lyfter upp till sig.

TILL SIGRID.

Med glänsande bokstäver står det
inristat i minnenas famn,
och genom historien går det
ditt präktiga, nordiska namn.

Fast sekler däröver sig lagra,
vem minns icke "Storrådas" liv,
vem minns icke "Sigrid den fagra„
och folkungabrödernas kiv?

Den ena av lidelser leddes,
en hatets och högmodets slav,

av henne åt Olav bereddes
vid Svoldern hans skummande grav.

Den andra som älskande kvinna
står ännu för drömmarens blick,
men också som ädel hjältinna
med enkelt och bjudande skick.

Se svenner och riddare rida
med dån in på Ulvåsa gård,
i spetsen med slagsvärd vid sida
syns jarlen förbittrad och hård.

Ty nu skall det en gång försökas,
om tomt var hans straffande hot,
i stoftet skall brottslingen krökas,
en mask för den väldiges fot.

Då fästes hans gnistrande öga
på Sigrid den fagras gestalt,
den smidiga, stolta och höga
med skönhet och adel i allt.

Hon ensam har vågat att stanna
— Herr Bengt sig fördolde i skog
hon talar med högburen panna
för honom, vars hjärta hon tog.

Med hot tänker jarlen att svara,
men bruten är redan hans harm,
den modiga kysser han bara
och sluter till broderlig barm.

*

Skön Sigrid, du känner de tvenne,
som tecknats i hävdernas famn,

den hatfulla Sigrid och henne,
som erhöll "den fagra" till namn.

Den senare mest av de båda
du liknar, jag alltid har tänkt,
låt Storråda aldrig få råda,
bliv trogen och huld mot "Herr Bengt".

TILL GERDA.

Även ditt namn kan jag skaka
ur de gamla sagor fram,
Gerda hette Frejers maka,
tjuserskan av jättestam.

Högt uppöver jordens dalar
med den älskade hon for,
i det ljusa Alfhems salar
hon som härskarinna bor.

Frukterna och skörden höra
under deras milda hägn,
allting växer när de föra
över jorden sommarregn.

Ängarne med blommor fira
Frejs och Gerdas majestät,
rikedom och lycka spira
fram i deras alfers fjät.

*

Blive du din namnes like,
ljuva alfer följe dig,

men de svarta alfer vike
ständigt från din framtidsstig.

Han skall komma, asaguden,
dina unga drömmars Frej,
och jag tror den sköna bruden
är en gud ovärdig ej!

TILL ELIN.

Sist du är i hela skocken,
en så kallad näversäck.
Det är lett att vara tocken,
om man ej är glad och käck.

Men kan skratt som ärter trilla
fram ur stackars Näversäck,
då kan du, min flicka lilla,
också kasta sorgen weg.

Tripp, Trapp eller Truls förgråten
ofta främre platsen mist.
Säcken skriker då belåten:
skrattar bäst som skrattar sist.

Du kan skratta som en skata,
du kan gapa som en gast.
Därför skall du icke rata
platsen skänkt av ödets kast.

Syster Trulsa, syster Trippa
skola en gång — så jag spår —
önska att de finge slippa
vara före dig i år.

TILL BRUKSÄGAREN B. PETTERSSON.

Se, stormarne komma och stormarne gå,
och sol blickar åter på borgen, den grå,
som prövats i ur och i skur.
Och sorgen den kommer och sorgen den går,
den gamle som nalkas sitt åttionde år
står kvar som den prövade mur.

Må länge han sitta förnöjd vid sin not
och än blicka lyckliga fisken emot
i livet, som förr han var van.
Må lyckan åt honom vid tärningens fall
i framtidens brädspel slå upp "sexor all",
och måtte han aldrig bli "Jan".

TILL CLAES PETTERSSON OCH HANS FÄSTMÖ.

Än hamrar ej den smedja,
som smida skall en kedja,
en kärlekslänk åt Claes.
— Så spåddes det av mången,
men ändå är han fången
och ungkarlsglädjen gången
och friheten i kras.

Han som var hård som backen
har böjt den stolta nacken
i ödmjukt kärleksok.
Nu får han stå och bocka
och blombuketter plocka
och klä sig som en docka
och tala som en bok.

552

Nå väl då — mycken lycka?
må Amors håvor smycka
din framtid, bästa Claes.
För hit din söta flicka!
— Vi stå till reds och nicka
välkomna hit! och dricka
er skål ur fyllda glas.

(De nyförlovade tillägnas dessa rader av samtelige vännerna
å Magneskogs prästgård genom tänkaren Aug. Kallson.)

FÖRGÄVES.

Hon kom ej! Förgäves, förgäves! Jag irrar
så ensam bland gatornas ödsliga öknar.
Förgäves! Förgäves! Jag vansinnig stirrar
på trippande, traskande fruar och fröknar.

Förgäves! Förgäves! Jag står på perrongen
och stirrar på vagnarna, blek som en vålnad.
I trånadens bojor min ande är fången
och hoppets dödsflämtande veke förkolnad!

Dock, se! Det är hon! Den förtrollande sköna!
Jag känner det guldgula burret kring pannan
och ögonen, strålande havsböljegröna! —
Förgäves! Det var icke hon, men en annan!

Till Klarälvens strand vill jag ilande hasta
— i skummande, vaggande, yrande bruset
min sorg och mitt kval och mig själv jag vill kasta.
Förgäves! Det går ej, ty vattnet är fruset!!!

MITT HJÄRTA OCH JAG.

Mitt hjärta och jag hade råkat i tvist,
vi pinte varandra, vi tärdes till sist,
jag själv av förtvivlan mitt hjärta av sorg
— jag slängde det ut på ett marknadstorg.

Jag satt i mitt fönster och såg hur det slog
bland folket, som fram över torget drog.

Det är ju ett levande hjärta, som slår,
                          hans röst var knapp,
det är inget hjärta, det är en attrapp.

TILL GEORG BRANDES.

Kung Waldemar red över Gurre bro,
då följde honom i huld och tro
väl femton hundrade svenner,
men när som han hunnit till Gurre skog,
där fienden fram genom snåren drog,
han hade ej många vänner,
kung Waldemar tror, att inom kort
så draga de sista tio bort.

Kung Waldemar tågar i kriget ut
att ena det söndrade riket,
han tror att han samlar det hop till slut
trots skrålet och skränet och skriket,
kung Atterdag, kung Atterdag,
han tror på det nyfödda rikets dag.
Men aldrig så tror han på vännerna mer,
när stolt på sin ensliga väg han ser

och rider så ensam i skogen,
dock finnes det den, som är trogen.

Och höres det kungliga hornets skall,
som klangfullt ropar om kamp och fall
likt Rolands horn vid Roncival,
så sporrar väl någon sin häst som en man
och slåss så gott han kan.

AFTON.

Bland parkens döende kronor
gick kvällvindens sorgsna sus
och gula dansade löven
på gångarnes våta grus.

Bland västerns sjunkande skyar
den blodröda solen sam.
Ett knippe av matta strålar
ännu över sjön hann fram.

Och långdragna skuggor föllo
från rader av alm och björk.
I dunkelt skymtande fjärran
stod granskogen stel och mörk.

Och vågorna slogo sakta
mot strandbräddens mjuka sand
och brutna vissnade vassrör
de vaggade tyst i land.

"Så hava de alltid vaggat,
så skola de alltid slå

och alltid skall någon sitta
och sorgset ge akt därpå.

Och alltid skall höstvind sjunga,
att sommarens liv är kort,
att allting är dömt att domna
och gulna och vissna bort.

Och alltid skall solen sjunka
och stiga i evigt tvång
att mäta och övervaka
förgängelsens gilla gång."

SÅ GÅR DET TILL PÅ GILLE.

När pojkarne de komma till gille och dans
i sina bästa kläder och i all sin glans,
de hälsa: goder afton,
god afton, god afton,
så stilla och beskedliga som annanstans.

Och jäntorna de titta så blygt under lugg
och släta sig i håret och fnissa i mjugg
och svara: goder afton,
god afton, god afton,
och bry sig ej om pojkar och tockna ett dugg.

Men kommer brändevinet och faller natten på,
då börja alla pojkar att klappa och klå,
då kasta de med stolar,
då krama de på jäntor
och jäntorna de skrika: "kors i jestans då".

NYÅRSHÄLSNING.

Här är vinter som i Norden,
kall och livlös ligger jorden
som ett fruset lik i snön.
Ödslig, iskallt vit är marken
— ensam i den tysta parken
står den gamla tallen grön.

Lik ett ensligt vänligt minne,
som i stormförhärjat sinne
lever kvar från unga år,
mellan död kastanj och lager
ännu lika frisk och fager
som vid sommartid hon står.

Och i kronan hör jag sjunga
nordvind med norräna tunga
och hans språk förstår jag nog.
I den välbekanta klangen
hör jag hälsningar från Mangen,
tidender från Magneskog!

Men när våren täckt av kransar
sjungande och yster dansar
över Alperna mot Nord,
skall han få ett bud att föra,
skall jag viska i hans öra,
ett och annat hälsningsord:

"Hälsa Magneskog tillbaka,
när dess karga jord och skaka
dina frukter över det.
Och till pastorns skall du flyga,
uppför trappan skall du smyga
lätt med ohörbara fjät."

"Och gå in till mamsell Ulla,
henne giv en kyss och lulla
henne till siestans ro,
henne för på drömmens vingar
dit där barkarolen klingar
svärmiskt vid Rialtas bro."

"Hon skall sitta på balkongen,
sorglöst lyssnande på sången,
stödd mot balustradens karm.
Hon skall älska, hon skall svärma,
hon skall känna söderns värma
genomströmma hennes barm."

"Och då Ulla vaknar sedan,
skall du laga att du redan
fått i ordning sol och grönt,
bäckars sorl och blommor alla,
så att hon kan gå och tralla:
ack, vad livet dock är skönt."

DE BONDSNÅLE.

De gömde på paltor och gnedo med pengar
och sparade in på var post.
Han hade ej råd att ha kvar sina drängar,
ej hon att ha pigor i kost.

Och sillspad och fläsksvål som masken fått fräta
var kosten — och årsgammal palt
och han var så snål att han ej nändes äta
och hon var så snål att hon svalt.

Och hon var för snål att ge grisarne föda
— och grisarne svulto ihjäl.
Och spannmål åt höns var ödsla och öda
— och hönorna dogo jämväl.

Och han var för snål att ge åkrarne säde
och gödning var mycket för dyr
— och vallen blev bete och åkern blev träde
och ängen blev åter en myr.

Till sist låg det ståtliga hemmanet öde
och öde stod fähus och stall
— de snåle de voro som döve och döde
och märkte ej gårdens förfall.

De sutto och räknade långt in på natten,
förfrusna och sjuka av svält,
och tänkte på glädjen de hade av skatten,
och huru förträffligt de ställt.

Tänk hundra riksdaler på botten av kistan
och lump för väl mera än det!
— då kom kommissarien med uppbördslistan
och kistan blev tagen i mät.

De knogade åter och ledo och gnedo
att spara ihop vad de mist
och svulto och fröso och utför de gledo
och kommo på roten till sist.

Där fingo de kosten och kläderna gratis,
men tyckte de aldrig fått nog
— och han åt ihjäl sig på fläsk och potatis
och hon, hon åt gröt så hon dog.

UPPROR.

Av maktens ambrosia mätte
I trodden er vara de rätte
att råda i allt, som är!
Men hören I dånet, Kronider?
nu nalkas det hårdare tider,
nu stormar titanernas här!
Och bergen från roten de lossa
och Pelion välvs över Ossa
till stege, som räcker och bär.
Kanhända att treudden brister,
kanhända att sceptern du mister,
olympiske Zevs Patär!

EN UNGBJÖRK.

Det var en morgon, just som dagen steg
allt högre upp utöver berg och branter,
och dalen sov ännu och skogen teg,
men vällukt strömmade från alla kanter.
Där gick en älv som klar och djup och mörk
gav återsken åt dagens strid med natten
och åt den smärta formen av en björk,
som böjt sin krona över älvens vatten.
Det var en ung och vek och blyg gestalt
med nyutsprunget grönt och fina grenar
och dagg var stänkt på löven överallt
som över lockar stänk av ädelstenar.
Och allt som solen steg, blev bilden klar,
det röda morgonskimret bröt sig vägen,
och björken varsnade, hur fin hon var,
och började att rodna helt förlägen.

— Då vaknade och skrek en munter trast:
"se hon blir röd, för det att hon är fager!"
Och skogens allvarsamma tystnad brast
och mera glad blev hela nejdens dager.
Från trakt till trakt ett solskenslöje drog
och hela världen sjöng och sken och log.

KAPPÅKNINGEN.

Och klockorna ringde till ottesång
och eko i branterna väcktes,
och högt upp på himlen gick stjärnornas gång
och stjärnskotten lyste och släcktes.
I stugorna glänste var ruta klar
av brasan, som brände i spisen,
och blossen blänkte och frosten skar
och bönderna körde på isen.

De körde på sunden, de körde på ån,
de körde i mak ut på viken,
och dovt och högtidligt ljöd hovarnes dån
och sakta ljöd bjällermusiken.
Men snart kom det kappfart i takt och i ton,
det gick som för pengar det vore,
och först kom Lars och sen kom Jon
och sist Pär där nola i Slore.

Och Lars var så tjock och så rik som ett troll,
hans häst var så välfödd som prästen,
och Jon var så stinn och så trind som en boll
och silverbeslag hade hästen.
Och Pär han var krokig och mager och gul
och svulten som räven i skogen,

och hästen var blackig och spräcklig och ful,
men senig och bred över bogen.

Och Lars sade: "hej, se på Blacken och Pär,
de komma som säcken i bäcken,
se släden, se kampen, se donen han bär,
de köra med stass, ta mig näcken!"
Och Jon sade: "hej, se på Pär, min själ,
han kör, så vi andra få skammen,
han hinner allt fram, ifall allt går väl,
till ottan, när prästen sagt amen!"

Och bönderna skrattade håhåhå! —
håhå! skreko bergen tillbaka
— och piskor att vina och hovar att slå
och isen att dundra och braka!
Det gick som en jakt över Tallbergasjön
och vida ljöd klangen och dånet
— men Pär tog av vid närmsta ön,
att slippa det eviga hånet.

Och tänderna bet han ihop och svor:
"ja nog är jag säcken i bäcken,
men Pär kommer förr än en rackare tror,
och sist skrattar bäst, ta mig näcken!"
Och händerna knöt han och Blacken han slog —
det gick som av vindarna drivet —
för Blacken slet och Blacken drog
och rände för brinnande livet.

— I kyrktornet tystnade klockornas klang
och orgeln begynte att brusa,
var man kunde höra hur klockaren sang,
och fönstren de glimtade ljusa.
Och bönderna skrattade håhåhå!
må undra, var Pär firar julen?

— då sågo de Blacken på kyrkbacken stå
och grina emot dem med mulen.

Han svängde med svansen och slet i sin halm
och stal från den närmaste märren.
Men Pär satt i koret och sjöng på en psalm
och lovade ljudligen Herren.
Och in stego bönder i tung procession
och stövlarna dundrade dova,
och sist kom Lars och därnäst Jon
och satte sig snopna att sova.

HERR SÖLVERDALS VISA.

Herr Sölverdal drog på sig sitt scharlakansskinn
och tröja av flöjel och sindal.
"Nu rider jag av gårde till kärestan min!"
— I riden väl så varliga, herr Sölverdal.

"Och möter jag i skogen själver ulven den grå"
— I riden väl så varliga, herr Sölverdal —
"så skall jag honom fällen av ryggen flå
och föra till min kärestas sal."

Men när som han kom till Västanmyra skog
— så mörk är den vägen och smal —
gick ulven den grå bakom snåren och slog
— I riden väl så varliga, herr Sölverdal!

"Och är det I, herr Ulver, och står I där och glor
på tröjan av flöjel och sindal,
så tror jag att jag rider allt hem till min mor"
— I riden väl så varliga, herr Sölverdal!

Han red så det gav eld ifrån gångarens skor,
— I riden väl så varliga, herr Sölverdal!
Nu sitter han och gråter allt hos sin sjuka mor
i tröja av flöjel och sindal.

MIN VITA SIDENSKO.

Fröken Alice:

Det jämrar och det gnäller
i livet nuförtiden:
vårt liv är blott ett jämmerliv,
vår jord en jämmerdal.
Den är så katten heller
— min vita sko av siden
vet bättre råd, på rosor går
hans dans på livets bal.

Och den som står i hörnet,
när glädjen givit korgen,
men tom på rosor, jämre tyst
och lämne oss i ro!
Och tala ej om törnet
och synderna och sorgen —
jag sparkar undan släpet med
min vita sidensko.

SMEDEN.

Jag drömde jag gick i en kolmörk skog,
men likt järn tycktes kronornas valv,

och en underlig vind genom valvet drog,
ty det susade ej, det skalv.

Och på stigen jag gick var ej gräs, men sot,
och det ljöd liksom tramp av folk,
och det var som ett dovt och förbittrat knot
och som rassel av svärd mot dolk.

Och jag drömde en tanke av sällsam form:
det är Järnskog och Ulvdalens nejd
och de ljuden jag hör föra bud om storm
och de väldiga makternas fejd!

Då klingade gällt i ett nattskumt hult
som en hammares vreda hugg
och av stigande gnistor var valvet fullt
och det sken från en smedjas glugg.

Jag gick fram för att se, men allt jag såg
var en knotig och årbräckt smed,
och hans hår var vilt och hans panna låg
och hans rygg var krokig och sned.

Och jag tänkte med växande sinnesro:
det är endast en arbetsträl,
en av trälarnes folk, som i källrar bo
under herrarnes trampande häl.

Blott en nutida smed, vilken smider en plog,
det var intet mot makternas fejd,
det var dröm, det är endast en vanlig skog,
blott en skog i en fredlig nejd.

Då reste sig smeden, hans växt blev hög
och gestalten blev ädel och rak
och den väldiga armen med hammaren flög
över skuldran mot smedjans tak.

Och då såg jag den mäktige Alfens drag,
det var Vaulunder, Ivaldes son,
och tungt som ett fjäll föll hammarens slag
och som åskan var slagets dån.

Han har smitt som en träl under tusen år,
men han smider på hämndens svärd,
som skall härja, när striden om Asgård står,
genom gudarnes fallande värld.

*

När jag vände mig om, var ej skogen sig lik,
ty den var som ett järnsmitt hus
och det var som jag gick i en mörk fabrik
bland de välvande hjulens brus.

Och det rasslade vasst liksom svärd mot dolk
och likt sot tycktes väggar och valv,
och jag gick ibland mörkt och förbittrat folk
och det väldiga huset skalv.

FARVÄL TILL MIN "FÖRSVINNANDE
POPULARITET".[1]

Ack fly ej, försvinnande
popularitet[2],
jag älskar, dig, brinnande
het!

[1] N. Dagligt Allehanda har underrättat mig att jag snart kan taga
avsked av min "försvinnande popularitet". Jag har tänkt det var
bäst att göra det så gott först som sist.

[2] Ordet är tyvärr så opoetiskt att det icke kan intvingas i något
som helst versmått. — (Anmärkningar vid strofernas författande.)

Min själs älskarinna,
vi skall du försvinna
så snart för en stackars poet?

Jag minns ditt förfriskande
skratt vid mitt bord
och kärlekens viskande
ord!
Du spådde mig ära
och titlar att bära
och namn, som gick vitt över jord.

Jag log i mustaschernas
mjugg och var glad
vid tanken på gagernas
rad
och våningar fina,
där speglarne skina
bland tavlor och blommor och blad.

Jag drömde en lysande
lovsångarlön
hos kvinnornas mysande
kön,
om kyss och buketter
och möten i nätter,
när månen gick blek över sjön.

Jag såg mig bli broder med
byråkratin
i skummande floder med
vin
och sjunga vid fester
bland guldsmidda gäster
i kapp med min vän Tammelin.

Mitt hopp blev allt starkare;
stundom har hänt
att högställde sparkare
spänt
— att deras klienter,
så snart som det spänt är,
har flugit i höjden, är känt.

Jag såg permissionerna
smidda med gull
och log mot galonerna
— lull!
Jag drömde mig skäras
i träsnitt och äras
för titlars och penningars skull.

Jag såg vid den glindrande
framtidens bryn
en stjärna, en tindrande
syn,
och skön att betrakta
hon nalkades sakta
och föll till mitt hjärta ur skyn.

Då svek du, försvinnande
popularitet!
Med tårfloden rinnande
het
i mina mustascher,
jag ser mina gager
välsigna en annan poet.

Min apokalyptiska
dröm fick en stöt
och nu med egyptiska
nöt,
de magra som svälja,

mig drömmarne kvälja
— de tugga mitt rykte till gröt.

De tugga det gnisslande,
tvefalt itu
— de äro idisslande
ju —
de sväljt mina stjärnor,
min lycka hos tärnor
och allt — de egyptiska sju.

Farväl då; koketta och
flyktiga dam,
i glas vill jag sätta och
ram
din bild, älskarinna,
och sen vill jag finna
en ann som är mer monogam!

CHRYSANTEMUM.

Prinsessen er neppe sytten År,
det er som en Dans, når Prinsessen går,
Prinsessens Latter, den er som en Sang,
jeg synes der er slig en lystig Klang
i Navnet Chrysantemum,
Chrysantemum! Chrysantemum!
Chrysantemumblomsten, Prinsessen vår!

Hu er lidt japansk i sit Farvespil,
men smiler på Norsk og er kjæk og snild
på Oplandsmål og er rank og smal
som Pigerne pleier i Gudbrandsdal.
Hu heter Chrysantemum,

Chrysantemum! Chrysantemum!
det Navnet er lystigt at lytte til!

Prinsessen hu vifter med Viften sin
i broget japanske Lanterners Skin,
hu tisker og hvisker og rødmer småt,
hu synes hu spiller sin Rolle godt.
Så tidt som jeg ser på Chrysantemum,
Chrysantemum! Chrysantemum!
det danser og synger i Sjælen min!

CAROLSTADIAS SORG.

Särla aftonvågor simma
under dunkel Västra bro,
månbegjuten Salttorgsdimma
svävar över Salttorgsro.

Biskopsljus förbleknat glimma
från föråldrad biskopsgård.
Bak hotellsals luckor stimma
gåtfullt glättiga ackord.

Tyst teaters tegelmurar
möta vinternattlig fläkt,
ett palats i silverskurar,
byggt av konstfull arkitekt.

Se, då ses en kvinna skrida
över öde Salttorgsplats.
Hennes blickar sorgset glida
över silverdränkt palats.

Veten I vad kvinnan kallas.
sorglöst glada Karlstadsbor?
— ack, vår moder, min och allas,
Carolstadia, vår mor!

Hon som gav er säng för natten,
slumrare i särlakväll
— eder mat och mer än vatten,
svärmare i stolt hotell.

Veten I, vad modern lider
utav söners konstnärssmak.
där på Salttorgsplats hon skrider,
blickande mot sällsynt tak?

Hör, hon snyftar, se, hon gråter,
blickar sedan sorgset ner.
ser igen och snyftar åter,
suckar, stönar, ser och ser.

Och med sorgförtärda later
mumlar hon: "O arma barn.
detta är ej en teater.
det är Hybelejens kvarn!"

Carolstadias tårar glimma
genom månljus Salttorgsro.
Särla aftonvågor simma
under dunkel Västra bro.

OHO!

Vad är det som flänger så vilt, må tro?
Det jagar i skogen, oho! oho!

Det svänger och svansar i hult och mo!
Oho! oho! oho!
Stackars Jösse!
stackars Jösse!
stackars Jösse, gno, gno, gno,
ty räven är efter, oho, oho, oho!
Och rävens ungar vid rävens bo,
de sitta och glo, glo, glo,
och ropa oho, ho, ho,
och vänta och hoppas och önska och tro,
att snart de få mumsa på harstek i ro.
— Jösse, gno, gno, gno,
Jösse, gno, gno, gno,
nu gäller det livet, oho, ho, ho!
oho! oho! oho! oho!

FRÅN VRÅN.

Till Grevinnan Ebeth Mörner.

Noblessen från staden, la crème de la crème,
satt kritisk och skeptisk och småförnäm
och hörde med nådigt förbindlig min
den lilla förälskade vismelodin.

De logo förnumstigt och låddes förstå
musik som en Arlberg, en Viardot
och svarvade fraser och gjorde sig till
med kännareskick vid varenda drill.

I hörnet där stod det en fattig poet,
som mulen och mörk i mustaschen bet
— det är ej så muntert, gunås, att stå
och vara poet i en småstadsvrå.

Men sången som ljöd, var en tröstens sång,
där färgen är färgen av soluppgång,
och klangen så frisk som ett källsprång går,
och doften är doften av morgon och vår.

Så njöt han av doften, så länge han fick,
och gladdes åt solsken, så länge det gick
— men solskenet släcktes med sången ut
och nu är visan slut.

11 mars 1893.

VÅR BERG.

Vår Berg, vår Berg, vår Heders-Berg!
Höj högt för Berg vårt glas!
Ej fanns en man, som mer höll färg
mot livets rost och livets ärg,
mer älskad vid ett gott kalas
som hedersman och bas.

Vår Berg är fattig, skall så bli
för den som hår begär,
hans sax går honom stolt förbi,
men denna Bergen älska vi
— förutan hår och allt det där
vår Heders-Berg han är.

Att se vår Berg i måneljus
vid viskybäckars språng
med gorp och nick och bock och krus
och "fäng" i hand av lagom rus
— det är en syn som rört till sång
vårt hjärta mången gång.

En annan syn vi sett: en strid
med kaffe, mjöl och salt,
och lika glad och lika blid
i klar såväl som mulen tid
han stod och mätte ut av allt,
när Hammeröa svalt.

Vem täljde väl de sillars tal,
som denne Berg bestod,
när frosten kom med hungerns kval
och tiggarn bad och tassen[1] stal,
vem täljde trängseln i hans bod
och allt hans tålamod.

Och här och här är Bergens land,
hans hus och hem är här,
vi kunna sträcka ut vår hand
och visa glatt på Berg ibland
och säga: se den Bergen där,
vår Heders-Berg det är!

Och fördes vi att gå i glans
som skalder i det blå
till rimbalett och meterdans
och hette "Sax" och vore "Hans",
tillbaks till samma Berg ändå
vår längtan skulle stå.

O Berg, du tusen toddars Berg,
oss nya toddar brygg,
att vi må dricka kraft i märg
och få aptit och mod och färg,
häll i, häll i, var icke skygg,
häll fri, häll glad, häll trygg!

[1] Öknamn på Hammaröborna.

Var tår, som slutes än av propp,
skall lösas ur sitt tvång
— se, för var flaska du drar opp,
allt högre stiger då vårt hopp
och högre klingar gång på gång
för Kalle Berg vår sång!

ALLT HAVER SIN TID.

Man svärjer trohetsed till frihetens Messias,
man ropar stolt att världen skall befrias ˙
ur träldomsbojornas och mörkrets nöd
— men kommer striden så om dagligt bröd
och gäller det att göra ord till handling,
då sker det en förvandling.
Då återvänder man till köpenskapen
och allting lågt man svurit från sig nyss,
och kommer makten så med våld och vapen,
man överlämnar mästarn med en kyss
för trettio silverpengar
till översteprästens drängar.

FÅGELKVITTER.

Du tycker du är vis, du,
är vis, du, är vis, du,
för det du aldrig ler,
men var på annat vis, du
och grina inte mer!
Ni människor fäkta och sträva

och slåss om mitt och ditt,
om mitt, ditt,
om mitt, ditt,
om mitt, om ditt, om mitt, ditt, ditt —
nej, bättre är att sväva
på lätta vingar fritt, fritt, fritt.

Det visslar och det piper,
du tycker du begriper
vart kvitter och vart pip,
begrip, du,
ditt pip, du,
blir bara litet lip.
Begrep du ej med titten, du,
betydelsen av kvitt, kvitt, kvitt,
är du ej värd en vitten, du,
och icke värd en titt, titt, titt.

GUSTAF WARODELL.

Allting skall vissna och falla,
hösten skall skörda oss alla,
intet av sommarens liv skall förbliva.
Frisk står en släkt som en grönskande lind,
då kommer plötsligt en dödens vind
— gulnade bladen för vinden driva.

Sjukdomar draga som skyar
hän över gårdar och byar,
ned över jorden sin smitta de skicka.
Dödsbudet kommer och sorgen är tung,
döden har slagit en alltför ung
— kalken som räckes är bitter att dricka.

Ung var den trötte som somnat,
ung var den armen som domnat,
länge den kunde ha burit sin börda,
länge den kunde ha skördat och sått,
innan han själv till sin hösttid nått,
mogen för mannen med lien att skörda.

Aldrig hans stämma skall höras,
aldrig skall tystnaden störas
mer av den välkända gången som nalkas,
aldrig då arbetets möda är gjord
mer skall han sitta vid hemmets bord
vänsäll i salen, när aftonen svalkas.

Dock — han skall leva som minne,
mild och försonlig till sinne,
god såsom guld och fördragsam och ärlig,
strävande fram i sitt blygsamma värv.
Nöjd för sin dag med en liten skärv,
nöjd fastän dagen var tung och besvärlig.

Så när de älskade mistas,
länge bland mänskorna vistas
något ännu av det sorgen begråter —
minne och hopp att i skönare ängd
långt bakom gnistrande stjärnors mängd
skåda de kära gestalterna åter.

TILL MINNE AV PASTOR B. J. WARODELL.

Vad jorden givit må jorden taga,
men fram ur grav växa sägn och saga,
som tala gott om den gode döde.
Den dolda sorgen skall länge klaga

och se tillbaka och ofta draga,
sig vekt till minnes hans gångna öde.
Han följde icke de mångas vana
han bröt ej hårdhänt som de en bana
åt sig och sina till makt och lycka.
Och aldrig satt han vid domarbordet,
där andligt högmod har första ordet
bland dem, som döma och som förtrycka.

Han var ej med där det trängs och strides,
han vek ur vägen, han steg tillsides
att lämna framgångens stig åt andra.
Så kom han aldrig till rangens salar,
så fick han gå i de tysta dalar,
där blott de mildsinnat stolte vandra.

Men kom det någon av de förstötte,
de undanskjutne, de levnadströtte
med sårad själ från sin kamps arena,
han fann en vän, som var snar att glömma
sin nästas brister, men ej att döma
en publikan som de andra stena.

Han tryckte handen, han talte föga,
men det förnams av hans röst och öga,
att djupt han kände och väl förstode.
Men helgonmasken med fromma miner,
där självbeundran och skrytet skiner,
var fjärran långt från den manligt gode.

Så må den sörjande minnesvården
stå kvar och vittna på kyrkogården
om manligt värde och ädelsinne,
en folkets sägen i sten, en saga
om tålamod, som kan allt fördraga —
den godes gravsten, den mildes minne!

PROLOG

VID KARLSTADS TEATERS INVIGNING.

Ära vare eder,
I som given heder
åt aktörens kall,
det vill ge tillbaka
allt vad ljuvt kan smaka
i dess lustgård all.

Genom alla tider
illusionen glider
där som spegelström —
sitten då vid strömmen
tjusade och drömmen
spegelflodens dröm!

— På dess yta gunga
Kung Duschyàntas unga
älskarinnas drag,
fina mossrosbleka,
i sitt blyga, veka,
indiska behag. —

— Och där speglas bruten,
blind och böjd och sluten
Oidipos i sorg,
av sig själv bedragen,
tungt av ödet slagen,
högt på Thebes borg.

— Falstaff glad och drucken,
sjungande med sprucken
röst i Gadshills krog,
och Macbeth, som anar

nära fall och spanar
mörkt mot Birnams skog.

— Och Tartuffe den lede,
lömsk och vit av vrede,
när hans mask ryckts av,
snärjd på alla kanter,
spänstig som en panter,
lågsint som en slav,

— Faust, som, tärd av ånger,
lyss till Gretchens sånger
vid sin livsfrukts död,
som ur fängslet stiga,
sorgsna, innerliga
från en själ i nöd,

"Osvald" och de sista
bubblorna, som brista,
av ett "vill, ej kan"
och att sorgset firas
"Fadern", Dejaniras
Härakles och man,

och de tusen andra
bilderna, som vandra
likt en flod förbi,
visande vårt sinne
allt vad syn och minne
vill försjunka i:

Drömmar, nu förflutna
dagar, övergjutna
skönt av sagoglans;
och fantastiskt tokigt
glädjetrots i brokigt
virrvarr, stoj och dans.

Tårarna, som röjas
under skämtets slöjas
väv i humorns drag;
och satirens gissel,
lastens tandagnissel
under gisselslag

och den bittra trösten,
frisk som storm i hösten,
att i bilder se
lidelsen, som sjuder,
tragedin, som bjuder
oss allt livets ve;

och den kraft, som stiger
fram därur och viger
in vår framtidsvärld:
nya starka tankar
människornas ankar
för sin upptäcktsfärd.

*

Väl, så låt oss bygga
skådespelen trygga
vackra hem och hus
— präktigt välva taken,
lysa upp gemaken
rikt med färg och ljus.

Också här omsider
efter mulna tider
kom en boning till,
äntligt värd att gästa
för en stund av bästa
konst, som gästa vill.

Nu har timman slagit,
nu har dramat dragit
in med stab och svit
— hälsar hela staden
så parterrn som raden:
var välkommen hit!

LYCKSALIGHETENS Ö.

Jag har återsett min första flamma
på Lycksalighetens ö vid Ronneby!
Hon var lik sig — samma friska hy,
samma hår av sol och sommarsky,
samma ögon, ja hon var densamma!

Ja, där låg min mångbesjungna flamma
mitt i gröna gräset utan hatt,
och hon skrattade sitt gamla skratt
och i famnen sprattlade och spratt
någonting, som skrek och sade "mamma!"

och det skrek igen och sade "mamma!"
som det skriks och sägs vid fyra år,
och det sprattlade med ystra tår
och det slet i stackars mammas hår
och fick kyssar av min första flamma.

Och jag drömde om en kväll på våren,
hur vi möttes i en park i smyg,
huru ung jag var och dum och blyg,
hur vi skildes åt i fläng och flyg,
när en fågel prasslade i snåren.

Och jag tänkte: det är tid att klaga,
jag vill dikta mig en melodi
med all världens vemods vemod i
om min unga dröm, som är förbi,
om det yngsta i min ungdoms saga.

Men, o kärlek, jords och himmels under,
allt jag kände var ett välbehag
av att se min första flammas drag
lyckliga som fordom än i dag
skratta i Lycksalighetens lunder.

Och jag sade för mig själv: "anamma,
det är underligt med detta här,
kanske var jag aldrig riktigt kär
eller kanske att jag ännu är
kär i dig, min kära första flamma!"

EN SKVALLERHISTORIA.

TORGPUMPEN

Pumpen frusar,
vattnet brusar
dovt och rusar
i en så.
Mitt i torgets solsken solar
sig en skock av kjolar
och med bytta,
hink och flaska
pigor komma, pigor gå,
käringar i tofflor traska
och med bara fötter kytta
tösor små.

Sladder, slammer
av madammer,
fjas och fniss av barn och pigor
och som gigor,
horn och lurar
skvallerskurar
föra oljud hela dan,
Gud bevare stan!

KAFÉFRÖKEN GÅR FÖRBI.

Där går Fia Bergman, stackar,
tror sig vacker som en dag!
Vacker? — hon! — jo jag tackar,
jo jag tackar jag!

Men förnämligt skall det vara,
jojomensan, gubevars,
se på livet, titta bara,
det är sidensars!

Hur hon skepar sig och svassar
med sitt röda parasoll,
jojomen, vad tocke passar,
för ett tocke troll!

En skall inte tänka illa,
en skall inte måla svart,
men nog vet en, fröken lilla,
men nog vet en litevart!

Se hur herrarna på banken
titta ut på lilla vän,

Fia ha de allt i tanken,
jojomensan, jojomen!

Hon är allt på halkan, stackar,
det går allt på tok en dag!
Fröken — hon! — jo jag tackar,
jo jag tackar jag!

DET FÖRSKRÄCKLIGA LEVERNET PÅ KAFÉET.

Ja, herreje så de leva på kaféet,
å kôrs i Jesses å jestande je!
Jag stod i dörrn där en kväll och fick se'et,
ja jag fick se det jag inte ville se.

Där sitta herrarna timtals och dricka,
det är en rök som när elden är lös,
det är för styggt för en anständig flicka,
jag både svettades, skälvde och frös.

Det är en hundfröjd, ett klingkling, ett klangklang,
det är ett kvinnfolk som dansar på tå,
hon gör en dans som di kallar för kang-kang,
med, Gud förlåte mig, ingenting på.

För den eländiga ussliga kluten
hon har om livet är mindre än kort.
Och ni skall tro hon är uttäck i truten,
det är så fult, så en vänder sig bort.

Och varje gång som hon lyfte på skanken
var det så lett så jag känner det än,
men de bedrövliga herrarna på banken
de skreko: "bravo, detsamma igen!"

För när de druckit, så bli de så fria
att deras usslighet all kommer fram,
de lägga armen om Mia och Fia
— ja, var det mig, sa jag, "hutt och vett skam!"

Men Fia Bergman hon smilar och smiskar
och jamar med som ett mähä, förståss,
och gör sig vänlig och flissar och viskar,
nog finns det skröpliga kvinnfolk, gunåss!

Och det är en där, som särskilt är Fias,
(men håll er tyst!) — det är snusfabrikörn!
Ja har ni hört! — Men du milde Jeremias,
där står han själv vid fru Anderssons hörn!

SNUSFABRIKÖRN.

Jo nu ska ni få se, jo nu ska ni få se!
— där står fabrikörn
vid fru Anderssons hörn
och tittar efter Fia, jo nu ska ni få se!

O je, vad du är pussig, din tjocke gamle galt,
du röker cigarrett,
du tycker du är sprätt,
men tror du, du är vacker, bedrar du dig allt!

Du låtsar titta hit, du låtsar titta dit
så menlöst förståss,
du lurar inte oss,
det lönar inte mycket, att korpen gör sig vit!

Nu rör han sig, nu går han, nu griper han sig an,
jo nu ska ni få se,

å kôrs, å kôrs i je,
att de ha stämt ett möte, lilla Fia och han!

Nu går han, nu går han — ja åt ett annat håll,
men det är bara list,
för det är lika visst,
att han är en kanalje och hon är ett troll.

FINAL.

Tungorna trätta,
trätofflor, pigskor och barfötter traska,
bytta och flaska
skvala och skvätta
skramla och sätta
hastigt och lustigt i väg att berätta
om snusfabrikörn
vid fru Anderssons hörn,
att jämra i köken en gäll litania
om snusfabrikörn, som stämt möte med Fia,
den ussliga Fia,
den falske, den dålige snusfabrikörn,
som stod vid fru Anderssons hörn!

Men när allt kommer kring
och just i samma nu
är Fia hos sin mor
och han på sitt kontor
och tänker på sin fru
och ser på sin ring
och anar ingenting.

EN MORGONDRÖM.

Låt fönstret upp för gästen från
det höga ljusets välden,
den varma strålen, solens son!
Låt upp för forsens sagodån
bland björkarna i dälden!

Hans sorl är mörkt, hans röst är dov,
hans sånger brusa dova
till längstförsvunna åldrars lov —
det är mig, som jag ännu sov,
och jag vill åter sova.

Du sommarsol, min själ är trött,
och jag vill somna bara,
men låt allt glädjeliv, du fött
av rikt och ljust och rosenrött
i mina drömmar vara — — —
                    *
I gräs och grönska vill jag vada,
på svala druvor vill jag frossa,
i apelsindoft vill jag bada,
och friska nötter vill jag krossa.

Vill ut i ljus och glada marker,
som någon arisk solgud vårdar,
där alla skogar stå som parker
och alla fält som rosengårdar.

Det land, där mina fäder bodde
på Nimrods tid och dessförinnan,
mitt hjärtas frändefolk, som trodde
på solen, kärleken och kvinnan.

EN RIM-POKAL

i underdånighet framräckt
till
Välborne Herr VERNER VON HEIDENSTAM
och
dess DYGDÄDLA MAKA
av
Runius d. y.

Festligt vid flammande bloss och vid sorlet av glammande
gamman
Runius räcker pokaln den med rimlim han rimmade samman,
önskar av lyckan allt gott åt en Förste av orden i norden
sampt åt den ädela Dam i hans stuga en fruga är vorden,
kärlige vänner och ärliga tärnor och drängar,
bäste hästar i stall och goda frodiga ängar,
rikligt av värmandes ull och rikligt av prydandes lin,
hjordars flödande mjölk och honung av strävande bin,
mycken och allsköns mat på faten och frusande vin,
söderns glödande frukter, druvor, melon, apelsin,
goda klenoder i gyllene skinande skrin,
sälta av skämt och sötma av ljuv mandolin,
hut åt de arge belackares grin,
glättigt sinne och glättig min,
ättling ädel och fin,
ståtelig båt vid strand,
gott mod med roder i hand,
bragd i poemataland!
Välborne Herrskap, besitten det bästa I gitten:
och när vid fyllda pokalen i salen I lycklige sitten,
ljusa av sol som när sommaren glimmar i Junius —
haven i hug denna fest och den gästande rimmaren Runius!

GOTT ÄR...

Gott är mot döden att rida
skuldra vid skuldra med män.
Gott är att sida vid sida
rida till strids med en vän.

Gott är i fiendetrakt
veta bakom och framför sig
ryggtrygga ledet som rör sig
framåt i trummornas takt.

BADET.

Nu gungar havet med skum och tång
i sakta vaggande böljegång
och sakta sjungande sorl och brus.
Och genomskimrat
av middagsljus
tycks himlavalvet av strålar timrat.

Och havet gungar och havet går
och fritt i vinden på udden står
en naken flicka med fina länder
och veka skuldror och späda händer,
en naken flicka på nitton år,
en solomgjuten
och havomfluten
och våt av stänk, som från havet slår.
Hon vågar språnget och huvudstupa
hon dyker ned i det mörka djupa
och havet gungar och havet går.

EN FEBRUARIVISA.

Sol, sol, du varma
milda, förbarma
dig över norden,
frigör den arma
frostbundna jorden,
landet, där mörkret i världen är störst!
Dagen, ej natten,
växter och vatten,
icke de eviga drivor och isar
är det som släcker och läskar och lisar
tungans och ögonens svält och törst.

Sol, sol, du varma
milda, förbarma
dig ifrån ovan,
öka den arma
styvmodersgåvan,
värmen de sparsamma strålarna ge
tungsinnes-anden,
där över landen
himlarna ej lysa klart, men snöga,
— kallt bliver hjärta och kallt bliver öga
sist av allt kallt som de känna och se.

JULKLAPPSVERS.

(Till Cecilia Fröding med ett ex. av "John Gabriel Borkman".)

Læben taler, naar den tier,
læben tier, naar den taler,
haanden skumler, naar den maler

skumle folk på mørke stier,
taust i kast med grumme trold.
Gid at Johan Gabriel Borkman
vilde røbe som den kork man
dra'r ur en bouteille med vold
Ibsenflaskens indehold.

JULKLAPPSVERS.

(Till Cecilia Fröding med ett ex. av "Vintergatan".)

Stjärnor, stjärnor, Ellen Key,
Hallström, Strindberg, Leviatan
skådar du i Vintergatan.
Finner du på vers och prosa
en och annan nebulosa,
låts om inget, säg det ej!

MAGISTRATEN.

Sedd från Torgpumpen.

Ånej, se här kommer hela magistraten,
så nu är rätten på rådhuset slut,
och de se ut som de längta efter maten,
å kors i Jesses, så sura de se ut!

Å kors, vad borgmästarn är stel i nacken
och stel i benen och ögonen med.
— Å, jojomen, det bär utför i backen
och en får spänna sig stel med besked!

Vad rådman Sager har börjat att bli mager,
han blåser bort, vad det lider, som ett fjun.
— Å jojomen, stackars gamle rådman Sager,
han är så döv och har ledsamt av frun!

Och rådman Lund han har tungsamt med magen,
han är stoppad med tuting och gröt,
han får väl slaganfall endera dagen,
— men Herregud, vad notarien är söt!

FYRISVALL EN GRÅDASKIG VINTERDAG.

(Ett stycke verklighet, sedd genom ett melankoliskt
temperament.)

Daskigt vått
ingenting,
utom litet grått
utmed skogens ring,
här och där ett hus,
grått i molngrått ljus,
gråvit snö,
inte frost och inte tö,
inte ljumt och inte kallt,
der är allt.

Vid fönstret sitter
en halvdöd kropp,
en själ utan hopp,
och söker vara vitter.

SYNER OCH RÖSTER.

Från kaféets soffhörn vagt jag
såg i dimman och i röken
från cigarrn den bleka gasen,
blott en enda låga brann,
svagt det klingade i glasen
invid skänk och disk där svagt jag
såg kaféets nya fröken
sysslande gå av och an.

Och mitt väsen, klöst och rivet
av de gamla samvetsaggen,
sjukt av allt det långa droppet
av all sprit min kropp förtärt,
var för trött att tro på hoppet,
trodde inget, kände taggen
av att allt för mig i livet
var alls inget, inget värt.

"Matt min hjärnas tankar flämta,
när jag trött och liknöjt famlar
efter halmstrån, som försvinna
under våg för handens tag
— vad står åter än att hämta
av mitt liv? — var natt en kvinna
och att dricka tills jag ramlar
under bordet död en dag."

Så jag tänker att jag tänkte,
blott att mera drömlikt vaga
tankar summo i mitt sinne,
blott en drömmars töckensky,
blott att ingen glimt där inne
i det mörka töcknet blänkte

av ett hopp om väg att taga,
stig att finna, flykt att fly.

EN RACKELHANE.

Jag har hört om en rackelhane,
som blev illa med hagelskott skjuten,
att det skottet blev icke hans bane,
fastän en av hans vingar blev bruten,

och att sedan den rackelhanen
icke alls blev av hunden funnen,
utan hängde allt kvar i granen,
tills all fara för skott var försvunnen,

och att sist föll han ned som ett knyte
av nyss plockade blodiga fjädrar
och förunderligt nog blev ej byte
för en räv eller annat, som vädrar.

Och rackelhanen han slog sig
allt fram genom höst och vinter
och höll sig ur vägen och drog sig
djupt in i sin skogs labyrinter.

Hans ståtliga skoft är förslitet,
han flyger ej mera, han kryper,
kan i torrväder småflaxa litet,
men icke när droppregnet dryper.

Dock när sent i en våraftons tystnad
någon fågel högt upp han ser kretsa,
kan den synen till ärelystnad
rackelhanen hetsa.

Han gör några krax, vilka tyckas
liksom hesa av hosta och snuva,
några krax, några flax, vilka lyckas
blott slå kull honom själv på en tuva.

Så ock går det oss äldre poeter,
som se yngre uppstiga från grenar,
när vi hetsa vår vingskjutna meter
till en sångflykt, som snubblar på stenar.

I TORNET.

Se solen, vårsolen, skönhetsbringarn
strör törnrosskimmer i morgonskyar!
Högt upp i gluggen stå jag och ringarn
och se på skenet kring land och byar.
Se, dagen vaknar, se solens kyssar
på viken glittra, en snipa kryssar
i vida kretsar till stan med laxar,
nu vänder stäven och seglet flaxar,
det är visst Olle på Västanö,
det friskar på, det går duktig sjö!

Och se på stan, hur var skorsten ryker,
det kokas kaffe i alla köken,
och när en bris över taken stryker,
i lätta virvlar han välver röken.
Och på en gård står en tös i linnet
vid sån och skubbar sig blank i skinnet,
hon gnor och tvättar, hon gnor och tvättar,
bredvid står flickungens mor och trättar,
de niga bägge med argsint hån
och tösen dyker på nytt i sån.

Och som när ögon slås upp, så firar
från fönstren stan sina rullgardiner,
och stan han morgnar sig, stan han plirar
mot morgonsolen, som ler och skiner.
Den gamle ringarn han står och väger
sin hatt i handen, och skyggt han säger
i avbönston efter gammal vana:
"det är precis som ett pamorana,
jag är väl dum nu, min gamle tok,
men det är rakt som en bilderbok!"

LE VIEUX MARQUIS ET LA JEUNE CHAMBRIÉRE.

Le vieux marquis
dit:
"pi, pi, pi,
ma jolie Sophie",
mais la fille dans le lit
s'écrit:
"non, non, monsieur le marquis,
la marquise à son mari,
moi à mon ami.
Henri!"
Le marquis fit sa sortie. —
la fille riait, je ris!

GIV LIV OCH GRÖNSKA.

Jag är den sjuka linden,
som ung ännu förtorkar.
Att strö torrt löv för vinden

597

är allt min krona orkar. —
Löv, fall, vind, för bort!
Det prasslar bland löven på marken torrt.

*

Väl är en skymt i allt som är och sker
av skönt som sörjer och av skönt som ler.
En fattig hed, en kal, förvissnat grön,
i höstkvällstöcknigt grått är ännu skön
för varje älskande och tankfullt öga.

Men för min egen syn, för kall, för tom,
betyder allt, vad liv i högsta blom
fött fram av högsta fägring, endast föga.
Du sköna sorg, du leende av skönt,
gör allt jag ser nytt levande och grönt!

När gren förtorkar och ej mera grönskar
och vårens tårregn på hans dödskval gråter,
då är hans liv blott det, att liv han önskar,
att längtan finns med liv att fyllas åter.
Du kära vår, finns livet i din tår,
så gråt mig grön, du kära, ljuva vår!

*

Liv, som fyllt mig, gudomsgnista,
du som nu mig flyr,
giv mig ännu några sista
livets äventyr.
Döden skrämmer, alltför branta
stupa stigar ned
på den mörka obekanta
djupets nedåtled. —

SKUMÖGT I MÖRKRET VI TREVA.

Skumögt i mörkret vi treva.
Dräpa sig själv är att leva,
håll den du hatar kär,
var den du icke är,
gör det du icke kan,
varder du man!

Mattoidens sånger

NEDANFÖRMÄNSKLIGA VISOR.

Varje levande väsende säger,
om ock endast från fjärran likt människotal,
vad det är, vad det vill, vad det äger,
så av verksamhetsart som av lycka och kval,
och de ting, som ej leva, de sjunga
för de sinnen, som uppfatta klart,
om ock icke med strupe och tunga,
även de om sin särskilda art.

STRANDSVALL.

Vida havet svallar
mot en ödslig ö,
mot de urgrå hallar

går en evig sjö,
vågorna svalla,
bryta sig, kastas,
stänka, blänka, vrida
vita virvlar,
falla, vida
havets vågor
svalla
åter upp en sjö,
bryta sig, kastas,
stänka, blänka,
rinna strida,
svalla, falla,
upp vräkes tång, vräks tång,
evig är havets gång,
endast för stunder står
stundom, när stiltje rår

— —

REGN.

Sorlar, sorlar, susar
sommarregnets sorl,
alla trädens våta
blad ock knoppar gråta
dropp — dropp — dropp
och därnedan rusar
bäck i sorl och porl,
bäck i sorl.

SOLSKENET.

Skin nu, mitt ljus, vitt, vitt,
skin genom klart, klart blått,
gör in i gömslen en titt,
glittra i droppar av vått,
skyar, nu skingrens och simmen
hädan från zenit och glimmen
solgult långt in, in, in,
regnby, försvinn, svinn, svinn.

GRÅBERGSSÅNG.

Stå
grå,
stå
grå,
stå
grå,
stå
grå,
stå
grå-å-å-å.
Så är gråbergs gråa sång
lå-å-å-å-å-å-å-å-ång.

ETT GRÖNT BLAD PÅ MARKEN.

Grönt! Gott,
friskt, skönt vått!

Rik luft, mark!
Ljuvt stark,
rik saft,
stor kraft!
Friskt skönt
grönt!

SNIGELNS VISA.

Sol! Sol! skönt
lys, lys, ljus,
trög väg på grus,
se gräs grönt,
här mycket lätt
äta sig mätt.

Här inte brått
bortkrypa vill,
här ligga still,
mums, mums, gott.

Hum, hör dån,
hum varifrån
är svårt hot?
Stor svart fot,
bäst krypa in
i hyddan sin.

MYRA MED BARR.

Streta, streta, streta,
stanna, se sig om att veta
vägen, sträva, tappa
tag, hugg i,
släpa, släpa, göra en sväng mä't, bära
mera nära, släpa, bära,
mera nära, mera nära
stacken — släppte jag   rappa
tag, ohi,
streta och föra
hem'et — nu käckte det — göra
jämt ihärdigt,
jämt ihärdigt,
jämt ihärdigt,
rulla ikull,
mun full mull,
opp mä't, hugg i, ny fart,
streta och föra
hem'et — nu käckte det — göra
jämt ihärdigt,
jämt ihärdigt,
huset färdigt,
huset färdigt,
huset färdigt
snart.

VARGSÅNG.

När aftonrodnadsskenet rött
försvann, i kvällen skar
ett tjut: hu var, hu var är kött,

hu var är kött, hu var,
hu fläng,
hu flå,
hu slit,
hu slå
en klo
i våm,
nu sväng,
svängom,
nu glo,
nu fram,
se lamm,
slå klo
i kött,
se rött,
hu glafs,
hu nafs
i lår,
i tarm.

ELEMENTARANDE.

Han kunde ej mera förnimma
sig själv såsom jag och förnuft,
han blev till en irrblossdimma,
han kände en ljuvhet att simma
i månljus vid midnattstimma
som fukt och som skimmer och luft.

”I träd vill jag susa,
i gräs vill jag gro,
i fors vill jag brusa,
i hög vill jag bo,
i lunden sväva

kring ättehögen
invid älven där näckbladen vila."

DEN SKAPANDE NYSKAPADE.

Han dog från jordens yta förtvinad av laster och självsjuka.
I tusen år fladdrade han maktlös i Abyssos bland förtvinade
själar. I tusen år slumrade han sedan i dödsriket. Han vaknade
ensam på en ung stjärna, där liv ej ännu levat, där land nyss
stigit ur vatten och där allt var nyfött ur Kaos. Kval drömde
han ännu vaken, och maktlös trodde han sig ännu.

*

När jag ler,
uppstår ljus,
är jag vred,
glöds
allt,
när jag ser
på stoft ned
föds
ur grus
gestalt.
I minsta skreva
som min blick
överfor,
där jag gick,
växt vill leva,
frö gror.
Allting sväller och bävar
av önskan till liv,
där min blick svävar
och menar: bliv!
Där liv stannat,

liv, som flytt,
föds på nytt,
jag kan ej annat,
vill jag eller icke vill,
liv blir till.
Gyttjan ältar
stoff i sig begravet
ut till ödleform,
vältar
sig i havet
ut som val i storm.
Grus vill krypa,
regn vill drypa
ned som knott,
där jag gått.
Denna gåva
är för ny,
jag vill fly,
jag vill sova.
Stig ej levande ur vågen,
glad i hågen,
yr och vild,
du min egen bild.
Du är lik mig,
dock din röst
är en mös,
mer och mer du blir till kvinna,
hölj dig, vik mig
ifrån livet, giv mig lös,
hölj ditt bröst,
alltför fager är din hy,
jag vill fly,
hölj dig, släpp mig, du jaginna!
Ämnar med kyssar du
strax mig gilja,
föder du, vyssar du
nyfött barn, dig givet

strax?
Mig är livet
mot min vilja
alltför formlätt vax.

*

Står jag och stirrar
ensam på stranden,
genast förvirrar
mitt öga sanden.
Sanden fordom i slummer
blir till kravlande hummer,
närmaste stora sten
vandrar på sköldpaddben.
Såg jag i djupet,
ur protoplasma krupet,
i milliontal yngel av skimrande fiskar sken.

Ser jag åt ljusfylld luft
— hjälp mitt förnuft —
vingar och fågelskoft
vifta och röster sjunga,
andas jag, rosendoft
fyller min lunga,
lövskogar gunga
ur intet fram,
blomrankor spira
upp och vira
sig om var skogens stam.

DE FÖRSTA SPRÅKLJUDEN.

Det var en solig, härlig morgon, innan
den första frestelsen fört mänskan vill,

den första mannen och den första kvinnan
vid hyddan lyssnade till lärkans drill
och sade: jag är, jag är,
du är, du är"
och mente: "du är
mig kär",
men ordet "kär" var ännu icke till.

Framför dem tumlade i gräset yster
och gjorde tidens första spratt och hyss
den första gossen med sin första syster
och gav sin första syster kyss på kyss,
de sade: "ma, ma, ma,
ma, ma",
och ordet "ma" var nyuppfunnet nyss.

ORMENS SÅNG.

Ensam sig slingra i ringar,
känna sig ond och led.
Lärkan i höjden sig svingar,
svävar på lyckliga vingar,
hör hur det, hör hur det klingar;
ormen får ej vara med.
Se huru Adam och Eva,
kvinna och man,
le mot varann,
se huru spindlarna väva
näten där grenarna sväva
av balsam drypande,
nu vill jag krypande
nalkas och säga ett vänligt ord:
"kunskapens frukt är till ätande gjord,
ont är ett gott".

Adam åt och Eva åt:
"tack för ditt råd, hav tack".
Ormen sig undanstack.
Jämmer och klagolåt.

VALAS VISDOM.

Hör vad valan siar,
suckande och sorgsen,
om det farna fordom
och om framtids fjärran.
Hör vad valan vet.

När allfaders ande
gick igenom alltet,
bröt sig fram i bergen,
dolde sig i djuren,
brann i mänskobröst,
när i fagra färger
färdig jorden glänste
och när mänskosonen
själens samklang kände,
log av lycka Lopt.

TRÄLSKALDS JARLASÅNG.

Krökt och knävek
bär jag byttor
vattenfyllda
åt Jarl Höge
den herrlige.

Själv jarlason,
fallen, i feghet
flyende,
i jarlaträldom,
död fruktande,
för slag vikande,
trälskald sjunger om jarlar.

Bragdmod, hövdingdåd
lyster mig högt akta,
fritt löje på fagerläpp
hos mör mildglada,
makthjärtade,
lyster mig kysslängta till.

Jarlar glamma,
väldigt leende,
jarlar kämpa,
väldigt vrede,
makt och mör att vinna,
högvulne
i last och dygder,
ve och lycka
— slikt lyster jarlson,
i träldom bragt,
med stormod sjunga.

Hej, hirdman
hos Jarl Höge,
vila dina
hårda nävar,
jarlens byttor
hinna tids nog
till jarlahallen.

ALLVALDR.[1]

Bred är Allvaldr i brynja,
bred om barmen,
hög är Allvaldr i huvudet,
hög och bred i höfterna,
skuldror breda hos Allvaldr!

Stormögd, örnvingebrynt,
storhår, storskägg, storkrokenäst,
väldig i viking och väring
är Allvaldr i Allvälde!

*

Såg du i härslag
Allvaldr!

[1] I Hákonarmál nämner Eyvind Skaldaspillir med detta namn
konung Hakon den gode. Ordet betyder synbarligen ungefär "den
allväldige", "den som har väldet i allt Norgesvälde" eller "över-
konungen" i Norge — alltså nästan likbetydande med "Allrikr",
allkonungen. Se för övrigt härom Viktor Rydbergs Undersökningar
i germanisk mythologi, första delen, sid. 353—354, varifrån uppsla-
get till min dikt är hämtat och varest man även finner följande
fragment av Hákonarmál:

> "Riða vit nú skulum,
> kvað han ríka Skögul,
> græna heima goða
> Oðni at segja,
> at nú mun allvaldr koma
> á hann sjálfan at sjá."

"Vi två (Gandul och Skagul) skola nu, kvad den mäktiga Skagul,
rida gröna gudariken (eller gudavärldar), för att säga Oden, att nu
månde en överkonung komma att se honom själv."

Föll ej för svärd
fiendefolket,
föll för vreden
i Allvaldrs ögon?
Klubbor sjönko
sensvaga undan,
där Allvaldr högg.

Såg du Allvaldrs ögon
sörjande se
som fjäll ned i dalom
på arma av Allvaldrs folk?

DEN SJÄLVSLAGNE.

Dödsvapnet höll han
lyft i sin högra hand,
domnande föll han,
stoftet rann ut som sand,
sköna och okända land
såg han vid dödsflodens strand.
Icke med mulna
miner den slagne går,
kinderna gulna
ej av det ädla sår
självuppoffrarn sig slår,
offrande mod gör ej vita hår.
"Barmen med blodiga
sår varde åter hel
geirsoddens modiga
gärning gör bot för fel;
njute ock du din del
såsom en sträng i all salighets harpospel."

SÖVANDE MJÖD VILL JAG TÖMMA.

Sövande mjöd vill jag tömma
ensam i sorgskum sal
— mjöd, som ger drömmen och döden —
djupt vill jag somna och drömma,
helt vill jag glömma
synderna, sorgerna, nöden,
allt, mina pinande öden
gav mig, ty allt blev till kval.
Liv, begråt mig.
Kom, Nótt,
sömnens drott,
söv, låt mig
få drömma gott,
vakna först när sekler ha förgått,
först när kraft, som flytt,
väckts på nytt.

ATT VARA ENSAM.

Att vara ensam i rymdens öken
i dunkla aningars töcken
är svårt och ödsligt och tungt.
Giv mig Arkimedis punkt!

BÖNHÖRELSE.

Bed, så får du
åter lida

det du alltid led,
åter bida
det du alltid bidat, bed.

OCH I HÖJDEN MED DE RENAS...

Och i höjden med de renas
helga ande vill
ej mitt arma väsen enas,
är för lågt därtill.

Tungt och trögt och stoftuppblandat
älskar stoftets son,
alltför heligt genomandat
stöts hans själ ifrån.

Därför, liv, om du det mäktar,
än till avsked giv
åt den jordson, som försmäktar,
litet jordiskt liv!

ÄR DET ENDAST DE SVAGE SOM PRÖVAS?

Är det endast de svage, som prövas
med att kunna för frestelse vika
såsom Adam i Edens park?
Kunna brott av de högste förövas,
och stå kraften och frestelsen lika
mot varandra hos svag och hos stark?

FÖR LÄNGE HAR JAG TÄNKT OCH TROTT.

För länge, länge har jag tänkt och trott
att uselt ont i människorna bott.
— För mig de äro alltför goda;
det bor ett ädelt gott för dem som loda
i själars djup, ett gott och milt, som gör en väl,
i var förfallen, djupt förfallen själ.
Giv akt på ögats vänligt milda blick,
giv akt på gratiens älskvärt väna skick
hos själva skökan som din plånbok plundrar
— jag älskar och beundrar
den undertryckta kärlek allting ger
i allt jag lever med och allt jag ser.
En enda känner jag, som litet ger,
som torrt som kallt, så allt för kyligt ler
åt livets alltför kärligt milda lycka;
vart ögonkast jag möter tycks mig trycka
min själ i famnen med en kärleks kyss,
jag hör blott smek och kärlek, när jag lyss.
Vem är den makt som gjorde ont av gott
och vände själiskt ljuvt och milt i rått
så endast dropp och stänk av skönt stod åter
från salighet som allt vårt liv begråter,
jag vet det ej, men än jag vet
så mycket stänk av ljus från salighet.

SYMPTOM.

De kalla det hallucinationer,
är ande en hallucination,
mixturer och ordinationer
kanhända kunna hjälpa mot tron?

Jag tror icke mycket, jag själv, på Gud,
trots röster jag hörde,
trots viljan som rörde
min vilja och förde
mig med och befallde med bud,
vet ej egentligen vad är Gud.
Dock är det väl sant att ibland jag tror
mig höra en röst från min far och mor,
av andar som tala,
förskräcka, hugsvala,
ibland är ock rösten en gudastor.
Men det kan ju vara
en hallucination,
ett föremål bara
för tron.

Och därför, herr läkare, känn mig
på pulsen, rabarber, kubeber
kanhända kan hjälpa, och bränn mig
i halsen för halsflussfeber,
min fantom
den var väl ett febersymptom.

TRÄD OCH GREN.

Trädet stack ut [en] grönskande gren
i solens livande bad,
där av fjärilar matkar födas
i solens livande sken
— och matkar kläcktes i grenens blad
och grenen begynte förödas.

Nu torkade grenen, nu hotades trät
av förtorkningen även det,

nu önskade trädet att grenen brast
och grenen att hålla sig fast.

Du träd, har ej matken och du er del,
vem bär skulden hel,
vad är grenens fel?

EPIGRAM.

.

Gud kröp in i ett svin,
därav blev människan till,
kärlek, förnuft och latrin
hopkokt till livets vin,
vill det du icke vill,
sådan är livskomedin.

Ett annat.

Varför förena med likkött
levande ädelt liv
och giva likkött makt
att levande liv betvinga?

Ett annat.

Varför är döden livet?
Varför är livet döden?
Fråga får du.
Svara får du.

Ett annat.

"Blev dig icke livet
givet?

Giv tillbaka
det du fått!"

SÅNG FRÅN DJUPET.

Lycklige de, som försaka,
lycklige de, som nu smaka
lönen för fasta och vaka,
lycklige, lycklige de!
Ve oss, som fjättrarne skaka,
ve oss, förgäves tillbaka
blicka vi efter den kaka
minnens hugsvalelser ge,
ve oss, eländige, ve!

Se dessa lyckliges skara,
varelser ljusa och klara,
frie, som vi ville vara,
nära med glädje sin själ.
Frihet för oss blev en snara,
glädje för oss blev en fara,
varföre? Själva vi svara:
glädjen du själv slog ihjäl,
feghetens trampade träl.

DJÄVULSKÄRLEK.

Bita ihjäl
var kropp och själ,
pina,
förtvina,

ej våga se
i ögon, som le,
dem som le,
ve.

Vilja kyssa,
vilja vyssa
små barn i min famn
— vad jag vill?
giva vänliga namn,
bita till.

ÄNGLAKÄRLEK.

Dig, som biter,
dig, som sargar,
dig, som sliter
mig i trasor,
dig, som slår
mig i sår,
dig, som gett av
tacksamhet
slag och bett av
tigrar, vargar,
dig, som slog, och dig, som bet,
mitt ibland fasor,
bett och slag
älskar jag.

CATILINA.

Väl är måhända en skurk,
sedd ifrån Tullii höjd,
han som för Tullius föll,
lasternas man, Catilina.

Dock för en slav som mig
syntes ett hjältedrag
fastnat om sluten mun,
pressad i trots och hat
fast och förtvivlat hop,
än i det bleka vilda
anlete nyss jag såg
dött på Pistorias fält.

SIMSONS SÅNGER.[1]

De filistéer äro ett smått folk,
ett ont folk och ett gott folk,
onde och därjämte gode såsom vi, de hebréer,
men mycket mindre äro de filistéer,
och finnes en stor man i dessa landen,
så är han stor till kroppen, men icke till anden.
Mygg äro små, men mygg äro många,
de äro föga starka, men svåra att fånga,
små myggs pip är svagt, när som svårast det larmar,
små myggs sting är svagt, men med bundna armar
görs stark mans liv av deras pip och sting eländigt,
emedan de pipa och stinga beständigt.

[1] Se "Bibliska fantasier" i "Nya dikter".

De filistéer äro, när de äro gode,
leklystne, smeklystne, kärlige till mode,
såsom små piltar, när små piltar leka
med tjurar, som slaktas, när de piltar smeka
tjurens mula med ett blomsterstrå,
medan slaktarne hugga och sticka och slå.

De filisteiske piltarne le
och mena att tjuren skall le som de
åt lustigleken med stråt,
de tro för en tjur att hans dödskvals ve
är något att högtle åt.

Mig synes ock hart när att tjuren log
i samma stund som han dog.

*

När aftonen svalkas
och skuggan sin tältduk utbreder,
de filisteiske vise nalkas
min kula och sätta sig neder
att lära mig vishet och höra sig själva
uttyda de gåtor, dem Dagon lät välva
i deras huvud i virvelring
om vad är allt, vad är ingenting.

Si detta är si och detta är så,
si detta är både si och så,
och är det ej så, som det är, så vet
var pilt av filistiske fäder
att däri döljes en hemlighet
förstådd i filistiska städer
av vise, dem Dagon lär
hur något ej är vad det är,
det stora fördolda undret
vi ana i stormen och dundret,
när Dagon med tvekluven fiskstjärt styr,

där filisteiska havet yr
upp skum som gör ögonen klara
att fatta det underbara
att vara, o under, att vara
detsamma du är och du icke är,
som visdomens lära från Dagon lär.

*

Det kom en litenmynt filistinna,
en filistinna med liten mun,
en litenhuvad och småögd kvinna
och hennes stämma var liten och tunn.

Hon hade en fiskekrok i handen,
en spetsig fiskekrok i handen sin
och när hon såg mig i dessa banden,
hon stack den på lek i mitt öga in.

Hej lustelig, sade filistinnan,
hej lusteliga, hej lustelig,
det dröjer allt några tider innan
du stiger upp till att kyssa mig.

*

En kraftig åsnakindbåga som slår,
det är det språk filistéern förstår.

BALAAM BOZORS SONS VÄG.

Dansen, som dansas på rosors
väg till fördärv, har jag trått,
vägen, som Balaam, Bozors
son, ville gå, har jag gått.
Vägen var bred för

fräck och förmäten,
äreförgäten
ande och nedför
halkade fjäten.
Äntligen stannade
jag, ty guds folk
mötte mig tågande —
feghetens lågande
modige tolk
modigt förbannade.

JAG DRICKER UR BELIALS BÄCKAR.

Jag dricker ur Belials bäckar,
jag sover vid Chemos häckar,
jag offrar till Astaroth,
i lunden som höjden kröner
jag brände i eld mina söner
till soning av Milchoms hot,
för Jahveh den starke jag rädes,
jag sökte, men fann ingenstädes
en undflykt för Zebaoth.

BENVENUTOS HÄMND.

Se Cellinis självbiografi, översatt av Goethe.

"Några usla maravedi gav den usla
spanska ducan
för ett mästerverk som detta!
— gamla sjukan, gamla sjukan,

skum om hakan, klingan dragen,
ha vendetta, ha vendetta,
jag vill stinga genom magen
denna usla spanska ducan,
för att bliva frisk igen!"

"Stilla, Benvenuto, stilla",
sade Julio, Benvenutos vän,
"endast själv du gör dig illa,
gnidigheten, vem kan gilla,
vem av oss kan gilla den?"

Benvenutos vredesjuka,
botad annars av vendetta,
blev han kvitt för denna gången,
grep itu med silverstången,
för att smida den till ring,
sade: "denna usla duca
vill jag furstligt giva detta
mästerverk för ingenting!"

VISDOM.

Drottningen av Söderlanden
färdas genom ökensanden
— vad är guld och pärlor mot visdom?

Åsnor och kameler lastade med guld,
svarta slavar och slavinnor,
bärande pärlor i säckar,
rubiner och smaragder
i skrin av elfenben
färdas genom ökensanden.
Högt på högsta kamelens rygg

tronar mellan mjuka kuddar
drottningen av Söderlanden
— vad är guld och pärlor mot visdom?

Livets gåtor: vad är gott att göra,
vad är ont?
Vadan stamma slavars,
slavinnors och drottningars ätter?

Är allt slut i döden?
Slitna trasor
om ett lik som vitnar
i den öde
virvlande ökensanden,
sådan syns den döde
drottningen av Söderlanden
— vad är guld och pärlor mot visdom?

En konung högt i Norden
vet vad visdom är.
Drottningen av Söderlanden
färdas över liken,
vilka vitna,
trasomhöljda,
i den öde sanden
— vad är guld och pärlor mot visdom?

KARIKATYRISKA SONETTER.

Tillägnade Albert Engström vid hans 40-årsjubileum.

I.

Mig lyster leka litet med sonetter,
än ståtliga som Venus på sin snäcka,
än vekliga, att veka minnen väcka
av Tanagras förtjusande koketter,

den hellenistiskt senantika täcka
rococostilens näpna statyetter,
som kanske snarast likna skåderätter,
— de ge aptiten, den de genast släcka,

än litet djärva som när Heine retas
med kvinnokattor, dem han ville klappa,
och flickors mjauande, när ömt de ljuga,

än tröttande som stundom, när det metas
och inga fiskar på en metkrok nappa,
den här sonetten torde kanske duga.

II.

Att smida nätta rim och riktig meter
beror kanhända endast på försöken
— jag minns hr Lind, hr Lundegren och Fröken
Lo — Le — Li — La? Jag minns ej, hur hon heter.

Det var i deras vers en verklig eter
av något ljuvt som tröst i livets öken
— "tout est soldat!" försöken blott, försöken,
vi äro alla kanske snart poeter?

Men kanske äro alla ej de största,
och mera stora, när de stå i köken
och äro kvinnor, kokande potatis?

Och mången skald har större makt att törsta
— än dikta vers — till konjaken och röken,
när han av middagen fått kvantum satis.

III.

Dock finns en skald som heter "Doktor Hanna
Kattunenstedt" och anses vara kvinna,
men kanske hellre borde nämnts "maninna"
som Skriften brukar, eller kanske "manna",

ty rikligen hon låter rimmen rinna
liksom i koppar från en kaffepanna,
men hon har ock tänkt ut det enda sanna,
är tänkerska och icke blott skaldinna.

En annan skald, som heter "Fredrik Utter",
är hennes man, "kaptenskan" är hans titel
och hos Fru Doktorn lever skalden gratis.

För länge sedan förde han en kutter,
nu vaktar han beskedligt Doktorns kittel
— här ser du mannen koka Fruns potatis.

IV.

Men lämnom detta alltför sammanköna
bekanta mannakvinnligt filiströsa
och sökom upp det mera graciösa
hos någon av balettens yngsta sköna,

som kan behagfullt med behagen slösa,
att med sin kärlek kärleksfullt belöna
den mammonskärlek som hon själv fått röna
— dock anses hennes seder litet lösa.

Att tjusa, tjusa, tjusa, endast tjusa
likt fjärilar och rosor eller liljor,
är icke detta allt den lilla vill er?

Har hon ej makten att bedåra viljor,
när hennes gazer blombladslika susa
om det som liknar dansande pistiller?

V.

Ock prisar jag en annan ung Undina
för allt hon givit åt den unge narren,
till förevändning brukande cigarren,
han köper dagligen hos lilla Fina.

Hur oskuldsvackert hennes ögon skina
vid varje lådstöld! men hon älskar narren!
och är dock värd en visa till gitarren.
Vad vet om gott och ont en ung Undina?

Så stämmen gärna möten i de tysta
gustavianskt förlåtande alléer
och skymmande buskager invid Haga!

Och bliven I för mycket sammankyssta
så sörjen icke, kloka ögon se er,
det är för dem ej synd, men lustig saga.[1]

VI.

Väl mången kvinna har jag mött på gatan
med kraft i haka, näsa, mun och vilja
— de ha ej blomblad såsom ros och lilja
men hårdhetsfjäll som skal av Leviathan.

Var det en gudom, alltså icke satan,
som gav att hållas rak på livets tilja
till stöd allt hårt, till dess hon ej kan skilja
på ont och gott, den resliga ragatan?

Ock har jag mött lik stolta ärkeänglar
med något starkt, men även mycket gott i
en både klok och stark och ädel donna!

Men jag, som sjuklig går omkring och gänglar,
är icke stor nog som Buonarotti
att älska en Vittoria Colonna.

VII.

Och om på mjuk, men stark italienska
sonetten ljuder väl och spänstigt böjlig,

---

[1] Här följer ursprungligen ännu en sonett, som närmare omtalade, vilkas de skådande ögonen voro — Gustav III:s, grevinnorna Löwenhjelms och Pipers samt hela det intelligenta och lättsinniga gustavianska hovets. Sist en liten varning till försiktighet i betraktande av de möjliga farorna av dylika möten. Sonetten blev emellertid utesluten och det måhända på goda grunder.

den tycks mig ofta ljuda tung på svenska[1]
och litet utsökt sökt, tvångsfyndigt löjlig.

Tänk dig en skånska eller gästrikländska
skandera min sonett — är saken möjlig,
att denna sagda människa, att den ska
ha nog norskt mod att finna den fornöjlig?

Om född i Norrland, född på skånska slätten,
sonetten tycks mig tråkig, så man gäspar,
ehuru sömn på grund av arghet flyr en.

Och hur man gör sig till och hur man läspar,
mig tycks den svenska kanalja sonetten
inbjuda osökt till karikatyren.

---

[1] Olyckligtvis kom mig vid sonettdiktandet i händerna ett häfte
av "Ord och Bild", innehållande bl. a. en alldeles utmärkt och osökt
klingande sonett av C. D. af Wirsén, därtill erinrade jag mig den
också utmärkta sonetten av Snoilsky om kungen i Sachsen, som
samlade porslin, och kungen i Preussen, som samlade jättegrenad-
järer — Snoilskys övriga sonetter har jag glömt. Emellertid förhär-
dade jag mig och fortsatte. Om jag ej misstar mig, var det dock
min ursprungliga avsikt att låta nycken föra pennan till sonetter
för att utröna, om sonetten verkligen dugde till annat än parodier
på svenska, vilket jag misstänkte icke vara fallet. Så kom Engströms-
jubileet emellan, jag fann mina hittills färdiga sonetter lämpade
för Strix' jubileumsnummer, ombildade här och där, och lade till
några för det högtidliga tillfället passande. Engström har sedan
gjort en karikatyrisk sonett, som jag tror överträffar alla mina,
och jag erkänner numera att sonetten kan brukas på svenska även
utan karikatyr.

VIII.

Mig tycks karikatyren delvis väckes
av myndighet som domstolsvärdigt setat
och talat dumheter och icke vetat,
att myndigt dumt lätt brännes eller släckes

av rit- och skrivstift brukat av den käckes
förfarna hand, som icke lätt förskräckes
av paragrafmän, om de också letat
i riksarkiver eller vad det hetat.

Nåväl, sonetternas bestämda regel,
som föga lyckats på vårt modersmål,
gör anspråk på att tas "au sérieux".

Dem jag har gjort, bränn gärna dem på bål
och låt ditt löje så med lösta segel
gå utomskärs från stranden av din ö.

IX.

Jag minns vår Sandhamnstid bland äventyren
av detta liv — jag var en äldre herre
i egen mening, men för fet dessvärre
att ledigt klättra upp i Sandhamnsfyren.

Ni yngre tycktes mig att vara smärre
i livserfarenheten och figyren
— jag gick på branten av karikatyren
som något värdig äldre yngre herre.

Då föll jag kull i gräset, stött av stenen,
men jag blev hjälpt på väg av brodern Acke,
och av Albertus, smidige och smärte.

De bägge drogo långsamt mig i benen,
liksom en kälke drogs jag på min nacke.
Är ej karikatyren sådan, mi Alberte?

Väl kännande att festföremålet — stor latinare! cum laude i ten-
tamen! klingande vältalare på ciceroniansk latin — ännu större
i grekiska — laudatur! — ehuru han på grund av omgivningens
okunnighet sällan brukar detta språk — helst torde höra sig åt-
minstone benämnas på latinskt sätt, har jag här liksom eljest i skrift
sökt göra honom till viljes.

PÅ EN KRANS TILL JOHANNA
SOFIA WAHLBERGS KISTA.

Den gammaldagskraft som höll tömmen
med gammaldagsklokhet berömmen
för en gång på gammaldagssätt;
hon lever i himlen och drömmen,
som drömmes av talrik ätt.

RECONVALESCENTIA

DEN KUVADE KLANEN.

(Se W. Scott.)

I.

Grå dagar från förr, hur I mulnen
för synen hos glömmande ätten,
I minnen från bergen och slätten,
likt blomster I falnen och gulnen
för blicken från nutidens dörr.

Den ser ej gestalter i molnen,
grå rök från de kol, som förbrunnit,
är minnet av tid som försvunnit
— grå dagar, som kol I förkolnen,
grå dagar, grå tider från förr!

II.

Den store Glengarran är fallen!
Grå rök från de slocknande blossen
i ödsliga väldiga hallen
med murarnes mörknade kalk
omsveper de sörjande siste,
som följde den arvlöse gossen
tillbaka till allt, som de visste
var kvar efter allt, som han miste
— en död på en hög katafalk.

Där vilar den knotige jätten
som velat med kamp in i döden
betvinga de vidriga öden,
som hårt stått emot som en vall.

I ögon, som brustit, berätten
om blicken, som slog med förfäran
i envig för makten och äran
vart mötande fiendeöga
— ett hugg över pannan den höga
berättar om högmodets fall.

Och flydd är den trotsige anden
och blodet är stelnat i såren,
förblött och förrunnet i sanden,
din makt, o Glengarran, är all!
Dock ses de förhärdade spåren
av viljan, som blodade tanden
i krig under loppet av åren,
på läpparnes hårda: du skall!
Och än har den kraftiga handen
om fästet på svärdet, som brutits,
fast grepp, som i döden har knutits,
i kramp, fastän blodlös och kall.

III.

Och grå som den mossiga resten
av trädet, den ståtliga granen,
den siste druidiske prästen,
den äldste i glesnade klanen,
besjunger dess forntida makt.

Och hårt på sin årbräckta harpa
med strängar, som hota att springa,
han slår såsom svärdshuggen skarpa
från ättfäders ljungande klinga
och spjuthugg från ättfäders jakt.

IV.

Men sist ljuda strängarne veka
och tonerna slockna och kallna:
" vi stodo förstämda och bleka
för sydlänningslisterna fallna
i bakhåll för mörsaregapen
av Cumberlands mördande parc,
i vanmakt med händerna knutna,
förkrossade, stympade, brutna,
de sista som nedlade vapen
att lyda en annan monark.

En skog kan ej stå för orkanen,
vi äro de sista av klanen,
vi äro för alltid förskjutna
från hembygdens älskade mark!"

V.

"Den mäktige hövdingen sover,
nu läggen på axeln muskötten,
nu träden i tjänst hos Hanover
och möten var strid, som I mötten
var strid, där er skickelsen ställt!
— men hövdingeynglingen stöden,
Glengarran, den arvlöse gossen,
och släcken på härdarne glöden
och samlen ert bohag i trossen
och tågen till främmande fält!"

VI.

Än sker det av barden besjungna,
ny bragd följer bragd lik de gamla,

ny klang följer än den förklungna
— de letande bokmännen samla
alltsamman i präktiga band.

Än kämpar den kuvade klanen.
berömd är den gamla tartanen
för bragder i avlägsna land
— Glengarrans med sönderslitna
tartaner, med väderbitna
och solbrända anleten vitna
i Tibets och Afrikas sand.

VII.

Men landet, som förr i det forna
den bortsprängda klanen bebodde,
med ängarne, skogarne, kärren,
och insjön, där flickorna rodde
att mjölka de betande korna
till föda åt lekande barn,
hyrts ut av den främmande herren
från London som jaktmark åt klubben.
vid insjön fabrikerna torna
sig skyhögt, av skogen är stubben
det enda, som finns av det forna,
och borgen, där hövdingen bodde,
gjorts om till en papperskvarn.

GHASELENS MAKT.

En saga.

I.

Från Tusen och en Natt
är välbekant en Dinarsad,
som vid sin herres fötter satt
och hjälpte Shehersad
att blidka honom blid
i harem i en Österstad
i fordomtima tid.

En annan flicka sedan
min dikt gav namnet Dinarsad
och diktat att hon burit
och sjungande besvurit
den långa, långa ledan
i harem i en Österstad,
och sökt att vara glad

i något annat härskarhem
i någon annan stat
hos någon annan potentat,
jag säger icke vem.

II.

I kännen till den dårande ghaselen?
Från Orientens harem kom ghaselen
att ock bedåra Europas länder
med återljud, som alltid återvänder
melodiskt mjukt i dårande ghaselen.

639

En lag den lyder, men den fria nycken
omformar ofta lagen i ghaselen
hos Dinarsad, som följer egna tycken
att smida vad hon vill till vackra smycken,
av återljudens välljud i ghaselen.

III.

På bädden låg den vredgade sultanen,
när Dinarsad slog cittran till ghaselen.
Alltmera mild och nådig blev sultanen,
förförd av milt bedårande ghaselen.
Snart slumrar tyst den stormande orkanen,
som kom hans röst att stammande befalla:
"låt alla dö, slå huvudet av alla!"
Men Dinarsad slog cittran till ghaselen
och stormen vek för suset av ghaselen.

IV.

Då vill slavinnan åter tända hatet
och leka vågsamt litet lek med hatet
och Dinarsad vill sjunga det, som stinger
med litet gift från taggar i ghaselen,
och skarpt hon cittran slår med listigt finger.

Se druvoklasarne på silverfatet
i sorbetsvalkan över marmorbordet.
Sultanen ler och synes glömma hatet
— då gjuter flickan giftet i ghaselen
med tagg, som stinger och är dold i ordet,
än här, än där, i dårande ghaselen,
tills härskarn ropar, stampande av hatet
till sin evnuck: "slå huvudet av alla,
dränk alla kvinnor, jag förgås av hatet,

dräp Dinarsad och allt, begrav ghaselen,
förklara krig!" — så ropar vilt Abdallah.

V.

Men Dinarsad, som blott vill tända hatet
och pröva litet kraften att befalla
så där i smyg med makten av ghaselen,
med nya välljud söker tämja hatet
hos tigern i den rytande Abdallah.

Kalifen lyssnar åter till ghaselen,
betraktar druvorna på silverfatet
och säger lugnad till sin Kislar-Aga:
"nej, icke en må tagas nu avdaga,
mig smaka druvorna, men icke hatet"
— sultanen teg, besegrad av ghaselen.

VI.

Då griper Dinarsad en lust att skratta
åt detta lustiga och rent besatta,
när tjocke Kislar-Aga står och vaggar
halvt lyssnande till ljudet av ghaselen,
vill säga något, men han bara traggar
på samma tema, bara står och traggar:
"slå huvudet av alla? Ingen?" — kan ej fatta,
fastän han lydigt lyssnar till ghaselen,
hur det är fatt, han står där än och traggar.

"O höge herre, sådan är ghaselen,
en ros med gift och doft och blod och taggar!
— men oftast helar dock till sist ghaselen,
vad vet en Kislar-Aga om ghaselen?"
— så viskar flickan till sin höge herre,

— evnucken vaggar än och ändå värre
och mumlar traggigt om och om igen:
"av alla? ingen?" och han står där än.

VII.

"En Kislar-Aga är nog värd att skattas
så av Kalifen som av kvinnoskaran,
på dina bud han dränker, vem du vill,
han vänjer oss att lugna möta faran,
en båt, en lagom säck, en sten därtill,
hans mun är blodröd såsom rosenknoppen,
som satts till prydnad mitt i mockakoppen,
han har med oss ett roande besvär
— dock fattas något, något si så där.

Han kommer till oss, gör en lek, det skrattas,
han smeker oss rätt väl, men lusten mattas
av någonting, du vet, så där, så där
— den gode Kislar-Aga, något fattas,
som kvinnor älska si så där, så där,
och av Kalifen äges och så där,
men rår ej för, o herre, att så är."

Den tjocke går och dräktens pärlor blänka
men flickan kan ej låta bli att tänka
på någonting, som är så där, så där.
Kalifen mumlar än och än han tiger,
tills tydbar tanken till hans läppar stiger:
"ja, kärlek, säckar, sten och si så där".

VIII.

Men Dinarsad vill njuta flera nöjen,
hon vet ghaselens verkan på sultanen,

men önskar dristigt le än flera löjen
och driva skämt med rådet i Divanen
och med sultanens vise storvisir.
Hon viskar sakta: "kalla hit divanen
vi döljas lätt för männen i divanen,
med detta draperi av silverskir"

IX.

Divanen låg. Högtidlig var turbanen,
som täckte storvisirens kala hjässa,
högtidligt stämt låg rådet i divanen
med allvarsamma miner, alla dessa
i tystnad lågo, väntande sultanen,
och hörde knappt den börjande ghaselen.

Sultanen kommer ej och storvisiren
begynner tala: "vad är nu att göras
med fångarne, som låtit sig förföras
av Abul-Kaz, den fängslade emiren?"
— så frågar vist den vise storvisiren.

Nu Dinarsad göt vanvett i ghaselen,
en vanvettstjusning dröp hon i ghaselen.

X.

Och storvisiren börjar plötsligt stamma
och litet virrigt på turbanen vrida
och hela rådet i den allvarsamma,
högtidliga divanen vid hans sida
begynner känna kraften av ghaselen
— nu stärkes mäktigt ljudet av ghaselen.

Då lyfter storvisiren på kaftanen
och ropar hest och fnoskigt: "hit med kransar!
korán! korán! en visa är koránen!"
Och storvisiren stiger upp och dansar
i samma tempo, tempo som ghaselen.

Och sin turban bortkastar storvisiren
och säger "tvi!" och "festen, som I firen,
är icke Hamadán, men Backosfesten,
låt ösa vin ur fat, låt bara ösa,
jag är den gamle Dionysosprästen
och äger skatter nog att allt förslösa

av allt som morgonrodnadsljuvast glöder
av vinets ljuvhetsmängd i norr och söder!
giaurerna! vi äro deras bröder
i vin och vänskap, ös, blott ös, låt ösa!
och vad är uppror? fångar? släpp dem lösa!
låt hämta Abul-Kaz, min vän emiren!"
— så sjunger under dansen storvisirer.

XI.

Och hela trossen av kalifens trälar,
som höjts till furstar av en nådig nick,
likt storvisirn, med lika tunga hälar
i samma tempo, tempo, samma skick
nu snurra runtom, ropande på kransar,
och som dervischer äro de till sinnes
men likna också Frankrikes dansöser
hejdlös cancan, vilken gördeln löser.

"Hej, bort med trasan, trampom på turbanen
och alla värdigheters band och svansar
och all den ära, som av paschan vinnes
hos turken, ryssen, franken och romanen!"

Och som dervischer och dansöser dansar,
i tunga tempo, tempo, tempo dansar
den eljest högst högtidliga divanen
— där ser man hela makten av ghaselen.

XII.

"Hej ho, käre bröder
av Bellman i norr,
och minns, käre bröder,
det brännvin av norr
dolmetscharen bjöd er
och punschen av norr,
kylig och torr!

Snurrom runt, renegater,
pastor, pop och pater,
som blivit bej,
hej!
Kaftanerna opp,
hopp!

Kalifen har Schejtan fört bort,
livet är kort,
sök trösten, där tröst är att finna,
låt vinet rinna,
låt fisken i spisen förbrinna,
slakta svin,
drick vin.
Av svin bli vi vackrare ting,
i ring
sving!"

Nu fradgar det spott omkring tänderna,
nu dansar divanen på händerna

i vanvettets rytmiska takt,
förförd av ghaselens makt.

XIII.

Kalifen söker le åt det, som lekes
av Dinarsad med cittran och ghaselen,
men litet medlidsamt och förödmjukat
och själv den kloka Dinarsad bevekes
att suga ut det vanvettsgift hon brukat
som tjusningskraft i dårande ghaselen
och dryper lugn och sansning i ghaselen.

XIV.

Turbanbetäckt är storvisirens hjässa,
han talar vist och med sitt kalls grandezza.
Divanen lyssnar till hans visa tal,
turbanbetäckt och icke mera kal.
"Med sinnesro må fångarne förhöras,
men till en bättre boning må de föras,
om nåd kalifen önskar emot dessa
och sänd en vänlig hälsning till emiren"
— så talar vist den vise storvisiren,
förklarar så divanens rådslag slut
— med värdigt allvar tåga alla ut.

XV.

Kalifens leende är mörkt och mulet:
är skämt Kismét, är gycklet lyckohjulet,
som kastar allting runt, som synes tungt,
med litet gyckel, skrattande och ungt?

Är ock han själv då endast hel och hållen
en lustig lekboll, även han, för denna
mattvita hand med litet färg av henna,
en boll, en kastboll, blott kautschukbollen,
lätt rullad om av någon kvinnosula,
lätt kastad ut bland narrarne på torgen
att rullas, kastas och beles en smula
— så grubblar tvivlet, förebud för sorgen.

En ensam tiger, tämjd av tämjarinnan,
i någon djurgårds efterhärmda kula,
är detta han, en tiger, tämjd av kvinnan?
På nytt det dolskt och grymt och djuriskt fula
hemskt lysa [!] i pupilln och ögonhinnan,
de gula kinderna bli mera gula,
kan tvivlet botas, finns det bot för sorgen?

XVI.

Sultanen grubblar: lidandet och nöden,
ett nyckens liv, med hån släckt ut i döden,
likt sykomorens, vilken mist sin sav,
är det Kismét, som leder våra öden,
likt vanvettsdansen kring en öppen grav?

Vi kastas ut som rosorna ur korgen,
halvt vissnade att vissna helt i döden
— hur starkt än forsa blodets friska flöden,
de sina ut och när vi mistat stöden
för tro och hopp, är nästan tröst i sorgen.

Vad hjälper sången, mitt i allt det bittra,
o Dinarsad, vid ljudet av din cittra?

XVII.

"Du säger sant; mot kval är tröst i sorgen,
och själva tvivlet botar den för mången,
men även sorgen tröstas dock av sången,
när den i kärlek sjungs att lindra sorgen,
till spel av harpan, cittran eller lutan.
Musiken ägnar sig att söva sorgen
hos hyddans son som härskaren i borgen,
gån ej till sorgens läger den förutan!

Men även leken kan en sorg förjaga,
om också endast för en liten stund,
och även sorg av djup och ej alldaga
kan leken häva för en kort sekund
— en kort sekund av ögonblick, som ila,
ett något litet av en liten vila.

Dock svår att bota är den tunga sorgen,
den sjunges bort för flyende minuter,
när någon vis och mäktig ande gjuter
en glömskans drycks hugsvalelse för sorgen
i någon sång, som sjungs att lindra sorgen:
dock återkommer ändå ofta sorgen —
har väl ghaselen allmakt över sorgen?"

XVIII.

"De svälla, de sjuda
i källornas fång,
de böljor, som bjuda
dig svalka en gång.

De söva, de ljuda
i sorgernas sång,

de ana, de buda
om lycka en gång.

Om stiga du kunde,
fast vägen är lång,
till himlen, den sjunde,
du stege en gång. —

Där Gud skall förbjuda
vart fängsel och tvång
för houris att skruda
sig av med sin guda-
befallning en gång,
där houris dig buda
en salighet lång
och älskande bjuda
dig kyssar och sång."

XIX.

"Men vad är sång om salighet för sorgen?
och Dinarsad vill hellre dela sorgen.
— Om ock det gives balsam i musiken,
för svagt, för matt min stackars visa låter,
nu gråter Dinarsad, på sång besviken."
Kalifen veknar, när slavinnan gråter,
förnimmer själv en liten tröst av sorgen,
men även själva sorgen tröstas åter
och sist bortdomnar långsamt även sorgen
till hälften trött av tröstande musiken.

XX.

Jag säger ej, ty vartill det skall båta:
o sångerska, var åter glad,

men önskar icke se dig längre gråta
för mig och dig, o Dinarsad!

"Ej gråter jag likväl för endast denna
min sorg och din, som är mig van,
jag gråter ock för det att ej mer känna
min cittras makt, o Stor-Sultan!"

Den kännes väl, om också något felas,
att komma helt en tröst åstad;
dock ger den mera tröst, när sorgen delas,
så gråt ej mer, o Dinarsad!

Du är mig kär, om ock du än syns likna,
min vita duva, än min svarta svan,
vi höra samman, glada som besvikna,
en skön slavinna och en stor sultan!

XXI.

"Nu är du trött på allt det enahanda,
som är min egen, ej ghaselens brist,
jag känner alltför väl ghaselens anda,
ett enda träd, men icke enahanda,
med olik fågelsång på varje kvist,
och nästa natt vill Dinarsad
ge bättre ton åt varje rad!"

Så låt oss somna, du behöver vila
ditt vackra huvud, som så när du mist,
om icke, klokt begagnande din cittra,
du frälste det från Kislar-Agas bila
med kvinnotjusning, ledd av kvinnolist,
och all den fågellek, som du kan kvittra,
och medsorgs balsamdoft från friska blad,
som du kan ge, o Dinarsad!

XXII.

Och nu är natt och tyst i härskarhuset
— när Dinarsad med silke skyler ljuset,
matt lyser fingersmyckets ametist.
Nu är sultanens tiger åter fången,
men vad är fullt betryggande och visst?
Men trösten råder dock för denna gången,
sultanen somnar, Dinarsad och sången
och allt, som hörts, är sövt i ro till sist.

VÄXTLIV.

Jag sov ej, men låg såsom sjuk till sängs
och trodde mig nära nog drömma
mig vara ett blomfält, en vanlig ängs,
en vanlig att se och förglömma.

Jag tänkte ej mänskliga tankar just,
men kände det vekliga svaga
av morgondrömmande blommors lust
att njuta och lust att behaga.

Då kom som jag tror av små barn en flock,
de började bryta och draga
— jag led ej, jag smärtades ej, men dock
jag kände ett vemod betaga
min själ av att vissna till torrt, till torrt,
men kunde ej vredgas och klaga,
mig tyckes att liv är för blommor kort,
men liknar ju endast en saga
om dvalan att vissna i höstar bort

Den sagan jag drömde, emedan mitt liv
bortflyter i svaghet likt växters,
allt kött är som hö, är som säv och siv,
så läses i bibeltexters
bestämmande "är" och "var" och "bliv".

VINTER.

Jag älskar ej, men börjar akta kyla,
jag älskar ej, men börjar akta hårt
för lätta falla flingorna, som skyla
den rest av liv, som höstar härjat svårt.

Se. drivan hårdnar, insjön bottenfryser
och hårt av isig kyla bliver allt,
kall isen, drivan, kallt det drivan hyser
och kallt mitt eget väsen, isigt kallt.

Må iskallt bliva allt det alltför ljumma
i allt, som halvt är välment, halvt är svek,
må isen kyla hårt och rakt det krumma
hos varje själ, som varit alltför vek.

För vekligt slingrande jag själv har smugit
kring allt, jag mött, och ej förmått mig tro
att jag förfalskande och dolskt har ljugit,
att icke ock i mig en orm haft bo.

Kanhända isig kyla är det sista
omslingrande fördömdes hopp
— när livets ljumma sista flämt de mista,
är kvar en livlös, plågbefriad kropp
i något isflak, fruset fast vid isar,
granitlikt hårt vid någon livlös ö,

där ingen talar, inget märke visar,
att någon där måst leva och måst dö.

Men giver köld blott styrka åt det sjuka
och kan förnyad varmtids friska tö
till nyfött liv det hårdnade uppmjuka
ur tusenårig istids is och snö,
så vakne det att icke mera dö!

HOPPETS VÄG OCH FÖRTVIVLANS.

"Är ock lyckan fjärnt belägen,
lång och lång och strävsam vägen
ock, när den i tro beträds,
ivrig, ivrig, trägen, trägen,
gå dock vägen,
hoppas, tro, åt målet gläds!"

Dikt och sägen,
tycks mig, ägen
I till sant bland sant, jag räds,
att när något sant I sägen
detta sant med osant späds.
Mig tycks ingenstäds belägen
ofta lyckan, lång är vägen,
vägen lång till ingenstäds!

TVIVLET.

Kanhända? Kanhända?
de frågorna, sända

till svarare, vända
tillbaka till tvivlet hos mig,
besvarade ofta med: tig!

Det vissa, det kända,
för mången som kallas profet,
för mig är: kanhända,
kanhända jag tror att jag vet.

MONA LISA.

Mona Lisa, Mona Lisa,
ingenting jag kan
giva dig om ej en visa,
men tillräckligen dig prisa
kan blott annor man —
vänd dig till en ann!

TRO OCH VETANDE.

Dumbomiad.

Hur förena tro med vetande?
Frågan lär ju vara viktig,
kräva starkt arbetande,
mycket ivrigt letande.
Dumbom, något oförsiktig,
svarar: "jo, när tron är riktig,
är den vetande".

AMBLODE.

I.

Amblode, avblode tiger
och blek är Amblodes hy,
men stundom till anletet stiger
en blekröd och flyende sky.

Amblode, blekblode sitter
och slipar med underlig min,
hans blick är förtvivlad och bitter,
hans mun skarpt skuren och fin.

Gestalten är ståtlig och präktig,
hans hår är som ljusgult lin,
hans panna är hövdingemäktig,
men läppen förvriden till grin.

Hans haka är hövdingeskuren,
hans mun är hövdingelik,
han liknar örnen i buren
och vikingen fångad i vik.

Han sitter och slipar och slipar,
det synes oss vara en kniv.
Kring läppen det tungsint lipar
— kanhända det gäller ett liv.

Han lyssnar, kanhända till dödning,
till draug och till underjordsfolk,
han löder, kanhända hans lödning
gör färdig en dödningadolk?

Amblode, sjukblode strövar
i nejden på sällsamt sätt

— vad Amblode hemligt förövar
vet ingen av Amblodes ätt.

Går Amblode om för att öva
en hemlig och grym bedrift
att någon till döden söva
med hemligt bedövande gift?

Går Amblode kring för att leta
örter i enslig nejd,
är hans önskan att veta
vad duger till mordisk sejd?

Han letar, vad än honom lyster,
hans blick är stålgrå och kall,
hans uppsyn är hård och dyster,
när han vistas i ättmöns hall.

Ej Amblode synes att mattas
av hinder som Amblode mött,
blott ett synes Amblode fattas,
blott blod — det gör Amblode trött.

De bleke, de äro att frukta
och Amblode är oss för blek,
för sällsamt hans vägar bukta —
söker han dräpa med svek?

Må Oden Hin Godan hugsvala
den tigande Amblode väl
— men säg oss, du skådande vala,
vad döljes i Amblodes själ?

Må Oden Hin Godan låta
för oss och Amblode gå väl
— men tyd oss den skrämmande gåta,
som döljes i Amblodes själ!

Må Oden Hin Godan bevara
Amblode och Amblodes ätt
— men, skådande vala, svara:
ha vi eller Amblode rätt?

Är ej Amblode
den onde som vill hämnd
och vi de gode
som lyda drottn och nämnd?

II.

Amblode lyssnar,
hör
Asars hat,
vaners likgiltighet,
alfers gyckel,
draugars, dödas
hån,
levande mäns
tankars
hathån.
Ensam niding
Amblode är,
vet ej annat
än
slipa knivar,
leta örter,
hämnd,
hat.

III.

Skulder kanske råda
över båda,

oss och honom,
skonom
därför denne —
skulder kanske råda
över båda,
oss och denne,
skulder kanske råda
över trenne.
denne, oss och annat allt
med gestalt.
Oden, skåda
ned till oss och tryggat liv
alla giv!